Poissons, mollusques & crustacés

Illustrations: © Brenda Guild Gillespie
Illustrations des pages 120, 128, 132, 216, 220, 222, 224, 228,
    232, 236, 238, 240, 246: reproduites avec la permission
    des Pêches Récréatives, Pêches et Océans Canada
Maquette intérieure: Josée Amyotte
Infographie: Johanne Lemay
Révision des textes: Odette Lord

Photographies des recettes, des ustensiles et des étapes de
    préparation: Pierre Beauchemin, photographe à l'ITHQ
Photographies d'ambiance:
    Sylvain Majeau, p. 2, 50, 96, 146, 214, 334, 364, 384
    MAPAQ, Marc Lajoie, p. 34, 124, 170, 252, 320
    MAPAQ, p. 74, 266, 278, 282, 286
Photographies des algues: MAPAQ, p. 356

Nous remercions le Dr William Scott, du Huntsman Marine
Science Centre, de nous avoir permis de reproduire dans le
présent ouvrage des extraits du livre *Poissons de la Côte
Atlantique du Canada*, A.H. Leim et W.B. Scott, Office des
recherches sur les pêcheries du Canada, 1972.

Nous remercions le MAPAQ de nous avoir permis de
reproduire dans le présent ouvrage des extraits du *Guide des
produits de la pêche*, La Direction générale des publications
gouvernementales, 1985.

Données de catalogage avant publication (Canada)

Grappe, Jean-Paul

    Poissons, mollusques et crustacés: les connaître,
les choisir, les apprêter, les déguster

    1. Cuisine (Fruits de mer).   2. Cuisine (Poisson).
3. Fruits de mer.   I. Institut de tourisme et d'hôtellerie du
Québec.   II. Titre.

TX747.G72   1997   641.6'92   C97-941084-3

Dépôt légal: 4e trimestre 1997
Bibliothèque nationale du Québec

ISBN 2-7619-1392-2

Ce livre a été produit grâce au système d'imagerie au laser
des Éditions de l'Homme, lequel comprend:

- Un digitaliseur Scitex Smart TM 720 et un poste de
  retouche de couleurs Scitex Rightouch™;
- Les produits Kodak;
- Les ordinateurs Apple inc.;
- Le système de gestion et d'impression des photos
  avec le logiciel Color Central® de Compumation inc.;
- Le processeur d'images RIP 50 PL2 combiné avec la
  nouvelle technologie Lino Dot® et Lino Pipeline® de
  Linotype-Hell®.

DISTRIBUTEURS EXCLUSIFS:

- Pour le Canada et les États-Unis:
  MESSAGERIES ADP*
  955, rue Amherst,
  Montréal, Québec
  H2L 3K4
  Tél.: (514) 523-1182
  Télécopieur: (514) 939-0406
  * Filiale de Sogides ltée

- Pour la Belgique et le Luxembourg:
  PRESSES DE BELGIQUE S.A.
  Boulevard de l'Europe 117
  B-1301 Wavre
  Tél.: (010) 42-03-20
  Télécopieur: (010) 41-20-24

- Pour la Suisse:
  TRANSAT S.A.
  Route des Jeunes, 4 Ter
  C.P. 125
  1211 Genève 26
  Tél.: (41-22) 342-77-40
  Télécopieur: (41-22) 343-46-46

- Pour la France et les autres pays:
  INTER FORUM
  Immeuble Paryseine, 3, Allée de la Seine,
  94854 Ivry Cedex
  Tél.: 01 49 59 11 89/91
  Télécopieur: 01 49 59 11 96
  Commandes: Tél.: 02 38 32 71 00
                  Télécopieur: 02 38 32 71 28

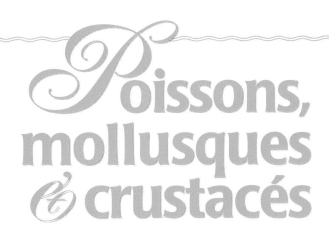

Poissons, mollusques & crustacés

Jean-Paul Grappe,
professeur,
et l'Institut de tourisme
et d'hôtellerie du Québec

*les connaître, les choisir,
les apprêter, les déguster*

LES ÉDITIONS DE
L'HOMME

Remerciements

Madame Brenda Guild Gillespie,
pour ses magnifiques illustrations;
Monsieur Pierre Beauchemin,
photographe à l'Institut de tourisme et d'hôtellerie du Québec,
pour ses remarquables photographies;
Monsieur René-Luc Blaquière, pour son heureuse initiative d'édition;
Dr William Scott, pour sa collaboration et ses recherches;
Ministère de l'Agriculture, des Pêcheries et de l'Alimentation du Québec;
Pêches et Océans Canada.

De l'Institut de tourisme et d'hôtellerie du Québec:
Mesdames Francine Bellemare et Francine Larochelle,
pour leur patience et leur travail soigné;
Monsieur Jean-Marc Barraud, pour le choix des vins;
Monsieur Marco Provost Côté, pour ses élans de créations culinaires;
Monsieur Nelson Théberge, pour sa maîtrise à coordonner le projet.

Nous désirons aussi remercier
Poissonnerie Tataris Canada;
Monas & Cie Ltée, équipements et fourniture pour restaurants;
Les couteaux Sanelli.

Au métier

de cuisinier

et à tous ceux

qui rendent possible

la consommation

des produits

de la pêche

Préface

DANS L'EAU, HORS DE L'EAU, le poisson est un beau sujet de discussion. Ce qui ne nous le fait pas trouver bon pour autant… Malgré tout ce que l'on en dit, bien que nous soyons entourés d'eau salée et pénétrés d'eau douce, notre appréciation des produits de l'eau est toujours aussi imparfaite et notre consommation, toujours aussi maigre.

L'actualité remet régulièrement en première ligne les aspects les moins attirants: guerre du saumon, guerre du turbot (le mal nommé), disparition des stocks marins, moratoire sur la morue… L'image négative est celle sous laquelle le poisson nous est présenté. Image négative aussi que celle de l'obligation du vendredi qu'il faut reléguer au chapitre du passé, mais qui teinte encore le présent.

Impression non moins négative que celle qu'évoquent les diktats de la diététique. Il faut, il faudrait, consommer du poisson parce que, depuis qu'oméga-3 est à la mode… c'est bon pour la santé. Ce n'est ni par interdiction ni par obligation que l'on nous fera manger du poisson.

Et, pourquoi pas, par séduction? N'y a-t-il que de la morue dans la mer? N'y a-t-il que de la truite dans nos cours d'eau? On connaît cette histoire navrante d'un dessin d'enfant représentant un poisson sous la forme d'un rectangle blanc. En théorie, nous savons tous que le poisson n'est pas un filet congelé dépourvu de toute aspérité. Mais en pratique, pourquoi ne supportons-nous pas de voir une tête, une arête dans notre assiette? Savons-nous vraiment ce qu'est un poisson? Savons-nous vraiment qu'un poisson peut être autre chose qu'un saumon ou une morue?

Ce livre répondra à bien des questions. Et il aura l'immense avantage de nous mettre en appétit. Le liront avec intérêt les terriens et les marins. On pense souvent à faire se rencontrer la ville et la campagne. Cette fois, on mettra en contact les pêcheurs et les consommateurs. Pour que les premiers ne rejettent plus à la mer ce que les autres dédaignent par ignorance! Et pour que vivent les morues pendant que l'on pêchera les autres espèces…

C'est, d'une certaine manière, pour aider les pêcheurs et les pêcheries que l'Institut de tourisme et d'hôtellerie du Québec a conçu ce projet. Jean-Paul Grappe, professeur à l'ITHQ, a réuni dans ce livre le fruit d'un travail de recherches de plus de vingt ans, mené en Gaspésie, aux Îles-de-la-Madeleine et en Abitibi, pour faire connaître et mettre en valeur

les ressources locales. Celles de l'eau sont aussi riches que celles de la terre. Et, maintenant que le terroir est remis à l'honneur, il ne faudrait pas oublier d'y inclure tout ce qui vit dans l'eau.

La cuisine régionale associe dans un même élan le producteur et le cuisinier. Le pêcheur est, au même titre que l'agriculteur et le maraîcher, le partenaire privilégié du cuisinier. Qui, en effet, mieux que le pêcheur, pourrait trouver les techniques de préparation convenant à chaque espèce nouvellement tirée de l'eau…? Si l'on savait utiliser localement les produits de nos eaux, on éviterait de voir prendre le chemin des marchés extérieurs certains de nos meilleurs poissons et fruits de mer, sans parler de ceux qui passent par New York et Boston avant de revenir ici. Le poisson, c'est vrai que c'est bon. Fiez-vous au cuisinier!

Françoise Kayler

Introduction

L'HOMME S'INTÉRESSE depuis toujours à ce qui vit sous la surface de l'eau; êtres mythiques et monstrueux, animaux mythologiques, symboles d'aventures et de défis, la mer est à l'origine de plusieurs histoires opposant la puissance de l'homme aux mystères de cette immensité insondable. Même si, de nos jours, la mer recèle encore de nombreux mystères, nous ne croyons plus (ou presque) à ces créatures quasi magiques qui peuplaient les frayeurs de nos marins de jadis. Mais devant le nombre sans cesse croissant d'humains à nourrir, nous tentons de conserver la mer comme alliée dans ce grand combat qu'est la survie de la race humaine. La mer, les lacs et les rivières ne nous ont-ils pas fourni une des nourritures de base depuis presque toujours? L'eau, le pain et le poisson ont permis à des peuples entiers de maintenir une certaine autonomie alimentaire. Mais dans cette course contre la montre, nous oublions peut-être de ménager notre monture, de faire en sorte que notre garde-manger soit en bon état, de ne pas polluer, de ne pas surexploiter et de ne pas gaspiller une ressource qui n'est pas si inépuisable que nous voulions bien le croire.

À titre d'exemple, devant la diminution dramatique des stocks de morues, nous nous devons, bien sûr, de réagir, non pas en cessant notre consommation de poisson, mais en nous tournant vers des poissons que nous trouvons en plus grande quantité, le temps que la nature se refasse des forces. Il est vrai que changer des habitudes demande souvent un effort et que le risque de la déception nous empêche souvent de nous aventurer hors des sentiers battus.

Ce livre, nous l'espérons, vous permettra de découvrir et de goûter les nombreuses espèces de poissons, mollusques et crustacés que nous pouvons nous procurer sur le marché. Certaines de ces espèces ne sont pas de chez nous, mais sont consommées dans nos foyers ou sont utilisées couramment par les professionnels de la cuisine. D'autres, en revanche, font partie de notre patrimoine culinaire et de notre histoire gastronomique. Loin de vouloir essayer de mettre un point final à la classification des poissons, mollusques et crustacés et de rédiger un ouvrage à caractère scientifique, nous avons opté pour une classification qui apprécie la valeur gastronomique et la qualité gustative de chaque espèce que l'on trouve dans ce livre.

Les recettes contenues dans cet ouvrage sont nouvelles et inventives, à la fois simples, audacieuses et surtout à la portée de tous. Les descriptions sont claires et les techniques peuvent facilement être appliquées à la maison. Les illustrations ont fait l'objet d'un travail de recherche minutieux afin que l'espèce traitée soit facilement reconnaissable lors de l'achat et que la description soit fidèle à la réalité.

Finalement, nous avons voulu que ce livre de recettes soit amusant à consulter, devienne une référence pour les praticiens de l'art de la cuisine et les professionnels de la pêche commerciale, un outil d'apprentissage pour les étudiants en cuisine, un stimulant pour les amateurs de bonne chère ou simplement un guide pour l'amateur de pêche qui désire donner à ses prises un destin honorable et faire de ses histoires de pêche des vérités pleines de saveurs.

La consommation du poisson au Québec

Dans le passé, le fait de consommer du poisson était une obligation familiale et religieuse, souvent difficile à accepter. La «corvée» du vendredi, journée maigre pour la communauté catholique, obligeait la famille à s'attabler devant des repas alors considérés comme bien «pauvres».

De nos jours, on redécouvre la valeur des produits de la pêche, même s'il subsiste encore certaines appréhensions en ce qui concerne le poisson en général et à l'égard de certaines catégories de produits maritimes en particulier. Pourtant, les poissons devraient être considérés comme des produits aussi «nobles» que peuvent l'être les homards, les crabes ou les crevettes. D'ailleurs, la fine cuisine a toujours réservé une place privilégiée aux produits de la pêche, dans ses menus gastronomiques. Tous les livres de cuisine, qu'ils soient anciens ou modernes, consacrent autant de descriptions de préparations soignées aux chairs marines qu'aux chairs terrestres. Quelques grands chefs ont même vu leur art consacré en préparant seulement des plats à base de poisson et de crustacés.

Le Québec est un territoire très riche en produits de la pêche et on y trouve d'innombrables espèces de poissons, qu'il s'agisse de poissons d'eau douce ou de la mer. De plus, les marchés québécois regorgent de poissons importés provenant des eaux chaudes du Sud. On déplore en revanche une méconnaissance des produits maritimes de la part de la majorité des gens. On ne connaît généralement que les noms de quelques poissons, sans pouvoir leur attribuer une forme ou une couleur. On hésite aussi à les cuisiner, pour diverses raisons, d'abord, par manque d'informations au sujet de leur préparation.

Au cours de la décennie passée, on ne trouvait souvent sur le marché québécois que des poissons surgelés ou plus simplement congelés. Quelques pionniers, des poissonniers et un petit nombre de restaurateurs avant-gardistes ont décidé, depuis quelques années, de valoriser le poisson et de redonner aux consommateurs le goût d'en savourer. En outre, ces restaurateurs optent de plus en plus pour le poisson frais et c'est tout à leur honneur. Les transports modernes, plus rapides, permettent d'ailleurs de s'approvisionner en produits frais, tout au long de l'année. Les poissons arrivent à destination dans un délai de 24 à 36 h après leur arrivée au quai. Bien entendu, l'éloignement des grandes métropoles peut rendre difficile l'approvisionnement en poissons frais. Dans ce cas, il importe d'user de vigilance en choisissant bien et en vérifiant l'état des produits achetés, qui peuvent être surgelés, par exemple. Ainsi, il faut prendre garde de ne pas se procurer du poisson décongelé en croyant acheter du poisson frais.

Depuis que la nutrition constitue une des préoccupations premières des personnes qui surveillent leur santé et depuis que les diététiciens et les nutritionnistes propagent leur savoir, le poisson a repris sa vraie place dans l'alimentation. Comme la viande et la volaille, le poisson contient beaucoup de protéines. Il peut donc aisément remplacer le bœuf, le porc ou le poulet et servir d'élément de base à plusieurs repas dans une même semaine.

Certains ont l'impression que le poisson nourrit moins que la viande. Cette illusion découle du simple fait qu'il se digère plus facilement. La chair de poisson ne contient que 5 % de tissus conjonctifs comparativement à 14 % dans le cas de la viande. De plus, le poisson ne comporte pas de fibres indigestes. Les essais en laboratoire ont d'ailleurs prouvé que 90 % des protéines du poisson sont digérées.

Pour les personnes qui surveillent leur poids, le poisson présente l'avantage de fournir beaucoup moins de calories que la viande. Il faut évidemment préciser que cette affirmation est valable seulement si le poisson est apprêté de façon simple et cuit dans un court-bouillon, à la vapeur ou sur le gril. Bien entendu, on déconseille la friture aux personnes qui suivent un régime à basse teneur en calories. De plus, il faut signaler qu'il peut être profitable pour ces personnes de bien choisir les poissons qu'elles consomment, car ceux-ci se subdivisent en deux catégories, soit les poissons maigres et les poissons gras.

Guide d'achat des poissons frais

Pour connaître la qualité des poissons frais, il importe d'observer certains aspects qui caractérisent leur état de fraîcheur.

Odeur: La plupart des poissons de mer frais dégagent une faible odeur de marée, sauf la raie qui présente parfois une légère odeur d'ammoniac. Quant aux poissons d'eau douce, ils exhalent une odeur d'herbes aquatiques.

Corps: Le corps des poissons frais doit être rigide, ferme et d'aspect brillant.

Œil: Le poisson frais possède un œil clair, vif, brillant et de forme convexe, occupant toute la cavité de l'orbite.

Peau: La peau des poissons frais est tendue et adhère bien aux arêtes.

Écailles: À l'état frais, les poissons sont recouverts d'écailles brillantes, fortement collées à la peau.

Branchies: Les branchies des poissons frais doivent être brillantes et humides et présenter une couleur rose ou rouge sang. Néanmoins, les branchies de certains poissons de mer comme la sole ont une teinte moins accentuée, tirant sur le bistre.

Chair: Lorsqu'on y exerce une pression du doigt, la chair des poissons frais doit être ferme et élastique. Elle peut être blanche, rose ou rouge, dans le cas de certaines espèces de thon. Lorsqu'on la coupe, la chair des gros poissons de mer a une apparence satinée.

Guide d'achat des poissons congelés

À l'achat de poissons congelés ou surgelés, il importe de faire preuve de vigilance. Ainsi, il est préférable d'acheter les poissons emballés sous vide qui portent la dénomination «produit surgelé». Idéalement, la date de surgélation devrait figurer sur l'étiquette, ce qui permet de déterminer le temps de conservation du poisson (voir tableau, p. 16). Certains poissons peuvent avoir été mal congelés et d'autres ont pu être recongelés. Il faut donc surveiller attentivement l'apparence des poissons congelés qui ne devraient présenter ni teinte brunâtre ni meurtrissures sur les parties les moins épaisses.

Méthode de conservation des poissons frais

Après avoir pris bien soin de vérifier la fraîcheur du poisson lors de l'achat, il importe de bien le conserver. Bien entendu, on ne peut garder le poisson à l'état «frais» pendant plus de 4 à 5 jours, même s'il a été sanglé dans les meilleures conditions, à une température constante entre 0°C et 4°C. À défaut d'un réfrigérateur comportant un tiroir conçu spécifiquement pour la conservation des poissons (tiroir à poissons), il faut sangler les poissons. Cette méthode consiste à disposer une grille recouverte d'un linge dans un bac en plastique (ou autre), à y déposer les poissons frais, à les recouvrir d'un autre linge, puis à déposer sur le tout de la glace broyée ou en cubes. Les poissons ne doivent pas entrer en contact avec la glace, car celle-ci risque de «brûler» les chairs. De plus, les poissons ne doivent pas tremper dans l'eau provenant de la fonte de la glace. Il faut donc vider l'eau régulièrement, rajouter de la glace au besoin et conserver le tout au froid.

Conservation des poissons congelés

Tous les poissons achetés à l'état congelé doivent être gardés à une température de -18°C afin d'arrêter toute activité microbienne. Cependant, il est préférable de ne pas garder trop longtemps des poissons congelés, car les chairs durcissent et s'altèrent. Il est avantageux de givrer le poisson par trempage dans l'eau en fin de congélation afin de le protéger de la dessication et de l'oxydation.

Période de conservation des poissons frais et congelés

Conservation des poissons

	POISSONS FRAIS			POISSONS CONGELÉS			
	Supérieur à 10°C	10°C (frais)	0°C à 4°C (réfrigéré)	-10°C à -18°C (congelé)	-18°C (surgelé)	-25°C (surgelé)	-30°C (surgelé)
Période de conservation des poissons gras	courte	de 5 à 30 jours	de 5 à 30 jours	2 mois	4 mois	8 mois	12 mois
Période de conservation des poissons maigres	courte	de 5 à 30 jours	de 5 à 30 jours	1 1/2 mois	8 mois	18 mois	24 mois
Période de conservation des poissons plats	courte	de 5 à 30 jours	de 5 à 30 jours	4 mois	10 mois	24 mois	23 mois
Développement des microbes pathogènes[1]	rapide	lent	arrêt	arrêt	arrêt	arrêt	arrêt
Développement des microbes d'altération[2]	rapide	assez rapide	assez rapide	très lent	arrêt	arrêt	arrêt
Réactions chimiques: brunissement et rancissement[3]	rapides	assez rapides	assez rapides	lentes	très lentes	très lentes	très lentes

1. Microbes pathogènes: ces microbes produisent des toxines qui peuvent provoquer des intoxications alimentaires.

2. Microbes d'altération: ces microbes produisent des déchets qui sont responsables des défauts de goût, d'odeur ou d'aspect; il en résulte donc une altération des aliments et une diminution de leur durée de conservation.

3. Réactions chimiques telles que le brunissement et le rancissement: en cas de mauvaise surgélation, de mauvaise congélation ou d'un mauvais emballage, le poisson peut présenter, sur les parties les moins épaisses, une couleur brunâtre provenant d'une «cuisson» par le froid.

Congélation et surgélation

La congélation et la surgélation ont pour principal objectif de transformer le maximum d'eau en glace et d'améliorer ainsi de façon sensible la durée de conservation des aliments. Elles peuvent s'appliquer autant aux matières premières destinées à être ultérieurement transformées qu'aux produits prêts à consommer. Ces deux techniques nécessitent l'application adéquate des procédés de mise en congélation ou en surgélation, de stockage, de congélation comme telle et de réchauffage.

Alors que la congélation est une méthode douce et lente, la surgélation est plus rapide. En revanche, cette dernière technique présente des avantages par rapport à la congélation. La surgélation consiste à «congeler» un produit dans un appareil frigorifique à très basse température, c'est-à-dire à -40°C, afin qu'il dépasse très rapidement la zone de -1°C à -15°C, qu'on appelle zone de cristallisation. Cette zone se révèle la plus importante dans les procédés de congélation et de surgélation, car c'est à ce moment que l'eau contenue dans le poisson (80 à 90 %) se transforme en cristaux de glace.

Lorsque la congélation se fait lentement, les cristaux sont gros, alors qu'une congélation rapide produit des cristaux plus petits. Les gros cristaux ont beaucoup plus tendance à altérer les produits que les petits cristaux. Aussi, les gros cristaux entraînent-ils la formation d'une plus grande quantité de liquide. Il en résulte donc une viande ou un poisson plus sec. Un poisson bien surgelé garde plus les qualités de fraîcheur qu'un poisson frais mal conservé ou qu'un poisson congelé. Signalons de plus qu'on ne devrait surgeler un poisson que très peu de temps après sa sortie de l'eau et non après une période d'attente.

Idéalement, il est préférable de surgeler un poisson, si l'on désire le conserver pendant une assez longue période. Mais, à défaut d'équipement de surgélation, on peut fort bien procéder à une congélation adéquate.

Signalons à cet effet que ces deux techniques exigent que certaines précautions soient prises afin d'obtenir un produit de qualité.

Il importe donc de respecter les conditions suivantes:

- toujours laver, vider et écailler les poissons;
- choisir un bon emballage avant de congeler ou de surgeler des poissons;
- idéalement, opter pour la méthode d'emballage sous vide;
- à défaut de cette méthode, utiliser de préférence de la pellicule plastique plutôt que du papier d'aluminium ou un autre produit d'emballage, afin qu'il n'y ait qu'un minimum d'air autour du poisson;
- ne pas oublier d'apposer une étiquette indiquant la date de la congélation;
- ne jamais recongeler un poisson décongelé.

Méthode et temps de cuisson

Il existe des règles de base et des méthodes précises concernant la cuisson du poisson. En général, les méthodes de cuisson relatives aux viandes peuvent s'appliquer aux poissons. Cependant, il ne faut pas cuire le poisson trop longtemps, car une cuisson prolongée indûment risque de l'assécher, de le durcir et de rendre la chair insipide. On peut apprêter le poisson de différentes façons et l'utiliser pour préparer divers mets comme des potages, des pâtés, des pains ou des mousses. De nombreuses méthodes de cuisson s'appliquent donc aux poissons.

Diverses méthodes de cuisson

Cuisson à l'anglaise: Cette méthode consiste à faire cuire le poisson au beurre, dans une poêle, après l'avoir fariné, passé dans une préparation d'œuf battu et de lait, puis enrobé de chapelure.

Cuisson à la meunière: Ce mode de cuisson s'applique principalement aux poissons de petite taille. Il s'agit de les fariner, puis de les faire cuire dans une poêle, au beurre.

Cuisson à la vapeur: Il s'agit de faire cuire le poisson à la vapeur d'un court-bouillon, d'un vin blanc ou d'un fumet de poisson, en utilisant une marguerite ou des grilles disposées dans un récipient comportant un couvercle. Pour cuire à la vapeur, on peut également utiliser l'autoclave.

Cuisson au bain-marie: Ce procédé culinaire s'applique aux mousses et aux pains de poisson. Le récipient contenant la préparation à cuire est placé dans un bain-marie, puis déposé au four ou sur le feu.

Cuisson au four: On peut faire cuire au four certaines grosses pièces de poisson avec du beurre et une garniture de légumes. Il importe de les arroser souvent avec le jus de cuisson.

Cuisson au four, en papillote: Les poissons cuits en papillote sont enveloppés dans du papier d'aluminium dans lequel on ajoute une brunoise de légumes ainsi qu'un peu de vin blanc ou de fumet de poisson. On place la papillote au four et le poisson cuit alors à «l'étouffée».

Frire: Avant de faire frire un poisson ou un morceau de poisson, il faut d'abord l'enrober de pâte à frire ou simplement le passer dans la farine. On l'immerge ensuite dans un bain d'huile à frire, à une température très élevée.

Griller: Dans ce cas, on choisit de préférence des poissons pas trop épais. Il faut bien les éponger pour leur enlever le maximum d'humidité, puis les passer dans l'huile avant de les faire cuire sur le gril.

Pocher à court mouillement (braisage): Cette méthode, qui s'applique de préférence aux grosses pièces de poisson, consiste à faire cuire le poisson dans un peu de liquide (vin blanc ou fumet de poisson) avec une garniture de légumes. Il est préférable de procéder à une telle cuisson au four et à couvert.

- **Pocher au court-bouillon**: Le poisson cuit alors dans un liquide appelé court-bouillon, comportant du vin blanc, du fumet de poisson ou de l'eau, des carottes, de l'oignon, un bouquet garni, du jus de citron, du sel et du poivre.

En ce qui concerne les herbes

Dans les recettes, nous suggérons toujours l'utilisation d'herbes fraîches que l'on trouve de plus en plus toute l'année. Les quantités données sont donc des quantités d'herbes fraîches. Il est bien sûr possible d'utiliser des herbes séchées, à défaut d'herbes fraîches, mais à ce moment, on doit les utiliser en quantité beaucoup moins grande.

Temps de cuisson

Lors de la cuisson, la substance protéique d'un poisson (albumine) tend à se coaguler. Le poisson est cuit lorsque cette substance (liquide blanc) sort légèrement du poisson. Le temps de cuisson varie de 9 à 11 min pour un poisson frais de 2,5 cm (1 po) d'épaisseur et de 12 à 22 min pour un poisson congelé. Les temps de cuisson varient également selon les types et la qualité des poissons. Ainsi, un poisson maigre peut cuire plus rapidement qu'un poisson gras.

Note: Il importe de préciser que les temps de cuisson qui figurent dans les recettes dépendent toujours de l'épaisseur, de la qualité, de la fraîcheur et du type de poisson utilisé.

Morphologie d'un poisson osseux

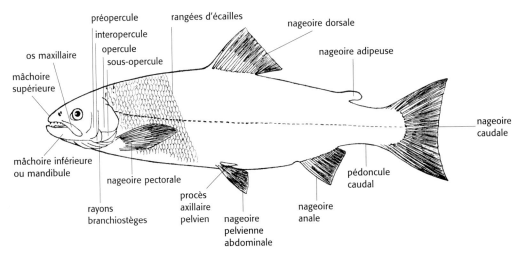

préopercule
interopercule
opercule
sous-opercule
rangées d'écailles
nageoire dorsale
nageoire adipeuse
os maxillaire
mâchoire supérieure
nageoire caudale
mâchoire inférieure ou mandibule
nageoire pectorale
rayons branchiostèges
procès axillaire pelvien
nageoire pelvienne abdominale
nageoire anale
pédoncule caudal

Face latérale et parties du corps d'un poisson osseux à rayons mous

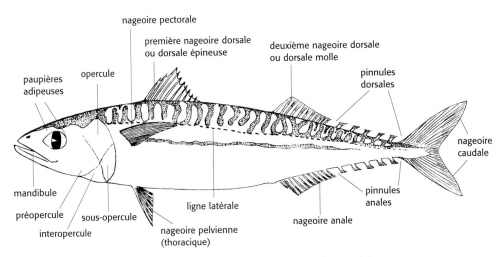

nageoire pectorale
première nageoire dorsale ou dorsale épineuse
deuxième nageoire dorsale ou dorsale molle
pinnules dorsales
paupières adipeuses
opercule
nageoire caudale
mandibule
préopercule
sous-opercule
interopercule
ligne latérale
nageoire pelvienne (thoracique)
nageoire anale
pinnules anales

Face latérale et parties du corps d'un poisson osseaux à rayons épineux

Quelques éléments de base pour certaines recettes

Fumet de poisson

25 ml (1 ½ c. à soupe)	Beurre
800 g (1 ¾ lb)	Arêtes et parures de poissons (de préférence de poissons plats)
75 g (2 ½ oz)	Oignon émincé
125 g (4 oz)	Poireau émincé
125 g (4 oz)	Céleri émincé
30 g (6 c. à soupe)	Échalotes
150 g (5 oz)	Champignons émincés
100 ml (3 ½ oz)	Vin blanc sec
20 ml (4 c. à thé)	Jus de citron
1 litre (4 tasses)	Eau froide
1 pincée	Thym
½	Feuille de laurier
10	Grains de poivre

- Faire chauffer le beurre dans une casserole, ajouter les arêtes, les parures de poisson et tous les légumes, puis faire suer le tout pendant 4 à 5 min. Mouiller avec le vin, le jus de citron et l'eau froide, ajouter le thym, le laurier et le poivre. Amener à ébullition et laisser mijoter pendant 25 min. Passer à l'étamine, laisser refroidir et réserver pour un usage ultérieur.

NOTE: Ce fumet se conserve au congélateur pendant une durée maximale de 2 à 3 mois, éviter d'utiliser des carottes dans la préparation du fumet de poisson, car elles donnent généralement un goût sucré au bouillon. Ne jamais saler un fumet de poisson, car on doit quelquefois le faire réduire pour obtenir un «concentré» de poisson.

Court-bouillon

Le court-bouillon est peu utilisé. Cependant, c'est un élément aromatique de haute qualité pour les poissons (petites ou grosses pièces).

2,5 litres (10 tasses)	Eau
100 ml (3 ½ oz)	Vin blanc sec
100 ml (3 ½ oz)	Vinaigre blanc de qualité
30 g (1 ¾ c. à soupe)	Gros sel
300 g (2 tasses)	Fines rondelles d'oignons blancs
300 g (2 ⅔ tasses)	Fines rondelles de carottes
1	Bouquet garni
10	Grains de poivre noir

- Réunir tous les éléments cités et cuire jusqu'à tendreté des carottes et des oignons. Si on utilise le court-bouillon immédiatement, laisser les légumes qui serviront de garniture aux poissons, mollusques ou crustacés, sinon, passer le court-bouillon au chinois étamine ou passoire à mailles fines.

Essences de légumes

Les essences de légumes sont des concentrations de saveurs qui peuvent être faites avec un seul élément. On peut faire, par exemple, de l'essence de céleri. On peut aussi faire des essences de légumes différents, il suffit de cuire l'élément de base dans de l'eau, puis, après cuisson, de laisser réduire le liquide.

Velouté de poisson

500 ml (2 tasses)	Fumet de poisson
quantité suffisante	Roux blanc (voir recette suivante)
60 g (1/4 tasse)	Beurre
150 ml (env. 2/3 tasse)	Crème à 35 %
quantité suffisante	Sel et poivre

- Faire chauffer le fumet de poisson. Ajouter le roux blanc froid petit à petit et cuire 10 min jusqu'à la consistance désirée. Ajouter le beurre, puis la crème, saler et poivrer.
- Passer au chinois étamine ou passoire à mailles fines.

Roux blanc

500 g (3 tasses)	Beurre
500 g (3 1/2 tasses)	Farine

- Faire fondre le beurre au four à micro-ondes, ajouter la farine et bien mélanger. Cuire par séquence de vingt secondes et bien mélanger entre chaque séquence. Le roux est cuit lorsqu'il commence à mousser.

NOTE: Le roux est un élément de base dans une cuisine familiale ou professionnelle. Pour faire un roux, le four à micro-ondes est idéal.

- On peut garder le roux au réfrigérateur au moins un mois et s'en servir au besoin.
- Le roux est supérieur au beurre manié, car la farine est cuite.

Beurre blanc

1	Citron (jus)
40 ml (3 c. à soupe)	Vin blanc
quantité suffisante	Sel et poivre blanc
200 g (7 oz)	Beurre fondu

- Dans un cul-de-poule, sur un bain-marie, réchauffer le jus de citron, le vin blanc, puis ajouter le sel et le poivre, en fouettant vivement. Incorporer le beurre fondu, tiède.

NOTE: On doit toujours mettre le sel et le poivre avant le beurre, car les acides du vin et du citron les font fondre avant que l'on incorpore le beurre. Le beurre blanc, s'il n'est pas difficile à préparer, doit être servi immédiatement, car au contraire du beurre nantais, il ne comporte pas d'éléments de liaison comme la crème.

Beurre nantais

2	Échalotes hachées finement
100 ml (3 1/2 oz)	Vinaigre de vin blanc
100 ml (3 1/2 oz)	Vin blanc
quantité suffisante	Sel et poivre du moulin
200 ml (7 oz)	Crème à 35 %
200 g (env. 1 tasse)	Beurre doux froid

- Mettre dans une casserole les échalotes hachées, le vinaigre et le vin blanc, saler et poivrer. Faire réduire des 3/4 à feu vif. Ajouter la crème et faire réduire ce mélange de moitié. Ajouter graduellement le beurre en brassant constamment avec un fouet. Retirer la casserole du feu lorsque le beurre est complètement incorporé. Conserver dans un endroit frais.

Sauce hollandaise (méthode rapide)

Il y a deux façons de faire la sauce hollandaise. On peut la faire selon la méthode rapide ou selon la méthode classique, mais cette dernière donne de meilleurs résultats.

175 g (1 tasse)	Beurre doux
4	Jaunes d'œufs
40 ml (3 c. à soupe)	Vin blanc
quantité suffisante	Sel et poivre
1/2	Citron (jus) (facultatif)

- Faire fondre le beurre. Dans un récipient de forme ronde (cul-de-poule pour les restaurateurs), qu'on peut mettre au chaud, bien mélanger au fouet les jaunes d'œufs, le vin blanc, le sel et le poivre.
- Au bain-marie tiède, bien émulsionner ce mélange jusqu'à ce qu'il fasse le ruban (comme une crème fouettée). Cette opération est très importante, car c'est l'émulsion des jaunes d'œufs combinée à l'acide du vin blanc au bain-marie qui assure la réussite de cette sauce.
- Lorsque cette opération est terminée, incorporer petit à petit le beurre fondu. Le mélange doit être onctueux, au besoin ajouter le jus de citron.

NOTE: On utilise toujours du beurre doux en raison de sa plus grande densité en gras.

Sauce hollandaise (méthode classique)

100 ml (3 1/2 oz)	Vin blanc
35 g (5 c. à soupe)	Échalotes hachées
10 ml (2 c. à thé)	Vinaigre blanc
4	Jaunes d'œufs
quantité suffisante	Sel et poivre
175 g (1 tasse)	Beurre doux
1/2	Citron (jus) (facultatif)

- Faire réduire le vin blanc, les échalotes hachées et le vinaigre des 9/10. Laisser refroidir cette réduction, puis ajouter les jaunes d'œufs. Passer la sauce au chinois étamine ou passoire à mailles fines.
- Faire fondre le beurre. Dans un récipient de forme ronde (cul-de-poule pour les restaurateurs), qu'on peut mettre au chaud, bien mélanger au fouet le mélange jaunes d'œufs-vin blanc, puis ajouter le sel et le poivre.
- Au bain-marie tiède, bien émulsionner ce mélange jusqu'à ce qu'il fasse le ruban (comme une crème fouettée). Cette opération est très importante, car c'est l'émulsion des jaunes d'œufs combinée à l'acide du vin blanc au bain-marie qui assure la réussite de cette sauce. Lorsque cette opération est terminée, incorporer le beurre fondu petit à petit. Le mélange doit être onctueux, au besoin ajouter le jus de citron.

NOTE: On utilise toujours du beurre doux en raison de sa plus grande densité en gras.

Dérivés de sauce hollandaise pour poissons, mollusques et crustacés

Sauce maltaise: Hollandaise + jus et zeste d'orange.
Sauce moutarde: Hollandaise + moutarde blanche ou moutarde de Meaux.
Sauce mikado: Hollandaise + jus et julienne blanchie de zeste de mandarine.
Sauce mousseline: Hollandaise + crème fouettée.
Sauce sabayon: Hollandaise + coulis de crustacés ou coulis de tomate ou coulis de poivron ou coulis de fenouil.

Sauce béarnaise

40 ml (3 c. à soupe)	Vinaigre de vin
100 ml (3 ½ oz)	Vin blanc
5 g (2 c. à thé)	Poivre en grains, écrasé
15 g (1 c. à soupe)	Estragon frais, haché
30 g (4 c. à soupe)	Échalote hachée
300 g (1 ¼ tasse)	Beurre fondu
3	Jaunes d'œufs
quantité suffisante	Sel et poivre
15 g (1 c. à soupe)	Estragon haché
5 g (1 c. à soupe)	Persil haché
5 g (2 c. à soupe)	Ciboulette ciselée

- Verser le vinaigre et le vin dans une casserole et ajouter le poivre, l'estragon et l'échalote. Faire réduire de moitié et laisser refroidir. Transvaser le beurre fondu sans récupérer le petit-lait au fond de la poêle; réserver ce beurre clarifié au chaud. Ajouter la réduction de vinaigre et de vin aux jaunes d'œufs, puis fouetter ces jaunes au bain-marie, jusqu'à l'obtention d'un mélange crémeux et épais. Incorporer délicatement le beurre clarifié à ce mélange, en s'assurant que le beurre n'est pas trop chaud.
- Passer la sauce au tamis et rectifier l'assaisonnement. Si la sauce est trop épaisse, ajouter un peu d'eau tiède pour la liquéfier légèrement. Ajouter la garniture d'estragon, de persil et de ciboulette, puis servir.

Sauce béarnaise (autre méthode)

La sauce béarnaise est une hollandaise faite selon la méthode classique à laquelle on doit ajouter de la ciboulette hachée et de l'estragon haché. On ne passe pas la sauce au chinois étamine ou passoire à mailles fines.

Dérivés de sauce béarnaise

Sauce Choron: Béarnaise + fondue de tomates réduites, hachées ou mixées (pas d'estragon ni de cerfeuil en finition).

Sauce corail: Béarnaise dont les jaunes ont été remplacés par du corail (de homard, de pétoncle ou d'oursin), car le corail a les mêmes propriétés de liaison que les jaunes d'œufs.

Sauce paloise: Béarnaise + feuille de menthe hachée à la place de l'estragon.

Sauce Valois: Béarnaise + glace de viande.

Sauce aux fines herbes garnie d'écrevisses

16	Écrevisses
45 ml (3 c. à soupe)	Huile
325 g (env. ¾ lb)	Oignon haché
15 g (2 c. à soupe)	Échalote française fraîche, hachée
30 g (3 c. à soupe)	Carotte hachée
1 pincée	Thym
1	Feuille de laurier
100 ml (3 ½ oz)	Cognac
400 ml (14 oz)	Bouillon de poisson
200 ml (7 oz)	Vin blanc
quantité suffisante	Sel et poivre
1 pointe	Poivre de Cayenne
60 g (¼ tasse)	Beurre
100 g (¾ tasse)	Farine
125 ml (½ tasse)	Crème à 35 %

FINES HERBES:

5 ml (1 c. à thé)	Ciboulette
5 ml (1 c. à thé)	Persil haché
2 ml (½ c. à thé)	Estragon

Fumet de homard ou de crabe

500 g (env. 1 lb)	Homard ou crabe
60 ml (¼ tasse)	Huile
60 ml (¼ tasse)	Carotte en cubes
45 ml (3 c. à soupe)	Oignon en cubes
45 ml (3 c. à soupe)	Céleri en cubes
60 ml (¼ tasse)	Blanc de poireau en cubes
125 ml (½ tasse)	Tomate fraîche en cubes
20 ml (4 c. à thé)	Cognac
1 litre (4 tasses)	Fumet de poisson (voir recette au début de ce chapitre)
20 ml (4 c. à thé)	Pâte de tomate
2	Gousses d'ail
1 pincée	Thym haché
1	Feuille de laurier
quantité suffisante	Sel et poivre

- Châtrer les écrevisses (il s'agit, en fait, de leur enlever l'appareil digestif. La queue de l'écrevisse comprend à son extrémité trois segments en éventail. Il faut saisir celui du milieu entre deux doigts, donner un quart de tour et tirer délicatement; le long filament noir doit s'enlever d'une pièce).

- Dans une sauteuse, faire chauffer l'huile à feu vif, puis y faire rissoler les légumes et les écrevisses avec le thym et le laurier. Quand les écrevisses sont rouges, flamber au cognac, puis mouiller avec le bouillon de poisson chaud et le vin blanc. Assaisonner et laisser cuire pendant une dizaine de minutes. Retirer alors les écrevisses de la sauteuse. Les décortiquer et garder les queues d'écrevisse pour décorer le plat.

- Piler les carcasses et les pinces dans le fond de cuisson, puis passer le tout au chinois étamine ou passoire à mailles fines. Garder au chaud le jus ainsi obtenu.

- Préparer un roux avec le beurre et la farine. Mouiller avec le jus, faire épaissir en tournant avec une spatule en bois et laisser mijoter en surveillant pendant 8 min. Ajouter la crème au liquide. Laisser cuire encore jusqu'à ce que la sauce soit très onctueuse. Ajouter les fines herbes et rectifier l'assaisonnement.

- Couper grossièrement le homard avec la carapace (voir photos des techniques); enlever les intestins et l'estomac. Faire revenir les morceaux de homard dans l'huile. Ajouter les légumes et laisser cuire pendant 4 à 5 min.

- Dégraisser la casserole, puis flamber au cognac. Mouiller avec le fumet de poisson. Ajouter la pâte de tomate, puis les autres ingrédients. Faire mijoter pendant 30 min.

- Concasser ou hacher le homard et les légumes, puis passer au chinois fin ou passoire à mailles fines. Faire mijoter pendant 1 à 2 min, puis rectifier l'assaisonnement.

NOTE: Ce fumet peut être congelé; on peut aussi le préparer avec des carcasses de crabe.

Il est possible de trouver dans le commerce des bisques de homard de bonne qualité, si on ne dispose pas de coulis de homard. On trouve aussi des bisques de crabe, de crevette ou d'écrevisse. On peut également trouver des veloutés de poisson, des sauces demi-glace, hollandaise et béarnaise, ainsi que des fonds de veau. Mais il est bien évident que l'on ne peut comparer la qualité de ces produits avec des produits frais.

Coulis de homard

900 g (2 lb)	Homard
60 ml (1/4 tasse)	Huile d'olive
45 g (4 c. à soupe)	Beurre doux
30 g (4 c. à soupe)	Échalote hachée
1/2	Gousse d'ail sans le germe, hachée
200 ml (7 oz)	Vin blanc
125 ml (1/2 tasse)	Cognac
150 ml (env. 2/3 tasse)	Fumet de poisson
30 g (2 c. à soupe)	Pâte de tomate
5 g (1 c. à soupe)	Persil frais, coupé grossièrement
90 ml (3 oz)	Demi-glace
quantité suffisante	Poivre de Cayenne et sel

- Couper la queue de homard en tronçons et briser les pinces. Fendre le coffre en deux dans le sens de la longueur. Enlever la poche de gravier située près de la tête. Réserver les parties crémeuses (voir photos des techniques).
- Faire chauffer l'huile et le beurre; y saisir vivement les morceaux de homard jusqu'à ce qu'ils deviennent rouges. Enlever le surplus de gras. Ajouter tous les autres ingrédients. Couvrir la casserole et faire cuire à four chaud pendant environ 20 min. Égoutter les morceaux de homard, extraire les chairs et les réserver pour un autre usage. Piler les carapaces et les remettre dans la sauce avec les parties crémeuses du homard. Faire cuire à feu vif et faire réduire en fouettant. Passer au chinois étamine ou passoire à mailles fines.

NOTE: On peut aussi faire cette recette en remplaçant le homard par du crabe, des grosses crevettes ou des écrevisses.

Bisque de homard

30 g (1/4 tasse)	Carotte en cubes
30 g (1/4 tasse)	Oignon en cubes
30 g (1/4 tasse)	Céleri en cubes
45 g (1/2 tasse)	Poireau en cubes
90 g (env. 1/3 tasse)	Beurre
20 ml (4 c. à thé)	Cognac
55 ml (env. 1/4 tasse)	Vin blanc
40 g (2 c. à soupe)	Tomate concentrée
200 g (1/3 tasse)	Tomate fraîche en cubes
800 g (1 3/4 lb)	Carcasses de homard
750 ml (3 tasses)	Fumet de poisson
750 ml (3 tasses)	Fond blanc de volaille (voir recette dans ce chapitre)
quantité suffisante	Sel et poivre en grains
quantité suffisante	Poivre de Cayenne
100 g (env. 3 oz)	Chair de homard
quantité suffisante	Farine de riz
75 ml (env. 1/3 tasse)	Crème à 35 %

- Faire fondre la mirepoix dans le beurre. Déglacer avec le cognac et le vin blanc. Ajouter la tomate concentrée et la tomate fraîche. Ajouter les carcasses de homard. Mouiller avec le fumet de poisson et le fond blanc. Assaisonner. Faire mijoter 1 h.
- Passer au chinois étamine ou passoire à mailles fines. Tout en cuisant délicatement la chair de homard, mélanger la farine de riz avec la crème et lier au goût. Repasser au chinois étamine et ajouter la chair de homard coupée en petits dés.

NOTE: Quand utilise-t-on le mot bisque? Ce mot n'est utilisé que dans le cas des bases de crustacés (écrevisse, crabe, langouste, crevette ou autres). Pour lier une bisque, on ne doit se servir que de la farine de riz, car elle est inodore et elle conserve intact le goût fin des crustacés.

Sauce homardine

900 g (2 lb)	Homard ou carcasses de homard
60 ml (1/4 tasse)	Huile d'olive
45 ml (3 c. à soupe)	Beurre doux
30 ml (2 c. à soupe)	Échalote hachée
1 ml (1/4 c. à thé)	Ail sans le germe, haché
125 ml (1/2 tasse)	Cognac
100 ml (3 1/2 oz)	Vin blanc
850 ml (3 1/2 tasses)	Fumet de poisson
30 g (2 c. à soupe)	Pâte de tomate
5 g (1 c. à soupe)	Persil coupé grossièrement
1 g (1/2 c. à thé)	Poivre de Cayenne
5 g (1/2 c. à thé)	Sel

- Couper la queue du homard en tronçons et briser les pinces, puis fendre le coffre en deux dans le sens de la longueur. Enlever la poche de gravier située près de la tête, puis réserver les parties crémeuses et les chairs.
- Dans un sautoir, faire chauffer l'huile et le beurre, puis y saisir vivement les morceaux de carapace jusqu'à l'obtention d'une coloration rouge. Enlever le surplus de gras et ajouter tous les autres ingrédients.
- Couvrir et cuire de 200 à 230°C (400 à 450°F) pendant environ 30 min. Égoutter les morceaux de carapace, les piler et les remettre dans la sauce avec les parties crémeuses et les chairs du homard. Cuire à feu vif et faire réduire en fouettant. Passer au chinois étamine ou passoire à mailles fines, puis réserver au réfrigérateur jusqu'à l'utilisation.

Beurre de homard

500 g (env. 1 lb)	Débris de homard (coffres avec corail et parties crémeuses, petites pattes et carapaces à l'exclusion des grosses pinces)
500 g (3 tasses)	Beurre doux
quantité suffisante	Eau glacée

- Broyer les débris de homard à l'aide d'un pilon ou d'un mortier. Ajouter le beurre et mélanger le tout de façon à obtenir une pommade. Mettre cet appareil dans la partie supérieure d'un bain-marie et faire chauffer à feu doux pendant 30 min. Verser environ 2,5 cm (1 po) d'eau glacée dans le fond d'un récipient haut et étroit.
- Passer le beurre fondu au-dessus du contenant d'eau, à travers un chinois étamine ou passoire à mailles fines où l'on a disposé un linge. Bien presser les débris de homard dans le chinois ou la passoire, de façon à recueillir le maximum de beurre fondu. Laisser reposer jusqu'à ce que le beurre soit complètement remonté à la surface de l'eau. Réserver le tout au réfrigérateur afin de permettre au beurre de figer.
- Séparer le beurre durci de l'eau; l'essorer et le faire fondre de nouveau. Passer ce beurre de façon à le transvaser dans un contenant fermant hermétiquement; le réserver au réfrigérateur jusqu'au moment de l'utiliser.

NOTE: Réserver ce beurre au réfrigérateur où il se conserve pendant plusieurs semaines; l'utiliser sur des canapés, pour décorer des pièces froides et pour monter des sauces à base de poisson ou de crustacés. Si désiré, remplacer le homard par un autre crustacé (crabe, langouste ou écrevisse).

– Ce beurre peut être congelé.

Fond blanc de volaille

2 kg (4 1/2 lb)	Os de poulet ou d'autre volaille
300 g (2 tasses)	Carottes en mirepoix
200 g (1 1/3 tasse)	Oignons en mirepoix
100 g (1 tasse)	Blanc de poireau en mirepoix
100 g (env. 3 oz)	Céleri en mirepoix
3	Gousses d'ail hachées
1	Clou de girofle
quantité suffisante	Poivre noir

BOUQUET GARNI :

1	Branche de thym
1/2	Feuille de laurier
20	Tiges de persil

- Faire dégorger les os de poulet.
- Mettre les légumes en mirepoix, l'ail et les assaisonnements dans une marmite avec les os dégorgés. Mouiller à hauteur et amener à ébullition. Écumer si nécessaire. Laisser cuire 45 min si ce sont des os de poulet. Passer au chinois étamine ou passoire à mailles fines et réduire si le goût n'est pas suffisamment prononcé.

NOTE : Cette recette peut se faire avec différentes volailles. Le principe de base est toujours le même. Si on utilise la poule ou le coq, faire bouillir les volailles entières, car comme la cuisson est longue, on ira chercher les saveurs plus spécifiquement. Si on utilise des os de poulet, bien les faire dégorger pour enlever les impuretés (sang).

Fond brun de volaille

- Dans certaines recettes, nous avons besoin de fond brun de volaille. Pour le faire, les ingrédients sont les mêmes que pour le fond blanc de volaille, mais la méthode est légèrement différente.
- Avec un couperet, bien concasser les os, les faire revenir au four dans une plaque avec un peu d'huile, jusqu'à ce qu'ils prennent une belle couleur dorée. Parallèlement, faire suer les légumes dans de l'huile. Puis mettre les deux éléments ensemble avec les assaisonnements. Mouiller à hauteur et cuire de 45 à 60 min. Si le fond n'est pas assez coloré, on peut ajouter un peu de tomate concentrée, passer ensuite au chinois étamine ou passoire à mailles fines.

Fond brun de veau

Ce fond brun de veau était très utilisé aux 16e, 17e et 18e siècles avec les poissons, les mollusques et les crustacés. Souvent, c'est un heureux mariage entre les deux éléments. Les fonds peuvent être faits l'hiver et congelés pour être utilisés plus tard. Lorsqu'ils cuisent, ils dégagent de très bonnes odeurs et procurent de l'humidité dans la maison.

quantité suffisante	Graisse végétale
10 kg (22 lb)	Os de veau (de préférence les genoux), coupés en petits dés par votre boucher
quantité suffisante	Huile végétale
1 kg (2 1/4 lb)	Oignons en grosses mirepoix
1 kg (2 1/4 lb)	Carottes en grosses mirepoix
500 g (env. 1 lb)	Branches de céleri coupées en morceaux de 5 cm (2 po)

300 g (10 oz)	Poireaux verts, coupés en morceaux
4 têtes	Ail en chemise
2	Feuilles de laurier
2 pincées	Brindilles de thym
25	Grains de poivre noir
200 g (3/4 tasse)	Pâte de tomate

- Dans une plaque à rôtir, faire chauffer au four à 200°C (400°F) la graisse végétale. Lorsqu'elle est bien chaude, déposer les os de veau et les laisser jusqu'à ce qu'ils prennent tous et de tous côtés une couleur dorée. Cette opération est très importante, car ce sont ces sucs rôtis qui donneront une belle coloration au fond de veau.
- Parallèlement, dans une casserole suffisamment grande, dans de l'huile végétale, faire suer tous les légumes, ajouter l'ail, les assaisonnements et la pâte de tomate, puis faire cuire le tout.
- Lorsque ces deux opérations seront terminées, réunir les deux éléments dans une marmite assez grande et les recouvrir d'eau complètement, car ce fond devra mijoter au moins 6 h.

NOTE: Ne jamais saler un fond, car si on désire le réduire, il serait trop salé. Au cours de la cuisson, écumer régulièrement et, s'il y avait trop d'évaporation, rajouter de l'eau. Après la cuisson, passer au chinois étamine ou passoire à mailles fines, laisser refroidir dans un lieu frais, puis faire de petits contenants que l'on peut congeler.

- Par réduction, on obtient de la demi-glace et, plus réduit encore, de la glace; donc concentration des sucs.
- Ce fond de veau n'est pas lié. Avec du roux blanc, on obtient un fond brun de veau.

Les glaces

Les glaces sont des concentrations de saveurs, qui servent à bonifier les sauces. C'est par réduction d'un fond à 95 % que l'on obtiendra des glaces, que ce soit de volaille, de veau ou de poisson. Par exemple, si l'on utilise un fond de volaille en quantité de 5 litres (20 tasses), on devra le cuire de 40 à 60 min, le passer au chinois étamine ou passoire à mailles fines, puis le réduire de 90 à 95 %. Il ne nous restera donc que 500 à 250 ml (2 à 1 tasse) de liquide, ce qui donne une glace très concentrée. Si on réduit moins et qu'on garde par exemple 1 litre (4 tasses) de liquide, la glace aura moins de saveur. Une fois la réduction faite, déposer cette réduction dans des bacs à glaçons, puis congeler. Démouler et conserver dans un petit sac. Lorsqu'une sauce manque de saveur, ajouter un petit cube de glace.

Crème d'ail

Bien qu'il soit préférable d'utiliser l'ail le moins possible avec la plupart des poissons, des mollusques et des crustacés, certains, au contraire, acceptent ce mariage. La crème d'ail est simplement une liaison de crème à 35 %, montée au beurre à l'ail.

Beurre à l'ail

500 g (env. 1 lb)	Beurre non salé (beurre doux) en pommade
30 g (1 oz)	Ail
30 g (env. 1/4 tasse)	Échalote ou oignon
70 g (env. 1 tasse)	Persil
20 g (1 c. à soupe)	Moutarde de Dijon
20 g (2 c. à soupe)	Amandes grillées
10 ml (2 c. à thé)	Pernod ou Ricard
quantité suffisante	Sel et poivre

- Au robot culinaire, bien mélanger l'ensemble des éléments, puis saler et poivrer au goût.

Mousse de base au poisson

1 kg (2 ¹/4 lb)	Brochet, plie ou goberge (chair dénervée)
4-5	Blancs d'œufs
quantité suffisante	Sel et poivre frais moulu
quantité suffisante	Muscade
1 litre (4 tasses)	Crème à 35 %
375 g (2 tasses)	Beurre doux

- Piler la chair de poisson au mortier. Ajouter les blancs d'œufs durant l'opération ainsi que les assaisonnements. Passer au tamis fin et sangler (voir Méthode de conservation des poissons frais, p. 15) en sauteuse sur glace. Laisser reposer pendant environ 2 h.
- Diluer progressivement cette farce avec la crème et le beurre, en la travaillant délicatement à la spatule de bois, sur glace. Laisser reposer une nuit au froid avant usage.

Panade pour poissons

125 g (1 tasse)	Farine
4	Jaunes d'œufs
90 g (¹/2 tasse)	Beurre fondu
quantité suffisante	Sel, poivre et muscade
250 ml (1 tasse)	Lait

- Travailler dans une casserole la farine et les jaunes d'œufs, ajouter le beurre fondu, sel, poivre et muscade. Délayer petit à petit avec le lait bouillant. Laisser épaissir sur le feu pendant 6 à 8 min avec un fouet. Lorsque l'appareil est assez épais, débarrasser et faire refroidir.

Farce pour quenelles (garniture)

1 kg (2 ¹/4 lb)	Chair de brochet dénervée
5	Blancs d'œufs
quantité suffisante	Sel et poivre du moulin
2 ml (¹/2 c. à thé)	Muscade râpée
400 g (14 oz)	Pâte à choux
1 litre (4 tasses)	Crème à 35 %
225 g (¹/2 lb)	Beurre doux
2 litres (8 tasses)	Fumet de poisson (voir recette au début de ce chapitre)

- Demander à votre poissonnier de la chair parfaitement dénervée et pelée. La couper en petits morceaux et la réduire en purée au robot culinaire, avec les blancs d'œufs et les assaisonnements.
- Mettre le mélange chair de brochet-blancs d'œufs dans un bol, ajouter, la pâte à choux, et bien mélanger. Passer au tamis fin. Recueillir la farce dans le bol du malaxeur et la travailler avec la spatule plate à petite vitesse. Incorporer graduellement la crème et le beurre en pommade. Augmenter la vitesse et fouetter pendant environ 1 min pour obtenir une farce bien lisse et moelleuse. Laisser reposer une nuit au réfrigérateur. Mouler les quenelles en forme de gros œuf (environ 90 g ou 3 oz) à l'aide de 2 cuillères humides et les déposer dans un plat beurré.
- Les couvrir délicatement du fumet de poisson et cuire pendant environ 10 min à four doux (environ 150°C ou 300°F) en arrosant de temps à autre. Égoutter les quenelles et recommencer l'opération jusqu'à épuisement de la farce.

Mayonnaise

4	Jaunes d'œufs
15 ml (1 c. à soupe)	Moutarde de Dijon
quantité suffisante	Sel et poivre blanc
quantité suffisante	Vinaigre blanc de qualité
1 litre (4 tasses)	Huile au choix (olive, arachide, canola, maïs, tournesol, noix, noisette, pistache, etc.)

- Au mélangeur ou avec un fouet, bien mélanger les jaunes d'œufs avec la moutarde, le sel, le poivre et quelques gouttes de vinaigre. Il est important de mettre le sel à ce moment-là pour qu'il puisse fondre. Puis petit à petit, incorporer l'huile. Si le mélange devient trop ferme, ajouter quelques gouttes de vinaigre ou d'eau pour détendre l'ensemble avant de continuer à incorporer l'huile.

Dérivés de mayonnaise

Ailloli (vite fait): Mayonnaise + ail broyé + jus de citron + huile d'olive (obligatoirement).

Amandes et gingembre: Crème sure + mayonnaise + amandes grillées, hachées + gingembre haché finement.

Andalouse: Mayonnaise + pâte de tomate cuite + dés de poivrons très fins + assaisonnements.

Mousseline: Mayonnaise + crème fouettée + assaisonnements.

Moutarde: Mayonnaise + moutarde de Dijon ou de Meaux (il existe maintenant des moutardes au beaujolais, à la violette, au champagne et autres qui s'accordent bien avec certains poissons, mollusques et crustacés).

Rouille (vite faite): Mayonnaise + ail haché + safran en poudre + jus de citron.

NOTE: Pour l'ailloli et la rouille, on peut aussi ajouter pomme de terre au pilon ou pain de grains rassis, émietté.

Sauces froides à base de crème sure ou de yogourt

Sauce au cari: Mayonnaise + cari + crème sure + sel et poivre.

Sauce au gingembre mariné à la japonaise: Crème sure + saké + gingembre mariné, haché + persil haché + sel et poivre.

Sauce aux algues: Algues réhydratées (varech, goémon, fucus ou laminaire) + crème sure + jus de lime + sel et poivre.

Sauce cressonnière: Mayonnaise + crème sure + cresson au mélangeur + jus de citron + sel et poivre.

Sauce Laniel: Crème sure + yogourt + œufs de corégone + jus de citron + sel et poivre.

Sauce moscovite: Crème sure + vodka + caviar d'esturgeon + sel et poivre.

Sauce Poséidon: Crème sure + purée de gonades d'oursin + ortie hachée finement + sel et poivre.

Sauce piquante: Mayonnaise + crème sure + pâte de tomate + pâte de Chili + coriandre hachée.

Sauce safran et fleur d'oranger: Crème sure + pistils de safran + eau de fleurs d'oranger + sel et poivre.

NOTE: Toutes ces sauces se servent généralement avec des plats froids. Il est important qu'elles ne couvrent pas le goût des poissons, des mollusques et des crustacés.

– On peut remplacer la crème sure par du yogourt.

Beurre de citron aux herbes

150 g (env. ²/₃ tasse)	Beurre
30 ml (2 c. à soupe)	Jus de citron
20 g (¹/₃ tasse)	Persil haché
20 g (¹/₂ tasse)	Ciboulette hachée
10 g (¹/₃ tasse)	Estragon haché
quantité suffisante	Sel et poivre

• Ramollir le beurre, puis le mélanger avec tous les autres ingrédients. Conserver ce beurre à la température ambiante jusqu'au moment de l'utiliser. Peut éventuellement se congeler.

Note: On peut aussi faire un beurre avec d'autres agrumes comme l'orange et le pamplemousse.

Dérivés de beurres composés pour poissons, mollusques et crustacés

Anchois: Beurre + filets d'anchois hachés + poivre.

Basilic: Beurre + jus de lime + basilic frais haché + sel et poivre.

Citronnelle: Beurre + citronnelle hachée + persil haché.

Crustacés: Beurre + chair de crustacés cuits, hachée (homard, crevette, langoustine ou écrevisse) + sel et poivre.

Estragon: Beurre + estragon haché finement + jus de citron + sel et poivre.

Fenouil: Beurre + fenouil frais, haché + Ricard ou Pernod + sel et poivre.

Herbes du jardin: Beurre + jus de citron + estragon + ciboulette + persil + oseille + sel et poivre.

Herbes salées: Beurre + herbes salées + poivre.

Maître d'hôtel: Beurre + jus de citron + persil haché + sel et poivre.

Marchand de vin: Beurre + réduction de vin rouge avec échalotes hachées + sel et poivre.

Moutarde: Beurre + vin blanc + moutarde + sel et poivre.

Noix de coco: Beurre + concentré de lait de noix de coco + jus de lime.

Orange-lime: Beurre + jus d'orange et lime + sel et poivre.

Orpin pourpre: Beurre + orpin pourpre haché + jus de citron.

Papaye: Beurre + concentré de jus de papaye + sel et poivre + jus de lime.

Safran: Beurre + jus de lime + safran finement haché + sel et poivre.

Salicornes: Beurre + salicornes hachées + poivre + citron.

Les beurres composés servent principalement aux poissons, mollusques et crustacés grillés.

NOTE: Toujours utiliser du beurre non salé.

33

Les équipements courants

LES APPAREILS DE CUISINE

Chaque jour, de nouveaux appareils, petits ou gros, arrivent sur le marché. Cependant, pour confectionner les recettes de ce livre, on peut très bien utiliser les appareils que l'on possède déjà.

Lorsqu'il est question de «papier sulfurisé» dans les recettes, on peut le remplacer par du papier d'aluminium.

Poissonnière

Truitière

Rondeau et marmite

Russes (casseroles)

Sautoirs (pour poissons sautés)

Sauteuses (pour les sauces)

Poêles à poisson

Poêles rondes

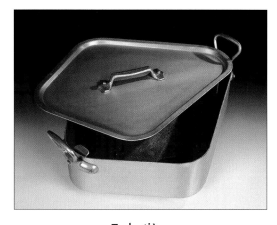

Turbotière

Braisière

Cuisson à la vapeur: Marguerite — Marmite à vapeur à trois étages — Tamis chinois en bois

Cuisson grillée: Gril allant sur une flamme (produite par le gaz, le bois ou le charbon) — Poêle pour grillades — Grille pour enfermer le poisson à braiser

Cuisson intense et rapide: Wok — Plaques pour salamandre ou gril

Égoutter ou passer: Passoire — Tamis — Passoire — Chinois étamine

Égoutter: Cuillères à trous — Écumoires — Araignée

Mélanger: Culs-de-poule — Fouets

Thermomètres
De gauche à droite: Thermomètre électronique et thermomètre pour petites pièces — Thermomètre pour grosses pièces — Thermomètre pour réfrigérateur

Outils de préparation
De gauche à droite: Trancheur à saumon — Couteau à lever les filets — Couteau à talon (de chef) — Couteau à poisson — Petit couteau

Outils de préparation
À gauche: Couperet — Fourchette — Fusil
À droite, de haut en bas: Spatule à trous pour poisson — Spatule — Couteau à huîtres — Économe — Couteau pour tourner les légumes — Couteau d'office

Outils de préparation
De gauche à droite: Couteau à huîtres — Économe — Zesteur — Couteau à agrumes — Ciseaux — Presse-ail — Déveineur à crevettes.
En haut: Écailleur à poisson

Outils de préparation
En haut: Marteau pour attendrir — Spatule
pour poisson — Brochettes
De gauche à droite, en bas: Couteau pour
noisettes et parisiennes — Couteau pour
olivettes — Zesteur — Couteau d'office

Petits récipients pour cuisson ou aspics
1re rangée à droite, de haut en bas:
Moule à dariole — Moule à savarin —
Ramequin
2e rangée: Ramequins de différentes
grandeurs
3e rangée, de haut en bas: Moule à brioche —
Moule à barquette

Outils de préparation
De gauche à droite: Pinceau — Sac à pâtisserie avec
douilles — Spatules en bois — Spatule en plastique —
Corne

Techniques pour apprêter poissons et fruits de mer

Comment lever les filets d'une sole

Ébarber.

Écailler la peau blanche.

Faire une incision de la peau noire
sur le bout de la queue.

Décoller la peau noire pour l'enlever.

Tirer la peau noire.

Enlever la peau complètement
en tirant.

Inciser le centre de la sole.

Lever les filets.

Enlever les filets.

Les filets.

Comment agrandir un filet de plie ou de sole

Placer les filets entre deux feuilles d'aluminium.

Taper doucement.

Filet agrandi.

Comment préparer une goujonnette de filets de sole ou de plie

Étendre le filet.

Plier le filet au centre.

Rouler en formant une languette.

Mettre la languette à l'intérieur.

Goujonnette.

Comment préparer des filets de sole ou de plie en roulade

Sur un filet étendu, placer des pointes d'asperge.

Rouler délicatement

Roulade prête à cuire.

Note: On utilise des filets de sole ou de plie qui ont été agrandis.

42

Comment préparer des filets de sole ou de plie en portefeuille

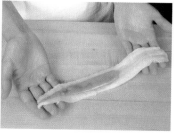

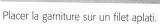

Placer la garniture sur un filet aplati.

Plier en trois.

Filet de sole ou de plie en portefeuille.

Comment préparer une sole ou une plie soufflée

Lever les filets.

Couper l'arête avec un ciseau.

Passer un couteau sous l'arête pour l'enlever.

Enlever l'arête.

Sole ou plie sans arête.

Farcir la sole ou la plie.

Comment lever les filets d'une plie

Lever les filets.

Enlever la peau noire.

Note: On ne peut pas, comme pour la sole, arracher la peau noire avec la main. À l'aide d'un couteau, il faut séparer la peau noire du filet. Mais toutes les autres opérations que l'on fait avec la sole peuvent s'adapter à la plie, à la limande à queue jaune et au cardeau à quatre ocelles.

Comment préparer un flétan

Tronçon individuel.

Tronçon pour plusieurs convives (à droite).

Lever les filets de flétan.

Comment couper une darne de saumon

Couper la tête.

Couper une darne.

Darne.

Comment lever les filets de saumon

Longer l'arête dorsale avec un couteau.

Lever les filets.

Enlever la peau.

Couper les filets en portions.

Comment enlever les arêtes d'un poisson fusiforme par le ventre pour le farcir (ici, nous utilisons une truite)

Passer un couteau sous l'arête, d'un côté, puis de l'autre.

Enlever l'arête centrale.

Truite sans arête.

Farcir à l'aide d'un sac à pâtisserie.

Note: Tous les poissons fusiformes peuvent se désosser par le ventre.

Comment écorcher un aiguillat

Enlever la peau du poisson en l'accrochant par la tête et en tirant sur la peau.

Note: S'adapte aussi au congre, à l'anguille et à la murène.

Comment préparer un homard pour le faire griller, au four

Endormir le homard (on peut aussi endormir le homard pour le faire bouillir).

Piquer la pointe d'un couteau et l'enfoncer rapidement.

En tenant la queue, couper la moitié du corps.

Piquer le homard en haut de la queue et couper.

Homard coupé en deux.

Présentation du homard avec le corail à gauche et la poche de gravier à droite.

Briser les pinces avec le dos d'un couteau.

Couper le bout de la pince.

Comment découper un homard cuit

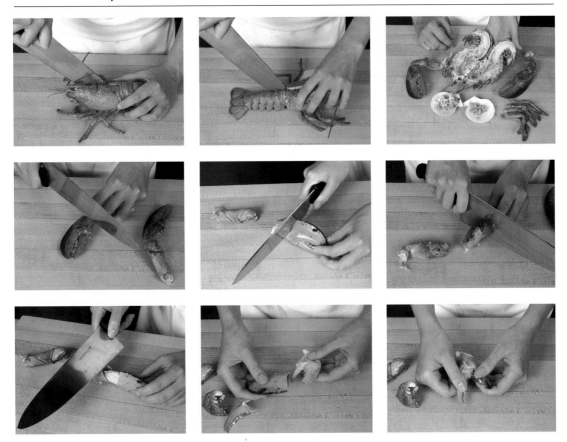

Même méthode que pour le homard vivant.

Comment découper un crabe cuit

Diviser le crabe en séparant les pattes du corps.

Couper les pattes.

Extraire la chair.

Comment enlever la chair d'un buccin

Dégager le buccin de la coquille à l'aide d'un instrument pointu.

Note: S'adapte aussi au bigorneau.

Comment enlever la chair d'un couteau

Ouvrir le couteau et en enlever délicatement la chair.

Comment ouvrir une huître

Enfoncer le couteau à l'arrière de la coquille.

Faire levier entre les deux parties de la coquille.

Dégager l'huître de la coquille.

Comment ouvrir un pétoncle qui est dans sa coquille

Ouvrir en passant un couteau à huître entre les deux parties de la coquille.

Comment ouvrir un oursin et en enlever les gonades

Faire une incision avec des ciseaux.

Ouvrir l'oursin avec les ciseaux.

Enlever le «couvercle».

Les gonades.

Les poissons plats

Très comprimés, les poissons plats ont les deux yeux sur le même côté. Leurs nageoires dorsale et anale longues sont bien développées.

Au début de leur vie, ces poissons nagent normalement, mais très tôt, ils changent et, plutôt que de nager en position verticale, ils se tiennent et nagent sur un côté. L'œil qui était sur le côté inférieur se retrouve sur le côté supérieur. Ce changement entraîne une modification de la structure de la tête, des tissus musculaires ainsi que des tissus nerveux. Les yeux peuvent être un peu soulevés et peuvent bouger séparément, augmentant ainsi le champ de vision de ces poissons.

Les poissons plats se nourrissent de plusieurs substances animales, ce sont des poissons carnivores. Espèces de fond par excellence des eaux côtières continentales, les poissons plats se trouvent en abondance dans les mers tropicales et tempérées, quelques espèces se trouvant également dans les eaux arctiques.

L'ordre regroupe environ 500 espèces classifiées en 6 familles. Dix espèces qui appartiennent à deux familles (*Bothidés* et *Pleuronectidés*) sont représentées dans notre région. Plusieurs de ces espèces jouent un rôle important dans la pêche commerciale.

Nous ne traiterons dans ce chapitre que des poissons les plus commercialisés au Québec, ainsi que de ceux que l'on voudrait faire connaître davantage.

Turbot de sable

Barbue

Sole

Plie grise

Plie canadienne

Limande à queue jaune

Cardeau à quatre ocelles

Flétan

Flétan du Groenland

Raie épineuse

TURBOT DE SABLE

Scophthalmus aquosus (Mitchill) 1815/*Windowpane*
Appellations erronées: turbot, sole et plie

TYPE DE CHAIR: très fine, savoureuse et ferme.

PROVENANCE: côtes de l'Atlantique Nord et golfe du Saint-Laurent (non commercialisé).

OÙ ET QUAND LE TROUVER: arrivage régulier dans les poissonneries où l'on vend des poissons importés.

TRAITEMENT ET COMMERCIALISATION: entier, en filets et en tronçons.

CUISSON: meunière, poché, vapeur, grillé, braisé ou en sauce.

APPRÉCIATION: un des meilleurs poissons de mer, mais 60 % des parties non utilisables pour la table.

CARACTÉRISTIQUES: coloration variant du rougeâtre au brun grisâtre d'un côté et ordinairement blanc de l'autre. Taille moyenne d'environ 56 cm (22 po) et poids variant de 600 g à 1 kg (1 1/4 à 2 1/4 lb), dans le cas du turbotin, et pouvant atteindre jusqu'à 10 kg (22 lb) dans le cas du turbot.

REMARQUES: ne pas confondre le turbot de sable avec notre turbot qui n'en est pas un. Le poisson que nous appelons turbot est en réalité du flétan du Groenland, de qualité très inférieure au turbot de sable.

$$$$$

*Turbotin soufflé, sauce au champagne**

1 kg (2 1/4 lb)	Moules de culture
100 ml (3 1/2 oz)	Vin blanc
2	Échalotes sèches, hachées
100 ml (3 1/2 oz)	Fumet de poisson
100 g (env. 3 oz)	Filet de brochet
quantité suffisante	Sel et poivre
1	Blanc d'œuf
170 ml (6 oz)	Crème à 35 %
quantité suffisante	Muscade
1,2 kg (2 3/4 lb)	Turbotin frais (petit turbot de sable)
quantité suffisante	Beurre
quantité suffisante	Champagne
120 g (4 oz)	Crevettes nordiques
1/2	Citron (jus) (facultatif)

- Faire cuire les moules avec le vin blanc, une échalote et le fumet de poisson. Retirer les moules cuites de la casserole, les décortiquer et les réserver. Faire réduire le jus de cuisson presque complètement; réserver.
- Pour faire la farce, hacher le filet de brochet au robot de cuisine. Saler, poivrer et ajouter le blanc d'œuf en continuant de travailler au robot. Ajouter graduellement 70 ml (env. 1/3 tasse) de crème et un peu de muscade.
- Passer la farce au tamis et la réserver. Ouvrir le turbotin du côté noir et retirer l'arête centrale.

Saler et poivrer le poisson, puis le farcir à l'aide d'une poche à pâtisserie. Bien refermer le turbotin et le déposer sur une plaque beurrée.

- Verser le champagne et le fumet de poisson dans la plaque. Ajouter l'autre échalote, du sel, du poivre et faire cuire au four à 180°C (350°F), à couvert, pendant 12 à 20 min, jusqu'à ce que de petites gouttelettes blanches apparaissent à la surface du poisson. Retirer immédiatement la peau noire et les petites arêtes et réserver le turbotin sur une assiette de service, au chaud; le recouvrir d'un linge humide afin qu'il ne sèche pas.

- Faire réduire le reste de la crème aux ¾, de même que le liquide de cuisson du turbotin. Ajouter le jus de cuisson des moules à cette dernière réduction, puis incorporer la crème réduite. Passer cette sauce au chinois étamine ou passoire à mailles fines.

- Ajouter à la sauce les moules et les crevettes nordiques bien égouttées. Réchauffer à feu doux. Si désiré, ajouter un peu de jus de citron à la sauce. Napper le turbotin de sauce chaude.

Accompagnement: Pommes de terre vapeur.

* Je dédie cette recette au regretté chef André Bardet.

Préparation: 1 h 20	**Cuisson:** 12 à 20 min
Rendement: 4 portions	**Prix de revient:** $$$$

Blancs de turbot de sable à la vapeur d'algues accompagnés de beurre citronné

160 g (env. 1 tasse)	Beurre
1	Citron
quantité suffisante	Sel et poivre
500 ml (2 tasses)	Court-bouillon (voir recettes de base)
200 g (7 oz)	Goémon frais ou varech (algues)
4 X 180 g (6 oz)	Filets de turbot de sable

- **Beurre:** Bien mélanger le beurre avec le jus de citron, saler, poivrer et conserver à température de la pièce.

- **Cuisson:** Étage inférieur: le court-bouillon. Étage intermédiaire: les algues. Étage supérieur: les blancs de turbot. La vapeur prendra le goût des algues avant de cuire les blancs de turbot de sable. Lorsque de petits points blancs émergeront des blancs, les poissons seront cuits. Servir le poisson très chaud avec le beurre citronné.

Accompagnement: Riz sauvage cuit dans une eau où l'on aura cuit des algues.

Note: Il est important de posséder une casserole ou marmite à trois étages que l'on trouve facilement dans le commerce.

Préparation: 15 min	**Cuisson:** 8 à 15 min
Rendement: 4 portions	**Prix de revient:** $$$$

Photo page suivante →

BARBUE

Scophthalmus rhombus (Linné) 1758/*Brill*
Appellations erronées: sole et turbot

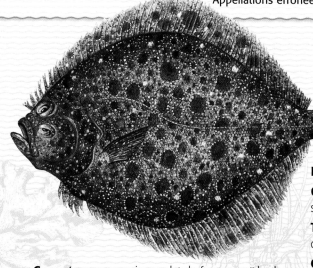

PROVENANCE: Manche et Mer du Nord.

OÙ ET QUAND LA TROUVER: toute l'année, dans les poissonneries où l'on vend des produits d'importation.

TRAITEMENT ET COMMERCIALISATION: entière et en filets, congelée.

CUISSON: meunière, grillée, pochée ou vapeur.

APPRÉCIATION: ce poisson est de bonne qualité, mais il est un peu moins bon que le turbot de sable.

CARACTÉRISTIQUES: poisson plat de forme ovoïde de 50 cm (20 po), vivant sur le sable et le gravier. Face colorée gris jaunâtre ou brunâtre.

TYPE DE CHAIR: fine, savoureuse, maigre et un peu molle.

REMARQUES: très peu utilisé au Québec.

$$$

Filets de barbue au porto

120 g (³/4 tasse)	Beurre
2	Échalotes hachées
120 g (1 ¹/2 tasse)	Champignons émincés
4 X 130 g (env. 4 oz)	Filets de barbue
quantité suffisante	Sel et poivre
240 ml (1 tasse)	Porto
120 ml (¹/2 tasse)	Fumet de poisson
120 ml (¹/2 tasse)	Fond brun de volaille (voir recettes de base)
1	Citron (jus)

Préparation: 20 min   **Cuisson:** 20 min
Rendement: 4 portions   **Prix de revient:** $$$

- Bien beurrer les parois et le fond d'un plat allant au four avec la moitié du beurre. Parsemer le plat des échalotes hachées et des champignons émincés. Déposer les filets de barbue, assaisonner, verser le porto, le fumet de poisson et couvrir avec un papier d'aluminium.
- Cuire au four à 190°C (375°F), jusqu'à ce que de petits points blancs émergent. Enlever les filets et les conserver au chaud. Faire réduire le fond de cuisson des ⁹/10; ajouter le fond brun de volaille. Faire réduire et finir la sauce avec le reste du beurre et le jus de citron, puis assaisonner au goût.
- Verser la sauce très chaude sur les filets de poisson.

Accompagnement: Carottes et riz.

Tronçons de barbue à l'étuvée de têtes de violon

160 g (env. 1 tasse)	Beurre
40 g (6 c. à soupe)	Échalotes hachées
120 g (env. 1 tasse)	Champignons crus hachés
4 X 170 g (6 oz)	Tronçons de barbue
quantité suffisante	Sel et poivre
120 ml (1/2 tasse)	Vin blanc sec
100 ml (3 1/2 oz)	Fumet de poisson
200 g (env. 1 tasse)	Têtes de violon cuites
60 g (1/3 tasse)	Dés de tomates crues

Préparation: 15 min **Cuisson:** 15 min
Rendement: 4 portions **Prix de revient:** $$$

- Étendre la moitié du beurre dans un plat allant au four. Y déposer les échalotes, les champignons hachés et les tronçons de barbue, puis assaisonner.
- Verser le vin blanc et le fumet de poisson, couvrir avec un papier d'aluminium et cuire au four à 180°C (350°F). Lorsque des petits points blancs apparaîtront sur les poissons, ils seront cuits. Faire réduire le fond de cuisson des 9/10; puis y étuver doucement les têtes de violon en déposant le reste du beurre en noisettes.
- Sur une assiette, déposer les tronçons de barbue, puis y verser l'étuvée de têtes de violon. Parsemer le tout des dés de tomates crues.

Accompagnement: Pommes de terre vapeur ou riz.

SOLE

Solea solea et *solea lascaris risso/Common sole*
Appellations erronées: limande-sole et sole de Douvres

OÙ ET QUAND LA TROUVER: toute l'année, surgelée et parfois fraîche où l'on vend des poissons d'importation.

TRAITEMENT ET COMMERCIALISATION: entière.

CUISSON: meunière, grillée, pochée ou vapeur.

APPRÉCIATION: à cause de sa chair blanche très délicate, elle possède une très grande qualité culinaire.

CARACTÉRISTIQUES: ce poisson, qui ne dépasse que rarement 45 cm (18 po) et 1 kg (2 1/4 lb), vit sur des fonds sableux et argileux. La tête de la sole est petite et arrondie. Sa robe est de couleur brun clair.

TYPE DE CHAIR: maigre et ferme.

PROVENANCE: Europe.

REMARQUES: sur les côtes de l'Atlantique du Canada, il n'y a pas de sole. Elles sont importées de la Manche et de la mer du Nord. Depuis toujours, au Québec, nous appelons la sole «sole de Douvres», ce qui est une erreur.

$$$$$

Filets de sole au lait d'amande

12 X 40 g (env. 1 1/2 oz)	Filets de sole
quantité suffisante	Sel et poivre
40 g (1/3 tasse)	Amandes grillées, hachées
100 g (2/3 tasse)	Beurre
100 ml (3 1/2 oz)	Lait d'amande
80 ml (env. 1/3 tasse)	Fond brun de veau (voir recettes de base)
quantité suffisante	Jus de citron
120 g (4 oz)	Lentilles cuites

- Afin de casser les fibres des filets pour qu'ils ne rétrécissent pas, prendre une feuille de papier d'aluminium et, un à un, envelopper les filets de sole, puis les taper doucement avec la lame d'un couteau à plat. Sans être écrasé, le filet s'étendra (voir photos des techniques).

- Étaler tous les filets sur une table, saler, poivrer et parsemer des amandes hachées, puis rouler les filets. Bien beurrer un plat allant au four. Y déposer les filets roulés. Ils doivent être bien collés pour qu'ils ne se déroulent pas.

- Verser le lait d'amande. Couvrir d'un papier d'aluminium beurré et cuire au four à 180°C (350°F). La cuisson terminée, enlever les filets et réserver au chaud. Incorporer le fond de veau au jus de cuisson et émulsionner avec le reste du beurre. Finir par le jus de citron. Rectifier l'assaisonnement.

- Bien chauffer les lentilles et les déposer au fond des assiettes. Au milieu, disposer trois filets de sole et napper de sauce.

Accompagnement: Petites pommes cocotte cuites au lait d'amande.

Préparation: 20 min	**Cuisson:** 8 à 12 min
Rendement: 4 portions	**Prix de revient:** $$$$

Sole meunière

4 X 220 à 250 g (env. ¹/₂ lb)	Soles
quantité suffisante	Sel et poivre
300 g (1 ³/₄ tasse)	Beurre
100 ml (3 ¹/₂ oz)	Huile d'arachide
quantité suffisante	Farine
2	Citrons

- Bien éponger les soles. Saler et poivrer.
- Chauffer dans une poêle à fond épais, 100 g (²/₃ tasse) de beurre et l'huile. Fariner les soles et les déposer dans les corps gras chaud du côté de la peau blanche en premier. Leur donner une belle coloration comme la couleur de l'or. Puis les retourner et cuire de la même façon, en général 4 à 5 min de cuisson sont suffisantes.

- Après cuisson, enlever complètement les gras de cuisson et parsemer les soles du beurre qui reste. Bien chauffer, servir tel quel ou lever les filets à part sur une petite assiette. Servir les quartiers de citron à part.

Accompagnement: Pommes cocotte au beurre.

NOTE: Pour une cuisson réussie:
- Bien éponger les soles afin d'enlever le plus d'humidité possible.
- Pourquoi utiliser moitié beurre et moitié huile pour la cuisson? Le beurre mélangé à l'huile d'arachide brûlera moins vite que s'il était utilisé seul. Ce mélange est idéal pour la cuisson des poissons dite à la meunière.
- On garde toujours la peau blanche d'une sole, mais elle doit être écaillée.

Préparation: 10 min	**Cuisson:** 15 min
Rendement: 4 portions	**Prix de revient:** $$$$

PLIE GRISE

Glyptocephalus cynoglossus (Linné) 1758/*Witch flounder*
Appellations erronées: sole et sole grise

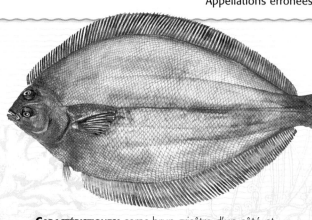

TYPE DE CHAIR: maigre et assez ferme.

PROVENANCE: golfe du Saint-Laurent et deux côtés de l'Atlantique.

OÙ ET QUAND LA TROUVER: arrivage irrégulier dans les comptoirs des poissonneries; surgelée, toute l'année.

TRAITEMENT ET COMMERCIALISATION: entière et en filets.

CUISSON: meunière, pochée, vapeur ou grillée.

APPRÉCIATION: du point de vue culinaire, la plie grise est le poisson qui se rapproche le plus de la sole.

REMARQUES: en Europe, notre plie grise est appelée limande-sole *(miecrostomus kit)*.

$$$

CARACTÉRISTIQUES: corps brun grisâtre d'un côté et blanc grisâtre parsemé de points foncés de l'autre. Taille maximale de 64 cm (25 po) et poids d'environ 700 g (1 ½ lb). Une petite bouche et des yeux sur le côté droit distinguent la plie grise des autres poissons plats, sauf de la plie lisse et de la plie rouge.

Filets de plie grise en portefeuille, crème de corail de pétoncle

12 X 50 g (env. 2 oz)	**Filets de plie**
100 g (²/₃ tasse)	**Beurre**
quantité suffisante	**Sel et poivre**
40 g (¹/₃ tasse)	**Échalotes hachées**
120 ml (¹/₂ tasse)	**Vin blanc**
120 g (4 oz)	**Corail de pétoncle**
160 ml (env. ²/₃ tasse)	**Crème à 35 %**
1	**Citron**
4 branches	**Aneth**

- Aplatir les filets (voir Filets de sole au lait d'amande, p. 58). Les plier en portefeuille (voir photos des techniques). Dans un plat beurré, déposer les filets salés et poivrés. Parsemer des échalotes hachées, verser le vin et couvrir avec un papier d'aluminium. Cuire au four à 190°C (375°F).

- Parallèlement, mélanger le corail de pétoncle, la crème et le jus de citron au mixeur. Saler, poivrer et réserver. Enlever du jus de cuisson les filets cuits et les garder au chaud. Verser le jus de cuisson dans la crème de corail et chauffer doucement. Rectifier l'assaisonnement et verser sur les filets. Décorer avec l'aneth.

Accompagnement: Coquillettes.

NOTE: Le corail de pétoncle est un élément de liaison comme le beurre et la crème; il se décompose à 70°C (160°F), il faut donc être très prudent en chauffant la sauce.

Préparation: 25 min	**Cuisson:** 12 min
Rendement: 4 portions	**Prix de revient:** $$$

Filets de plie grise à la mousseline de homard, sauce aux algues

200 g (7 oz)	Chair de homard cuite
1	Blanc d'œuf
400 ml (14 oz)	Crème à 35 %
800 g (1 ³/₄ lb)	Filets de plie grise
quantité suffisante	Sel et poivre
400 ml (14 oz)	Vin blanc
3	Échalotes sèches, hachées
500 ml (2 tasses)	Fumet de poisson
30 g (2 c. à thé)	Algues séchées
1	Citron (jus)

- Réduire la chair de homard en purée à l'aide du robot de cuisine. Incorporer le blanc d'œuf et la moitié de crème. Passer la farce au tamis et la réserver.
- Faire une incision au centre de chaque filet de plie, relever le bord, saler et poivrer. Mettre la farce dans une poche à pâtisserie et farcir les filets à l'aide d'une douille cannelée.
- Déposer les filets dans une plaque allant au four. Ajouter le vin et les échalotes. Couvrir de papier d'aluminium et cuire au four à 180°C (350°F) pendant 7 à 10 min. Retirer les filets de la plaque et les réserver au chaud.
- Faire réduire le liquide de cuisson des filets avec le fumet de poisson. Passer au chinois étamine ou passoire à mailles fines. Faire chauffer le reste de la crème dans une casserole et la faire réduire de moitié. Mélanger la crème réduite avec le liquide réduit.
- Faire tremper les algues dans de l'eau pendant 2 h; les égoutter et les ajouter à la sauce avec le jus de citron.

Service: Dresser 3 filets par assiette, puis y verser la sauce très chaude.

Préparation: 1 h	**Cuisson:** 7 à 10 min
Rendement: 4 portions	**Prix de revient:** $$$

PLIE CANADIENNE

Hyppoglossoides platessoides (Fabricius) 1780/*American plaice*
Appellations erronées: sole, plie blanche et carrelet

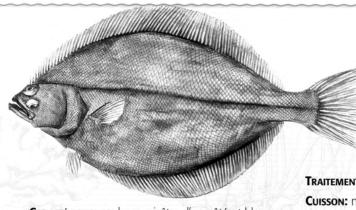

Type de chair: maigre.

Provenance: des deux côtés de l'Atlantique Nord.

Où et quand la trouver: d'avril à octobre (en abondance); surgelée, toute l'année.

Traitement et commercialisation: entière et en filets.

Cuisson: meunière, pochée, vapeur ou grillée.

Appréciation: qualité culinaire légèrement inférieure à celle de la plie grise.

Remarques: en Europe, notre plie canadienne serait la limande (*Limanda limanda*).

Caractéristiques: brun grisâtre d'un côté et blanc ou blanc bleuâtre de l'autre. Taille maximale de 70 cm (27 po) et poids moyen de 900 g à 1,4 kg (2 à 3 lb). C'est le seul poisson plat de la région qui a une ligne latérale presque droite, une queue arrondie, une grande bouche et les yeux sur le côté droit.

$$

Roulades de filets de plie du Canada, sauce au yogourt et à la ciboulette

12 X 60 g (2 oz)	Filets de plie du Canada
quantité suffisante	Sel et poivre
120 ml (1/2 tasse)	Vin blanc
50 g (1/2 tasse)	Échalotes hachées
140 ml (5 oz)	Jus de homard
quantité suffisante	Roux blanc (voir recettes de base)
160 ml (6 oz)	Yogourt nature
100 g (2/3 tasse)	Beurre
1/2 paquet	Ciboulette ciselée

- Saler et poivrer les filets de plie. Les rouler. Verser le vin blanc et les échalotes hachées dans une casserole, y déposer une marguerite, puis ranger les filets roulés dans la marguerite.
- Couvrir et cuire à la vapeur de 3 à 4 min. Enlever les roulades et réserver au chaud. Faire réduire des 9/10 le fond de cuisson. Ajouter le jus de homard et lier légèrement avec le roux.
- Ajouter le yogourt à la sauce. Passer au chinois étamine ou passoire à mailles fines. Incorporer le beurre et la ciboulette ciselée. Verser sur les filets de plie en roulades.

Accompagnement: Pommes de terre cuites dans le jus de homard.

Préparation: 20 min   **Cuisson:** 7 min
Rendement: 4 portions   **Prix de revient:** $$

Goujonnettes de filets de plie canadienne, compote d'oignons et de tomates

COMPOTE D'OIGNONS ET DE TOMATES:

450 g (3 tasses)	Oignons rouges, émincés
80 g (env. 1/2 tasse)	Beurre
1/2 branche	Thym
1	Gousse d'ail hachée
900 g (5 tasses)	Tomates émondées et épépinées en dés
50 ml (env. 2 oz)	Vin blanc
1	Citron

GOUJONNETTES:

800 g (1 3/4 lb)	Filets de plie canadienne
quantité suffisante	Farine
quantité suffisante	Huile à frire
4 portions	Compote d'oignons et de tomates
quantité suffisante	Persil

- **Compote:** Faire cuire les oignons au beurre, à feu doux, avec le thym et l'ail. Ajouter les tomates, le vin et le jus de citron aux trois quarts de la cuisson. Réserver ce mélange au chaud.
- **Goujonnettes:** Émincer les filets en lanières de 1 cm (1/2 po) de largeur; bien les éponger et les passer dans la farine. Faire frire ces lanières dans l'huile à 200°C (400°F). Dresser la compote d'oignons et de tomates en couronne dans le fond des assiettes. Déposer les goujonnettes de plie au centre de façon à former des pyramides.
- Faire frire le persil et en parsemer les goujonnettes. Servir immédiatement.

Préparation: 25 min	**Cuisson:** 2 à 3 min
Rendement: 4 portions	**Prix de revient:** $$

LIMANDE À QUEUE JAUNE

Limanda ferruginea (Storer) 1839/*Yellowtail flounder*
Appellations erronées: sériole et sole

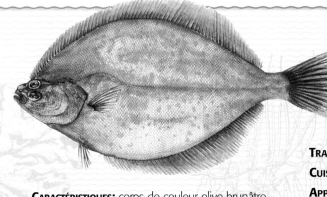

TYPE DE CHAIR: maigre et molle.

PROVENANCE: Gaspésie et Îles-de-la-Madeleine.

OÙ ET QUAND LA TROUVER: d'avril à octobre, en abondance; surgelée, toute l'année, souvent en filets.

TRAITEMENT ET COMMERCIALISATION: entière et en filets.

CUISSON: meunière, pochée, vapeur ou grillée.

APPRÉCIATION: à cause de sa chair un peu molle, la limande à queue jaune est moins bonne que la plie grise et que la plie canadienne, mais elle est meilleure que le cardeau.

$

CARACTÉRISTIQUES: corps de couleur olive brunâtre avec des taches orangées d'un côté et blanc de l'autre. Poisson atteignant jusqu'à 72 cm (28 po) de longueur, dont la moyenne est de 40 cm (16 po) et pesant en moyenne 600 g (1 ¼ lb).

Goujonnettes de limande à queue jaune frites, sauce à la mousse d'Irlande

600 g (env. 1 ¼ lb)	Filets de limande à queue jaune
20 g (1 ¼ c. à thé)	Algues mousse d'Irlande déshydratées

PÂTE À FRIRE:

4	Œufs
500 g (3 ½ tasses)	Farine
1 bouteille de 330 ml (12 oz)	Bière
quantité suffisante	Sel et poivre

SAUCE:

300 ml (1 ¼ tasse)	Velouté de poisson

Préparation: 10 min	**Cuisson:** 5 à 8 min
Rendement: 4 portions	**Prix de revient:** $$$

- Tailler les filets de limande à queue jaune en goujonnettes et réserver. Réhydrater la mousse d'Irlande avec un peu d'eau.
- **Pâte à frire:** Séparer les blancs des jaunes d'œufs. Faire une fontaine avec la farine, incorporer doucement les jaunes d'œufs et la bière. Saler, poivrer et passer au chinois étamine ou passoire à mailles fines. Monter les blancs d'œufs et, juste avant de cuire les goujonnettes, les incorporer à l'appareil.
- **Sauce:** Hacher les algues réhydratées, puis les ajouter au velouté de poisson.
- Tremper les goujonnettes dans la pâte à frire et frire à grande friture. Servir avec la sauce à part.

Accompagnement: Pommes de terre sautées.

Paupiettes de limande à queue jaune aux moules bleues des Îles-de-la-Madeleine

800 g (1 ¾ lb)	Moules bleues des Îles
100 g (1 tasse)	Échalotes hachées
200 ml (7 oz)	Vin blanc
4 X 130 g (env. 4 oz)	Filets de limande à queue jaune
600 g (6 tasses)	Tomates pelées, égouttées et concassées
600 g (5 ¼ tasses)	Pommes de terre coupées en dés
160 ml (env. ⅔ tasse)	Crème à 35 %
60 g (1 tasse)	Persil frais, haché

Préparation: 25 min **Cuisson:** 25 min
Rendement: 4 portions **Prix de revient:** $$

- Bien laver les moules, les déposer dans une casserole avec les échalotes hachées et le vin blanc. Couvrir et laisser cuire jusqu'à ce que les moules s'ouvrent. Les enlever de leur jus de cuisson et réserver.
- Rouler les filets de limande et les cuire dans le jus de moule. Les enlever et réserver.
- Enlever les moules des coquilles et les garder au chaud. Ajouter au jus de cuisson les tomates concassées et les pommes de terre coupées en dés, laisser mijoter jusqu'à ce que les pommes de terre soient cuites, puis incorporer la crème. Verser le tout sur les paupiettes de limande ainsi que sur les moules réchauffées. Parsemer de persil haché.

CARDEAU À QUATRE OCELLES

Paralichthys oblongus (Mitchill) 1815/*Fourspot flounder*

Appellation erronée: plie

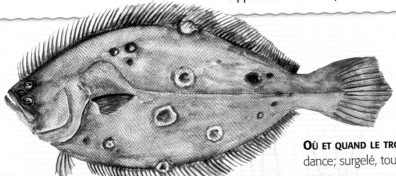

CARACTÉRISTIQUES: corps dans les tons de gris. Poisson pouvant atteindre jusqu'à 110 cm (43 po) de longueur et pouvant peser jusqu'à 11,5 kg (25 lb). Il consomme de petits poissons, des encornets, des crabes, des crevettes et des coquillages.

TYPE DE CHAIR: maigre et molle.

PROVENANCE: Atlantique Nord (du banc George à la côte de la Caroline-du-Sud).

OÙ ET QUAND LE TROUVER: d'avril à octobre, en abondance; surgelé, toute l'année.

TRAITEMENT ET COMMERCIALISATION: entier et en filets.

CUISSON: meunière, vapeur, poché ou grillé.

APPRÉCIATION: sa chair molle en fait un poisson de tous les jours.

REMARQUES: le cardeau et le flétan du Groenland sont les moins bons de nos poissons plats. Cousin français du cardeau, le carrelet possède les mêmes qualités, c'est un poisson idéal pour les repas du midi.

$ (c'est le moins cher des poissons de la famille des poissons plats)

Cardeaux à quatre ocelles aux pousses de petits pois de la grève

1	Oignon blanc
140 g (env. 2/3 tasse)	Beurre
400 g (14 oz)	Petits pois sauvages ou petits pois de culture
1/2	Gousse d'ail
quantité suffisante	Sel et poivre
4 X 120 à 140 g (4 à 5 oz)	Filets de cardeau à quatre ocelles

- Hacher finement l'oignon. Faire chauffer 60 g (1/3 tasse) de beurre et étuver doucement l'oignon, puis cuire les petits pois avec les cosses dans cet appareil en y ajoutant en fin de cuisson l'ail finement haché. Saler, poivrer et réserver.
- Plier les filets de cardeau en portefeuille (voir photos des techniques), saler et poivrer.
- Dans une casserole ou une plaque, verser la moitié des petits pois. Bien ranger les filets de cardeau, puis recouvrir du reste des petits pois. Parsemer du reste du beurre en petites noix. Couvrir et cuire tout doucement. Servir très chaud.

Préparation: 15 min   **Cuisson:** 10 min
Rendement: 4 portions   **Prix de revient:** $

Filets de cardeau à quatre ocelles aux salicornes

4	Pommes de terre
300 g (10 oz)	Salicornes
70 ml (env. 1/3 tasse)	Huile de tournesol
quantité suffisante	Sel et poivre
100 ml (3 1/2 oz)	Fond brun de veau
100 ml (3 1/2 oz)	Jus de homard
600 g (env. 1 1/4 lb)	Filets de cardeau à quatre ocelles

- Cuire les pommes de terre en robe des champs à l'eau salée et réserver.
- Faire sauter vivement les salicornes dans l'huile de tournesol, saler et poivrer.
- Chauffer le fond de veau et le jus de homard ensemble.

- Dans un plat allant au four, couper et déposer les pommes de terre en rondelles, puis ajouter les filets de cardeau à quatre ocelles en roulades. Recouvrir des salicornes. Verser le fond brun de veau et le jus de homard sur l'ensemble de l'appareil. Couvrir d'un papier d'aluminium et cuire au four doucement à 300°F (150°C). Servir directement dans le plat.

NOTE: Les salicornes, appelées aussi «haricots de mer», doivent être traitées avec prudence, car elles sont souvent salées.

Préparation: 25 min	**Cuisson:** 12 min
Rendement: 4 portions	**Prix de revient:** $$$

67

FLÉTAN DU GROENLAND

Reinhardtius hippoglossoides (Walbaum) 1792/*Greenland halibut*

Appellations erronées: turbot et turbot du Groenland

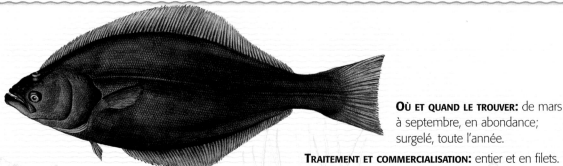

Où et quand le trouver: de mars à septembre, en abondance; surgelé, toute l'année.

Traitement et commercialisation: entier et en filets.

Cuisson: meunière, vapeur, poché ou grillé.

Appréciation: selon la provenance, la chair est souvent molle à la cuisson. Qualité identique au cardeau d'été.

Caractéristiques: ce poisson vit en eau profonde, dans les parties les plus froides de la côte. Coloration du corps allant du jaunâtre au brun grisâtre d'un côté et gris pâle de l'autre. Poisson pouvant atteindre une longueur de 115 cm (45 po) et un poids de 11,3 kg (25 lb), mais ayant un poids moyen de 4,5 à 11,5 kg (10 à 25 lb).

Type de chair: maigre et molle.

Provenance: eaux profondes des régions arctiques et de l'Atlantique Nord.

Remarques: depuis toujours, nous appelons à tort le flétan du Groenland «turbot». Il ne peut y avoir aucune comparaison de qualité entre le turbot, qui est l'un des meilleurs poissons de mer, et le flétan du Groenland, qui est un poisson de tous les jours.

$

Flétan du Groenland au four

quantité suffisante	Beurre
1 kg (2 ¼ lb)	Flétan du Groenland
500 ml (2 tasses)	Yogourt nature légèrement battu
30 ml (2 c. à soupe)	Jus de citron
60 ml (¼ tasse)	Vin blanc
1 ml (¼ c. à thé)	Macis en poudre
2	Jaunes d'œufs légèrement battus
quantité suffisante	Sel et poivre
250 ml (1 tasse)	Chapelure fraîche
quantité suffisante	Beurre
60 g (1 tasse)	Persil frais finement haché

- Beurrer un plat allant au four et y disposer le poisson. La peau noire du flétan aura été enlevée (voir photos des techniques) et le poisson aura été ébarbé. Mélanger ensemble le yogourt, le jus de citron, le vin, le macis et les jaunes d'œufs. Verser sur le poisson.
- Assaisonner. Couvrir de chapelure légèrement beurrée et faire cuire au four préchauffé à 180°C (350°F) pendant environ 15 min. Garnir de persil et servir chaud.

Préparation: 20 min   **Cuisson:** 15 min
Rendement: 6 portions   **Prix de revient:** $

Filets de flétan du Groenland aux chanterelles

160 g (2 oz)	Chanterelles
quantité suffisante	Vinaigre
110 ml (env. 4 oz)	Huile d'olive
quantité suffisante	Sel et poivre
8 X 60 g (2 oz)	Filets de flétan du Groenland
quantité suffisante	Farine
120 g (^{3}/4 tasse)	Beurre
40 ml (3 c. à soupe)	Vin blanc
1	Citron (jus)
^{1}/2	Gousse d'ail
12 g (3 c. à soupe)	Persil frais, haché

- Bien laver les chanterelles avec de l'eau légèrement vinaigrée. Bien égoutter. Faire sauter vivement dans 60 ml (^{1}/4 tasse) d'huile d'olive, saler, poivrer et réserver. Bien éponger les filets de flétan du Groenland, les fariner et cuire à la meunière avec 50 g (4 ^{1}/2 c. à soupe) de beurre et 50 ml (3 c. à soupe) d'huile d'olive jusqu'à ce qu'ils soient dorés, saler et poivrer.

- Une fois cuits, les enlever et les garder au chaud. Enlever le beurre de cuisson et déglacer au vin blanc et au jus de citron. Réduire de moitié. Ajouter le beurre qui reste, les chanterelles, l'ail haché ainsi que le persil haché.

- Sur chaque assiette de service chaude, déposer un lit de chanterelles, puis disposer les filets dessus. Servir le tout très chaud.

Accompagnement: Petites pommes noisettes sautées au beurre.

Note: Il faut être prudent à la cuisson, car la chair de ce poisson est souvent très molle.

Préparation: 25 min	**Cuisson:** 5 à 8 min
Rendement: 4 portions	**Prix de revient:** $$$

FLÉTAN

Hippoglossus hippoglossus (Linné) 1758/*Halibut, Atlantic halibut*
Appellations erronées: grosse plie et plie

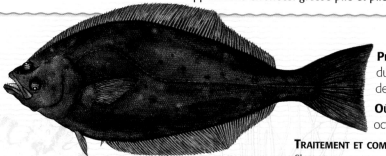

PROVENANCE: partie nord du golfe du Saint-Laurent et des deux côtés de l'Atlantique Nord.

OÙ ET QUAND LE TROUVER: d'avril à octobre, en abondance.

TRAITEMENT ET COMMERCIALISATION: en tronçons et en filets.

CUISSON: poché, vapeur, grillé ou meunière.

APPRÉCIATION: poisson de haute qualité culinaire, surtout lorsqu'il est bien frais.

CARACTÉRISTIQUES: le flétan vit en eaux froides de l'Atlantique boréal et presque arctique. Coloration du corps dans les tons de brun d'un côté et ordinairement blanc de l'autre. Poisson pouvant atteindre 240 cm (8 pi) de longueur et pouvant peser jusqu'à 181,5 kg (400 lb), d'un poids moyen variant de 2,3 à 20 kg (5 à 44 lb).

TYPE DE CHAIR: maigre et ferme.

REMARQUES: beaucoup plus populaire chez nous qu'en Europe, ce poisson peut fort bien remplacer le turbot de sable. Il est nettement supérieur frais.

$$** (en saison); **$$$ (hors saison)

Quiaude au flétan

200 g (1 ½ tasse)	Oignons hachés
50 ml (3 c. à soupe)	Huile
50 g (⅓ tasse)	Farine
800 g (4 tasses)	Pommes de terre émincées
quantité suffisante	Sel et poivre
700 g (1 ½ lb)	Flétan en petits cubes

PÂTE:

125 g (1 tasse)	Farine
7 g (1 ¼ c. à thé)	Levure chimique
quantité suffisante	Sel
1 g (¼ c. à thé)	Bicarbonate de soude
75 ml (env. ⅓ tasse)	Eau

- Faire cuire les oignons dans l'huile, à feu doux et à couvert. Singer, c'est-à-dire saupoudrer de farine et faire colorer.
- Ajouter les pommes de terre, puis couvrir d'eau. Amener à ébullition. Saler et poivrer. Laisser cuire pendant 10 min.
- Ajouter le flétan et verser la pâte préalablement préparée par cuillerées de 5 ml (1 c. à thé) chacune. Faire cuire à couvert pendant 10 à 15 min. Servir chaud.
- **Pâte:** Mélanger la farine, la levure chimique, le sel et le bicarbonate de soude. Incorporer l'eau. Verser dans la préparation tel qu'indiqué.

NOTE: Cette recette peut très bien se préparer avec de la morue.

Préparation: 20 min	**Cuisson:** 25 à 30 min
Rendement: 6 portions	**Prix de revient:** $$

Tronçons de flétan grillés aux primeurs, sauce Laniel

90 ml (3 oz)	Huile
quantité suffisante	Sel et poivre
6 X 175 g (6 oz)	Tronçons de flétan
18	Panais tournés en forme d'olive
18	Carottes tournées en forme d'olive
120 g (env. 1 tasse)	Haricots verts
60 g (1/3 tasse)	Beurre
SERVICE: 3	Citrons
6 branches	Persil
6 portions	Sauce Laniel (voir recettes de base)

Préparation: 45 min **Cuisson:** 15 min
Rendement: 6 portions **Prix de revient:** $$

- Mélanger l'huile, le sel, le poivre et y tremper quelques minutes les deux côtés des tronçons. Faire chauffer le gril jusqu'à ce qu'il soit très chaud. Y déposer les tronçons égouttés au préalable (pour obtenir un beau quadrillage, on doit tourner les pièces dans le sens des aiguilles d'une montre). Le poisson est cuit lorsque l'arête du centre s'enlève facilement avec la pointe d'un couteau d'office.
- Cuire les légumes séparément. Réserver. Faire sauter les légumes au beurre.
- **Service:** Déposer les tronçons sur les assiettes et décorer avec les primeurs (les légumes), le citron et le persil. Servir avec la sauce Laniel.

RAIE ÉPINEUSE

Raja radiata (Donovan) 1807/*Thorny skate*
Appellation erronée: flât

TYPE DE CHAIR: fine, maigre et un peu ferme.

PROVENANCE: des deux côtés de l'Atlantique, 325 espèces classifiées.

OÙ ET QUAND LA TROUVER: arrivage irrégulier dans les poissonneries.

TRAITEMENT ET COMMERCIALISATION: ailes de raie.

CUISSON: meunière, pochée ou vapeur.

APPRÉCIATION: à cause de sa texture, la raie est un poisson surprenant. On l'aime ou on ne l'aime pas.

REMARQUES: on utilise seulement les «ailes de raie» en cuisine. Poisson qui demande à être connu. Pelée, la chair des ailes de raie craint le contact avec l'eau et la glace.

$$

CARACTÉRISTIQUES: couleur allant du brun pâle au gris d'un côté et blanc avec des taches de l'autre. Poisson cartilagineux, vivant en eaux profondes, qui peut atteindre 62 cm (2 pi).

Ailerons de raie aux câpres et aux champignons

325 g (2 ½ tasses)	Champignons crus
quantité suffisante	Sel et poivre
200 ml (7 oz)	Fumet de poisson
75 g (env. ½ tasse)	Câpres hachées
800 g (1 ¾ lb)	Ailerons de raie
150 g (env. ¾ tasse)	Beurre
1	Citron (jus)
quantité suffisante	Persil haché

• Hacher les champignons au robot de cuisine; les faire cuire pour leur enlever la presque totalité de leur humidité. Saler, poivrer, puis ajouter 20 ml (4 c. à thé) de fumet de poisson et le tiers des câpres. Réserver ce mélange au chaud.

• Faire pocher les ailerons de raie dans le reste du fumet de poisson, de 10 à 15 min, selon leur épaisseur. Une fois cuits, bien éponger les ailerons pour leur enlever le maximum de liquide. Faire chauffer le beurre jusqu'à ce qu'il ait une couleur noisette.

• Ajouter le reste des câpres et le jus de citron à ce beurre. Disposer les champignons hachés dans les assiettes chaudes. Déposer les ailerons de raie sur les champignons, napper de beurre aux câpres, puis ajouter le persil.

Accompagnement: Petites pommes de terre cocotte cuites à l'eau.

Préparation: 30 min		**Cuisson:** 15 min	
Rendement: 4 portions		**Prix de revient:** $$	

Ailerons de raie au cidre rosé de Michel Jodoin

240 ml (1 tasse)	**Cidre rosé de Michel Jodoin**
quantité suffisante	**Sel et poivre**
4 X 200 g (7 oz)	**Ailerons de raie en tronçons**
80 ml (env. 1/3 tasse)	**Glace de veau (voir Les glaces, dans les recettes de base)**
80 g (1/2 tasse)	**Herbes salées**
60 g (1/3 tasse)	**Beurre**

- Verser le cidre et 120 ml (1/2 tasse) d'eau dans une casserole assez large et pas trop haute, car les tronçons de raie prennent beaucoup de place. Déposer une marguerite dans la casserole. Saler et poivrer les tronçons, puis les disposer dans la marguerite. Cuire à couvert environ 8 à 10 min, selon l'épaisseur des tronçons. Si la peau noire n'a pas été enlevée, il faut l'ôter pendant que les tronçons sont chauds, car ce poisson est fort gélatineux et la peau resterait collée. Garder au chaud.
- Faire réduire le fond de cuisson des 9/10, ajouter la glace de veau et les herbes salées. Rectifier l'assaisonnement et finir par le beurre. Déposer les tronçons de raie sur les assiettes de service très chaudes et verser la sauce dessus.

NOTE: Il est préférable de laisser l'arête centrale de la raie à la cuisson, afin que les chairs ne rétrécissent pas trop. De toute façon, les chairs s'enlèvent très facilement à la dégustation.

- Il faut se méfier du sel contenu dans les herbes salées. Si elles sont trop salées, leur donner un bouillon d'eau avant.
- Les poissonniers peuvent aussi vous enlever la peau noire.

Préparation: 15 min	**Cuisson:** 8 à 10 min
Rendement: 4 portions	**Prix de revient:** $$$

Les Gadidés (type morue)

Les *Gadidés* sont des poissons marins d'eaux froides. On les trouve surtout dans les mers du nord, mais certaines espèces se sont établies dans l'hémisphère sud. Plus nombreux dans des eaux peu profondes, un certain nombre de ces poissons vivent aussi dans des eaux très profondes. Certaines nageoires de ces poissons à rayons mous sont parfois filamenteuses, ils ont de petites écailles, et leur bouche est souvent grande.

Les morues consomment beaucoup d'autres poissons et des invertébrés. Cette famille compte au total 59 espèces, dont 19 ont été signalées dans la région canadienne. De nombreuses espèces ont une grande importance commerciale. Parmi toutes les familles de poissons que l'on trouve dans notre région, la famille de la morue est la mieux représentée et la plus grande.

Du point de vue culinaire, tous ces poissons ont une particularité. À la cuisson, la chair s'effeuille, ce qui permet à la sauce ou au beurre de glisser entre chaque «feuillet».

Quelques poissons de ce groupe ont fait connaître le Canada à travers le monde, particulièrement la morue. D'autres sont moins connus et il serait important qu'en souhaitant que les morues reviennent en quantité, nous utilisions plus souvent les autres poissons de cette famille, d'autant plus qu'ils sont aussi très savoureux.

Morue – cabillaud
Aiglefin (églefin)
Goberge
Brosme
Merluche-écureuil
Merlu argenté
Merlan
Poulamon

Voici d'autres poissons de la famille des *Gadidés* que l'on peut apprêter en adaptant chacune des recettes de ce chapitre: julienne (lingue), saida (morue polaire), antimore bleu, motelle à quatre barbillons, ogac, mustèle argentée, mustèle arctique à trois barbillons et poutassou.

Note: Il faut par contre bien surveiller la cuisson de chaque poisson.

MORUE — CABILLAUD

Gadus morhua (Linné) 1758/*Atlantic cod, cod*
Appellation erronée: morue commune

CARACTÉRISTIQUES: poisson présentant différentes teintes allant du gris au vert ou du brun au rouge. Poids moyen d'environ 2,3 kg (5 lb).

TYPE DE CHAIR: chair dense et nourrissante, s'effeuillant en larges chevrons.

PROVENANCE: des deux côtés de l'Atlantique.

OÙ ET QUAND LA TROUVER: de janvier à mars, de mai à juillet et en septembre, en abondance.

TRAITEMENT ET COMMERCIALISATION: entière, en darnes, en filets et fumée.

CUISSON: meunière, rôtie, pochée ou vapeur.

APPRÉCIATION: longtemps traitée comme un poisson ordinaire, elle revient à la mode des grandes tables.

REMARQUES: à l'état frais, la morue porte le nom de cabillaud. Le terme «morue» désigne normalement un produit salé.

$$

Blancs de cabillaud aux poivrons et aux câpres

500 g (env. 1 lb) ou 8	Petites endives du Québec
300 ml (1 1/4 tasse)	Fumet de poisson
600 g (env. 1 1/4 lb)	Pommes de terre tournées
115 g (env. 1/2 tasse)	Beurre
125 g (env. 1 tasse)	Poivrons rouges émondés en dés
125 g (env. 1 tasse)	Oignons en fine brunoise
40 g (1/4 tasse)	Câpres
1	Citron (jus)
4	Branches de persil, hachées
quantité suffisante	Sel et poivre
8 X 85 g (3 oz)	Filets de cabillaud
quantité suffisante	Beurre et huile

- Évider la base des endives pour les rendre moins amères; les faire cuire avec un peu de fumet de poisson ou à la vapeur du fumet de poisson, à l'aide d'une marguerite; les garder au chaud (les endives doivent toujours être bien cuites).
- Faire cuire les pommes de terre tournées à la vapeur; les réserver au chaud.
- Faire suer au beurre les poivrons, les oignons et les câpres. Ajouter le jus de citron et le persil, une fois les légumes cuits.
- Assaisonner les filets de cabillaud et les faire cuire au beurre et à l'huile, jusqu'à ce qu'ils soient d'une belle couleur dorée. Retirer du feu lorsque des gouttes blanches émergent du poisson. Dresser les morceaux de poisson sur des assiettes chaudes. Disposer les endives et les pommes de terre dans l'assiette.

- Ajouter le beurre au mélange de poivrons et de câpres et déposer ce mélange sur le poisson. Servir immédiatement.

Préparation: 30 min   **Cuisson:** 30 min
Rendement: 4 portions   **Prix de revient:** $$$

Photo page suivante →

Cabillaud émietté, sauce aux tomates et aux légumes

1,4 kg (env. 3 lb)	Tomates fraîches
50 ml (3 c. à soupe)	Huile végétale
100 g (³/4 tasse)	Céleri en brunoise
200 g (1 ¹/2 tasse)	Oignons en brunoise
200 g (2 tasses)	Poireaux en brunoise
250 g (1 ³/4 tasse)	Carottes en brunoise
quantité suffisante	Sel et poivre
30 g (2 c. à soupe)	Pâte de tomate
1	Citron (jus)
3	Filets d'anchois finement hachés
20 g (¹/3 tasse)	Branches de cerfeuil
600 g (env. 1 ¹/4 lb)	Filets de cabillaud
100 ml (3 ¹/2 oz)	Fumet de poisson
100 ml (3 ¹/2 oz)	Vin blanc

Préparation: 30 min   **Cuisson:** 2 à 5 min
Rendement: 4 portions   **Prix de revient:** $$$

- Émonder et épépiner les tomates, puis les couper en dés. Faire suer à l'huile les tomates en dés et les légumes en brunoise. Saler, poivrer et continuer la cuisson à feu doux pendant 10 min. Ajouter la pâte de tomate, le jus de citron et les anchois. Retirer du feu et laisser refroidir. Ajouter le cerfeuil au mélange refroidi et réserver.
- Saler et poivrer les filets de cabillaud. Faire chauffer le fumet de poisson et le vin dans une casserole. Déposer une marguerite dans la casserole et faire cuire les filets de cabillaud dans cette marguerite de 2 à 5 min. Laisser refroidir le poisson cuit, puis l'émietter. Faire réduire presque complètement le fumet et le vin, puis laisser refroidir.

Service: Déposer la sauce aux tomates et aux légumes en couronne dans le fond des assiettes. Dresser la morue émiettée au centre et verser sur le poisson le mélange réduit de fumet et de vin.

Note: Cette recette, que l'on sert froide ici, pourrait aussi être servie chaude.

AIGLEFIN (ÉGLEFIN)

Melanogrammus aeglefinus (Linné) 1758/*Haddock*
Appellation erronée: morue

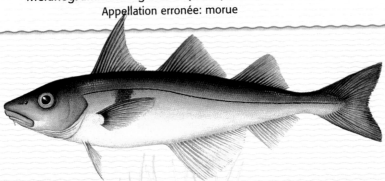

CARACTÉRISTIQUES: tête et dos de couleur gris violacé, pâlissant sous la ligne latérale noire pour devenir de couleur gris argenté avec des reflets rosâtres sur le ventre. Taille pouvant varier de 38 à 62 cm (15 po à 2 pi) et poids se situant entre 900 g et 18 kg (2 et 40 lb).

TYPE DE CHAIR: fine, au goût léger.

PROVENANCE: des deux côtés de l'Atlantique.

OÙ ET QUAND LE TROUVER: arrivage irrégulier dans les poissonneries. Novembre et décembre, en abondance.

TRAITEMENT ET COMMERCIALISATION: en darnes, en filets et entier.

CUISSON: meunière, vapeur, poché ou entier, au four.

APPRÉCIATION: cuisson délicate, car la chair est peu consistante.

REMARQUES: l'églefin est utilisé dans les populaires *fish and chips*.

$$

Darnes d'aiglefin aux endives et aux herbes salées

200 ml (7 oz)	Fumet de poisson
1	Échalote sèche, hachée
450 g (1 lb)	Endives émincées
80 g (⅓ tasse)	Beurre
35 g (3 c. à soupe)	Herbes salées
500 ml (2 tasses)	Crème à 35 %
1	Citron (jus)
4 X 180 g (6 oz)	Darnes d'aiglefin frais

Préparation: 20 min **Cuisson:** 8 à 10 min
Rendement: 4 portions **Prix de revient:** $$

- Verser le fumet de poisson dans une casserole profonde. Ajouter l'échalote et faire cuire pendant 5 min. Faire suer les endives au beurre avec les herbes salées.
- Ajouter la crème et laisser réduire jusqu'à la consistance désirée. Ajouter le jus de citron. Installer une marguerite dans la casserole contenant le fumet.
- Déposer les tranches d'aiglefin dans la marguerite. Couvrir et laisser cuire à la vapeur pendant 5 à 6 min. Réchauffer les assiettes. Dresser une tranche d'aiglefin par assiette. Verser la sauce aux endives sur le poisson.

Darnes d'aiglefin aux concombres

150 g (³/4 tasse)	Beurre
250 g (env. ¹/2 lb)	Concombres en parisienne (petites boules)
250 ml (1 tasse)	Crème à 35 %
6 X 180 g (env. 6 oz)	Darnes d'aiglefin
quantité suffisante	Farine
2	Œufs battus
quantité suffisante	Sel et poivre
2	Citrons
15 g (¹/4 tasse)	Persil frais, haché
6	Anchois
12	Olives noires

- Étuver les concombres en parisienne dans la moitié du beurre. Ajouter la crème. Passer les darnes dans la farine, puis dans les œufs battus assaisonnés. Les cuire à la meunière dans le reste du beurre, les dresser dans un plat de service et les entourer des concombres.
- Arroser du jus des citrons, puis du beurre de cuisson. Parsemer de persil haché. Garnir avec les anchois roulés autour des olives noires.

Préparation: 30 min **Cuisson:** 8 à 12 min
Rendement: 6 portions **Prix de revient:** $$

GOBERGE

Pollachius virens (Linné) 1758/*Boston bluefish, pollock, saithe* (GB)
Appellations erronées: colin, merlan et lieu (au Canada)

CARACTÉRISTIQUES: dos de couleur vert brunâtre devenant jaunâtre et ventre gris argenté. Poisson mesurant de 50 à 90 cm (20 à 35 po) et pesant de 1 à 7 kg (2 1/4 à 15 1/2 lb).

TYPE DE CHAIR: fine, légère et délicate.

PROVENANCE: des deux côtés de l'Atlantique.

OÙ ET QUAND LA TROUVER: juillet, août et septembre, en abondance.

TRAITEMENT ET COMMERCIALISATION: fumée, en darnes, en filets et entière.

CUISSON: meunière, pochée, vapeur ou rôtie entière.

APPRÉCIATION: poisson pour le repas du midi, il manque de tenue à la cuisson.

REMARQUES: ce poisson est appelé lieu noir et colin en Europe. C'est ce poisson que l'on utilise pour fabriquer les surimis, qui sont des imitations de crabes, de crevettes et de coquilles Saint-Jacques et que l'on trouve en abondance dans les supermarchés.

$$

Brandade de goberge

800 g (1 3/4 lb)	Goberge salée
350 g (3/4 lb)	Pommes de terre
quantité suffisante	Sel
250 ml (1 tasse)	Huile d'olive
30 g (2 1/2 c. à soupe)	Ail sans le germe, haché
350 ml (1 1/2 tasse)	Crème à 35 %
quantité suffisante	Poivre du moulin et muscade râpée
60 g (1/2 tasse)	Chapelure fraîche
6	Tranches de pain de mie
60 g (1/3 tasse)	Beurre

- Faire dessaler la goberge à l'eau froide courante, la veille. Le lendemain, la couper en morceaux et la pocher à l'eau bouillante pendant environ 6 min, à partir du moment où l'eau atteint le point d'ébullition. Égoutter alors la goberge, puis enlever la peau et les arêtes.
- Faire cuire les pommes de terre non épluchées dans de l'eau bouillante salée. Les éplucher ensuite et les passer à la moulinette.
- Dans un sautoir, faire chauffer l'huile et y ajouter l'ail, la goberge et les pommes de terre. Bien mélanger avec une spatule en bois, remuer jusqu'à l'obtention d'une pâte de la consistance d'une purée de pommes de terre. Passer le tout au mélangeur et remettre dans le sautoir.
- Ajouter à ce mélange crème, poivre et muscade, puis travailler avec la spatule. Dresser 250 ml (1 tasse) de cet appareil dans des plats à gratin ovales, individuels. Saupoudrer de chapelure fraîche et faire gratiner au four.

Service: Présenter avec des triangles de pain de mie frits au beurre et un légume vert au beurre à votre choix comme les épinards ou les haricots verts. Servir aussitôt avec du beurre de citron aux herbes (voir recettes de base) en accompagnement.

Préparation: 40 min	**Cuisson:** 20 à 35 min
Rendement: 6 portions	**Prix de revient:** $$

Filets de goberge à la vapeur d'algues, beurre citronné

quantité suffisante	Eau et sel
150 g (env. 2 tasses)	Algues fraîches (goémon ou varech) ou
30 g (1/3 tasse)	Algues séchées
600 g (env. 1 1/4 lb)	Chou vert, émincé
180 g (6 oz)	Carotte émincée
180 g (6 oz)	Poireau émincé
6 X 150 g (5 oz)	Filets de goberge
40 ml (3 c. à soupe)	Jus de citron
180 g (1 tasse)	Beurre en cubes

- Mettre l'eau, le sel et les algues dans une marmite. Amener à ébullition et garder en attente. Placer une marguerite dans la marmite. Déposer les légumes dans la marguerite et les faire cuire à moitié, à couvert. Déposer dans la marguerite les filets de goberge et les faire cuire pendant environ 6 min.
- Pendant ce temps, faire réduire le jus de citron du tiers. Mettre la poêle à feu doux et ajouter graduellement les cubes de beurre en fouettant. Servir le beurre citronné avec le poisson, les légumes et les algues.

Préparation: 10 min	**Cuisson:** 6 à 10 min
Rendement: 6 portions	**Prix de revient:** $$

BROSME

Brosme brosme (Müller) 1776/*Cusk*
Appellations erronées: mustelle et motelle

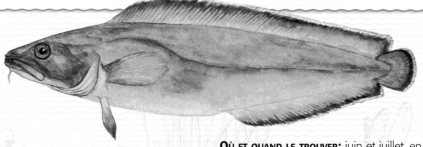

Caractéristiques: couleur du corps variant selon l'environnement et pouvant aller du rouge sombre au vert brun ou au jaune pâle. Poisson pouvant atteindre une longueur de 1 m (3 ¼ pi) et un poids de 12,2 kg (27 lb).

Type de chair: maigre et ferme.

Provenance: Atlantique Nord.

Où et quand le trouver: juin et juillet, en abondance; encore rare dans les poissonneries.

Traitement et commercialisation: entier et en filets.

Cuisson: meunière, poché ou vapeur.

Appréciation: parce qu'il est nouveau sur le marché, ce poisson possède un certain intérêt culinaire. Sa chair ressemble à celle de la morue.

$$

Brosme, sébaste et éperlans au beurre blanc

2,5 kg (5 ½ lb)	Brosme
750 g (env. 1 ½ lb)	Sébaste
8 X 60 g (2 oz)	Éperlans
quantité suffisante	Sel et poivre
60 g (env. ½ tasse)	Carotte moyenne en julienne (fines lanières)
60 g (½ tasse)	Céleri en julienne
60 g (⅔ tasse)	Blanc de poireau en julienne
1 litre (4 tasses)	Eau
4	Champignons entiers
quantité suffisante	Jus de citron
160 g (1 tasse)	Beurre blanc (voir recettes de base)

- Fileter le brosme et le sébaste. Couper la tête des éperlans, les vider par le ventre, puis enlever l'arête en tirant vers la queue, tout en glissant la lame d'un couteau derrière l'arête; garder la queue intacte. Assaisonner ces éperlans et les rouler.

- Faire cuire les légumes, sauf les champignons, à l'eau bouillante salée; les réserver au chaud et récupérer l'eau de cuisson. Faire cuire les filets de poissons dans une marguerite, en utilisant une partie de l'eau de cuisson des légumes; laisser cuire jusqu'à ce que les poissons soient à point (pendant 3 min pour le sébaste et la morue et 1 min pour les éperlans).

- Garnir l'assiette avec les légumes et y déposer harmonieusement les poissons et les champignons préalablement blanchis, c'est-à-dire cuits pendant quelques minutes à l'eau bouillante salée et citronnée.

- Verser le beurre blanc au centre de l'assiette et servir sans tarder.

Préparation: 30 min	**Cuisson:** 5 min
Rendement: 4 portions	**Prix de revient:** $$$

Filets de brosme à la créole

80 ml (env. $^1/_3$ tasse)	Huile d'arachide
175 g (1 $^1/_4$ tasse)	Oignon haché
250 g (2 $^1/_3$ tasses)	Céleri haché
175 g (1 tasse)	Piment vert, haché
1	Gousse d'ail, hachée
240 g (1 $^1/_3$ tasse)	Tomates fraîches, émondées, épépinées et en dés
quantité suffisante	Sel et poivre
6 X 140 g (env. 5 oz)	Filets de brosme

- Faire cuire dans 60 ml ($^1/_4$ tasse) d'huile, à feu doux, l'oignon, le céleri, le piment et l'ail. Ajouter les tomates, laisser cuire pendant 10 min et retirer du feu. Vérifier l'assaisonnement et réserver au chaud.
- Nettoyer les filets de brosme, puis les placer dans un plat huilé allant au four. Couvrir avec les légumes cuits. Faire cuire au four à 200°C (400°F) pendant 10 min.

Accompagnement: Chayotes en parisienne sautées.

Préparation: 15 min	**Cuisson:** 25 min
Rendement: 6 portions	**Prix de revient:** $$$

MERLUCHE-ÉCUREUIL

Urophycis chuss (Walbaum) 1792/*Squirrel hake*
Appellations erronées: merlan, merlu et merluchon

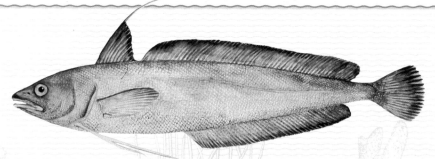

CARACTÉRISTIQUES: couleur très variable: dos allant du rougeâtre au brunâtre avec de faibles reflets métalliques sur les joues; ventre gris pâle. Longueur allant jusqu'à 1,4 m (4 ½ pi) et poids pouvant atteindre 20 kg (44 lb).

TYPE DE CHAIR: maigre et ferme.

PROVENANCE: Atlantique Nord.

OÙ ET QUAND LA TROUVER: de juin à novembre, en abondance.

TRAITEMENT ET COMMERCIALISATION: entière et en filets. Elle est encore rare sur le marché.

CUISSON: meunière, vapeur, pochée ou rôtie entière.

APPRÉCIATION: poisson ayant un certain intérêt culinaire pour le repas du midi.

$$

Merluche-écureuil à la raclette

4 X 250 à 300 g (8 à 10 oz)	Merluches-écureuil
quantité suffisante	Sel et poivre
2	Citrons (jus)
4	Tomates bien mûres
50 ml (3 c. à soupe)	Huile d'olive
quantité suffisante	Noix muscade
250 g (9 oz)	Fromage raclette coupé en très fines tranches
140 ml (env. ⅔ tasse)	Crème à 35 %

- Bien nettoyer les merluches-écureuil (ébarber, étêter et enlever la fine pellicule noire à l'intérieur du ventre). Enlever les arêtes par le ventre.

- Saler, poivrer, puis déposer dans un plat. Arroser de jus de citron et faire mariner dans le jus au moins 30 min en retournant souvent.
- Pendant ce temps, émonder, épépiner et concasser les tomates.
- Avec l'huile d'olive, bien huiler un plat allant au four. Disposer les poissons, saler, poivrer et parsemer d'un peu de noix muscade. Déposer uniformément les tomates. Couvrir avec les tranches de fromage. Verser la crème. Mettre au four à 200°C (400°F) pendant 25 à 35 min. Servir immédiatement dans le plat de cuisson.

Accompagnement: Tagliatelles cuites *al dente*.

Préparation: 20 min	**Cuisson:** 25 à 35 min
Rendement: 4 portions	**Prix de revient:** $$$

Merluche-écureuil braisée aux oignons et aux pommes de terre

2 X 500 g (env. 1 lb)	Merluches-écureuil
200 g (1 ½ tasse)	Oignons espagnols ou rouges
100 ml (3 ½ oz)	Huile d'olive
60 g (⅓ tasse)	Beurre
160 ml (env. ⅔ tasse)	Vin blanc
300 ml (1 ¼ tasse)	Fumet de poisson
240 g (env. 2 tasses)	Pommes de terre coupées en petits dés
quantité suffisante	Sel, poivre et noix muscade

Préparation: 30 min   **Cuisson:** 25 min
Rendement: 4 portions   **Prix de revient:** $$

- Bien nettoyer les merluches-écureuil et réserver.
- Émincer finement les oignons. Chauffer l'huile et le beurre, puis étuver doucement les oignons pendant une dizaine de minutes. Ajouter le vin blanc ainsi que le fumet de poisson et les pommes de terre en dés. Laisser mijoter 5 min. Saler, poivrer et ajouter quelques miettes de noix muscade.
- Déposer les merluches-écureuil dans un plat allant au four et verser le mélange précédent sur les poissons.
- Couvrir avec un papier d'aluminium et cuire au four à 200°C (400°F) pendant 10 min. Servir tel quel dans son plat.

MERLU ARGENTÉ

Merluccius bilinearis (Mitchill) 1814/*Silver hake*
Appellations erronées: colin, merlu, merluchon et *whiting*

CARACTÉRISTIQUES: poisson de couleur argentée à sa sortie de l'eau. Il peut atteindre une longueur de 90 cm (35 po) et un poids de 2,3 kg (5 lb), mais la longueur moyenne se situe entre 24 et 35 cm (9 et 14 po) et le poids moyen est de 700 g (1 ¹/₂ lb).

TYPE DE CHAIR: fine, légère et très savoureuse.

PROVENANCE: plateau continental de l'est de l'Amérique du Nord.

OÙ ET QUAND LE TROUVER: de juin à novembre, en abondance.

TRAITEMENT ET COMMERCIALISATION: entier et en filets.

CUISSON: meunière, vapeur ou poché.

APPRÉCIATION: chair fragile, poisson pour le repas du midi.

REMARQUES: craint le contact avec la glace.

$$

Merlu à l'armoricaine ou à l'américaine

4 X 240 à 280 g (8 à 10 oz)	Tranches de merlu
quantité suffisante	Sel et poivre
quantité suffisante	Farine
60 ml (¹/₄ tasse)	Huile d'olive vierge
60 g (¹/₃ tasse)	Beurre
130 ml (env. ¹/₂ tasse)	Cognac
60 g (env. ¹/₂ tasse)	Échalotes hachées
100 g (³/₄ tasse)	Brunoise de carottes
100 g (³/₄ tasse)	Brunoise de céleri
4	Tomates émondées, épépinées et en dés
1 g (¹/₄ c. à thé)	Safran
1	Pincée de poivre de Cayenne
30 g (¹/₂ tasse)	Persil plat haché finement
¹/₂	Gousse d'ail hachée
250 ml (1 tasse)	Vin blanc sec
2 g (1 c. à thé)	Brindilles de thym
¹/₂	Feuille de laurier
160 ml (env. ²/₃ tasse)	Sauce homardine (voir recettes de base)

- Bien égoutter et sécher les tranches de merlu. Saler, poivrer et fariner. Chauffer l'huile d'olive et le beurre dans un sautoir. Y faire colorer les tranches de merlu jusqu'à ce qu'elles aient la couleur de l'or, réserver. Égoutter l'excédent de gras et flamber au cognac. Couvrir et réserver.

- Dans une casserole, avec l'excédent de gras, faire fondre les échalotes hachées, les carottes et le céleri en brunoise, puis ajouter les dés de tomates, le safran, le poivre de Cayenne, le persil et l'ail. Cuire 3 à

4 min, puis ajouter le vin blanc, le thym et le laurier. Rectifier l'assaisonnement.

- Recouvrir les tranches de merlu de cet appareil, couvrir et cuire au four 12 à 15 min à 200°C (400°F).

Préparation: 50 min	**Cuisson:** 12 à 20 min
Rendement: 4 portions	**Prix de revient:** $$$

- Chauffer la sauce homardine.
- À la sortie du four, déposer une tranche de merlu et la garniture au fond de chaque assiette, puis napper de sauce homardine chaude. Servir avec des pommes de terre cuites à l'eau.

Merlu argenté en papillon, garni de petits légumes

150 ml (env. 2/3 tasse)	Vin blanc
3	Échalotes sèches, finement hachées
75 g (4 1/2 c. à soupe)	Pâte de tomate
250 ml (1 tasse)	Fumet de poisson
quantité suffisante	Roux blanc et beurre
200 g (1 3/4 tasse)	Carottes
200 g (env. 1 tasse)	Betteraves rouges
250 g (1 1/2 tasse)	Pommes de terre
quantité suffisante	Eau, sel et poivre
4 X 350 g (12 oz)	Merlus argentés entiers
quantité suffisante	Farine et huile

- Faire chauffer le vin avec les échalotes. Laisser réduire complètement. Incorporer la pâte de tomate et laisser cuire pour diminuer l'acidité. Ajouter le fumet et laisser cuire pendant 10 min.
- Lier la sauce avec le roux blanc, puis la monter au beurre. Réserver cette sauce au chaud.

- Tourner en forme d'olives les carottes, les betteraves et les pommes de terre. Faire cuire ces légumes séparément à l'eau bouillante salée; les réserver.
- Ouvrir les merlus par le ventre jusqu'à 3 cm (1 po) de la queue; enlever les arêtes centrales, bien éponger les poissons afin de les assécher le plus possible, puis saler et poivrer; les passer dans la farine et les faire cuire dans une poêle, au beurre et à l'huile, jusqu'à ce qu'ils soient bien dorés, soit pendant environ 5 à 7 min pour qu'ils ne soient pas trop cuits.
- Réchauffer les légumes au beurre. Réchauffer la sauce aux tomates et au poisson, puis la verser dans le fond des assiettes chaudes. Déposer un poisson dans chaque assiette et dresser les légumes au centre du poisson. Servir immédiatement.

Préparation: 45 min	**Cuisson:** 12 à 15 min
Rendement: 4 portions	**Prix de revient:** $$$

Photo page suivante →

MERLAN

Merlangius merlangus (Linné) 1758/*Whiting*

Appellations erronées: merlu et merluchon

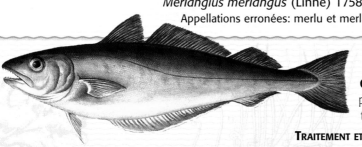

CARACTÉRISTIQUES: corps de couleur argentée et dos plus foncé. Longueur du corps pouvant varier de 20 à 70 cm (8 à 27 po) et poids variant de 1,8 à 2,7 kg (4 à 6 lb).

TYPE DE CHAIR: maigre et molle.

PROVENANCE: Atlantique Sud.

OÙ ET QUAND LE TROUVER: poisson d'importation que l'on trouve généralement toute l'année.

TRAITEMENT ET COMMERCIALISATION: entier.

CUISSON: meunière ou poché.

APPRÉCIATION: maigre et très digeste. Ce poisson est excellent.

REMARQUES: le merlan est appelé merlu en Méditerranée, d'où la confusion avec le véritable merlu.

$$

Filets de merlan à la dijonnaise

250 g (1 ¹/₂ tasse)	Beurre doux
4 X 160 à 180 g (5 à 6 oz)	Filets de merlan
quantité suffisante	Moutarde de Dijon
4	Tomates émondées, épépinées et en rondelles
160 g (1 ¹/₃ tasse)	Chapelure
4	Échalotes ciselées
300 ml (1 ¹/₄ tasse)	Vin blanc
300 ml (1 ¹/₄ tasse)	Vinaigre de vin blanc
quantité suffisante	Sel et poivre
30 g (¹/₂ tasse)	Persil haché
20 g (³/₄ tasse)	Feuilles d'estragon hachées
25 g (¹/₂ tasse)	Ciboulette hachée

- Dans une poêle, dans 50 g (4 ¹/₂ c. à soupe) de beurre, faire saisir et dorer les filets de merlan. Badigeonner un plat allant au four de 50 g (4 ¹/₂ c. à soupe) de beurre en pommade.

Déposer les filets de merlan et les enduire de moutarde de Dijon, ranger sur chaque filet les rondelles de tomate, puis parsemer de chapelure. Réserver.

- Dans une casserole, faire réduire les échalotes ciselées avec le vin blanc et le vinaigre de vin blanc. Poivrer et réduire jusqu'à obtenir une consistance sirupeuse. Réserver.
- Cuire au four les filets de merlan à 200°C (400°F) 8 à 12 min, selon l'épaisseur des filets.
- Dans le mélange précédent, incorporer en fouettant vivement le beurre qui reste et le fond de jus de cuisson du poisson. Rectifier l'assaisonnement et incorporer le persil, l'estragon et la ciboulette.

Service: Déposer au centre de l'assiette le filet de merlan. Disposer la sauce autour et servir avec un riz blanc chaud cuit à l'eau.

Préparation: 30 min	**Cuisson:** 12 à 18 min
Rendement: 4 portions	**Prix de revient:** $$

Merlan farci au four

1,3 kg (env. 3 lb)	Merlan
quantité suffisante	Sel et poivre
150 g (env. 2/3 tasse)	Beurre
2	Blancs d'œufs
140 g (env. 5 oz)	Mousse de base au poisson (voir recettes de base)
150 g (1 1/3 tasse)	Carottes en bâtonnets
100 g (1 tasse)	Haricots verts
240 ml (1 tasse)	Sauce aux fines herbes garnie d'écrevisses (voir recettes de base)

Préparation: 20 à 30 min **Cuisson:** 30 à 35 min
Rendement: 6 portions   **Prix de revient:** $$$$

- Écailler le poisson. Enlever les arêtes par le ventre. Assaisonner l'intérieur et l'extérieur du poisson. Déposer le poisson sur un papier d'aluminium copieusement beurré au préalable et le badigeonner des blancs d'œufs. Déposer le tout sur une grille.
- À l'aide d'une spatule, masquer le poisson en utilisant la moitié de la mousse au poisson.
- Déposer sur cette surface les bâtonnets de carottes et les haricots verts préalablement cuits. Finir de recouvrir cette surface du reste de la mousse, au moyen d'un sac à décorer et d'une douille cannelée. Refermer hermétiquement les bords du papier d'aluminium autour du poisson. Déposer le tout sur une plaque et mettre au four à 180°C (350°F) pendant 30 min, ouvrir le papier d'aluminium et diviser le merlan en six portions.
- Servir sur des assiettes avec la sauce aux fines herbes garnie d'écrevisses.

POULAMON

Microgadus tomcod (Walbaum) 1792/*Atlantic tomcod*
Appellations erronées: loche, petite morue et poisson des chenaux

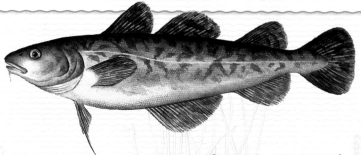

CARACTÉRISTIQUES: partie dorsale de couleur brun olive, teintée de vert ou de jaune et ventre grisâtre ou blanc jaunâtre. Longueur maximale de 45 cm (18 po).

TYPE DE CHAIR: maigre.

PROVENANCE: estuaire du golfe du Saint-Laurent et fleuve Saint-Laurent jusqu'à Sainte-Anne-de-la-Pérade.

OÙ ET QUAND LE TROUVER: de novembre à mars, en abondance.

TRAITEMENT ET COMMERCIALISATION: entier.

CUISSON: frit ou poché.

APPRÉCIATION: petit, le poulamon est excellent en petite friture.

REMARQUES: c'est notre «poisson des chenaux».

$$

Poulamons frits

2 kg (4 ¹/₂ lb)	Poulamons (petits poissons des chenaux)
quantité suffisante	Farine tout usage
quantité suffisante	Sel
2	Œufs
150 ml (env. ²/₃ tasse)	Lait
500 g (env. 4 ¹/₄ tasses)	Chapelure blanche
quantité suffisante	Huile
50 g (³/₄ tasse)	Persil frais
	Quartiers de citron

Préparation: 20 min   **Cuisson:** 5 min
Rendement: 6 portions   **Prix de revient:** $$

- Si les poulamons sont petits, on les vide en laissant la tête et la queue. S'ils sont plus gros, on coupe la tête. Bien nettoyer et éponger.
- Passer les poissons dans la farine additionnée de sel. Tremper chaque poisson dans le mélange d'œufs battus, de lait et de sel. Passer ensuite les poissons dans la chapelure.
- Faire cuire les poissons dans l'huile à 190°C (375°F); les servir chauds avec le persil frit. Servir avec des quartiers de citron à part.

NOTE: La chapelure blanche se fait avec du pain blanc auquel on enlève la croûte et que l'on passe au robot culinaire.

Photo page 91

Blancs de poulamon aux endives

1 kg (2 1/4 lb)	Endives du Québec
quantité suffisante	Beurre
900 g (2 lb)	Filets de poulamon
350 ml (1 1/2 tasse)	Lait
quantité suffisante	Sel et poivre du moulin
quantité suffisante	Farine et beurre clarifié

BEURRE AU CITRON:

175 ml (3/4 tasse)	Vin blanc
175 ml (3/4 tasse)	Jus de citron
30 g (3 c. à soupe)	Échalote hachée
90 ml (3 oz)	Crème à 35 %
275 g (1 2/3 tasse)	Beurre doux
quantité suffisante	Sel et poivre
30 g (3/4 tasse)	Ciboulette fraîche, ciselée

- Enlever le pédoncule des endives et les cuire entières selon la règle, c'est-à-dire dans très peu d'eau, en ajoutant quelques noisettes de beurre et avec un couvercle lourd qui s'appuie sur les endives.
- Lever les filets, puis les tremper dans le lait assaisonné. Fariner les filets, puis les faire cuire avec le beurre clarifié dans une poêle à poisson ovale, selon la règle des poissons à la meunière. Dans la même poêle, faire cuire également à la meunière les endives bien égouttées et farinées. Dresser filets et endives dans une assiette ovale de bonne grandeur après les avoir égouttés du gras de cuisson sur un papier absorbant. Couvrir et laisser mijoter jusqu'à ce que le poisson soit opaque et s'effeuille facilement.
- Beurre au citron: Faire réduire de moitié le vin, le jus de citron et l'échalote à feu vif, dans une casserole en fonte, ajouter la crème et le beurre doux réduit en petits morceaux et fouetter vivement. Saler, poivrer au goût et ajouter la ciboulette. Servir aussitôt avec le beurre.

NOTE: Le petit poisson des chenaux tient son nom d'une habitude vieille de plusieurs centaines d'années. Cette habitude qui le poussait à emprunter le Saint-Maurice et à vagabonder à la hauteur des trois chenaux, là où la rivière se déverse dans le Saint-Laurent.

Mais un jour, le petit poisson, désespéré par la présence des déchets d'usine, décida d'aller nicher ailleurs. Le petit poisson trouva plus raisonnable et moins téméraire d'aller vivre du côté de Sainte-Anne-de-la-Pérade. Cela se passait vers 1938. Cet hiver-là, Eugène Mailhot découvrit que la petite morue venait de préférer son village. Voilà pourquoi ce joli petit poisson devrait changer de nom, tout comme il a changé d'adresse.

Préparation: 30 min	**Cuisson:** 10 à 15 min
Rendement: 6 portions	**Prix de revient:** $$$

Les Salmonidés

Pour un cuisinier, cette famille de poissons est d'une grande noblesse. La beauté de ces poissons et leur couleur font que lorsqu'on les traite en cuisine, ce devrait être une fête.

La taille des *Salmonidés* varie de modérée à grande. De forme et d'apparence variables, ils ont, en général, le corps moins comprimé que celui du hareng.

Différents noms sont donnés au saumon pour distinguer les phases de sa croissance. Les jeunes nouvellement éclos sont appelés «alevins», après leur sortie du gravier ils sont appelés «alevins de moins d'un an» ou «alevins de la grosseur du doigt»; un peu plus tard, les jeunes saumons sont appelés «tacons» et ils peuvent rester dans les cours d'eau sous forme de tacons de 2 à 3 ans, jusqu'à ce qu'ils descendent à la mer sous forme de «smolts» argentés. Ceux qui reviennent après un hiver en mer sont appelés «castillons» ou «saumons» s'ils ont passé 2 ans ou plus en mer. Les saumons comme certains ombles chevaliers sont anadromes — ils vivent en eau salée et se reproduisent en eau douce.

Le saumon d'eau douce, aussi connu sous le nom de «ouananiche», est ordinairement plus petit que le saumon anadrome. Le poids moyen du saumon d'eau douce est de 900 g à 1,9 kg (2 à 4 lb), mais la ouananiche du Lac-Saint-Jean atteint environ 3,4 kg (7 lb). Dans l'Atlantique, il y a une seule espèce de saumon que l'on appelle saumon de l'Atlantique, alors que du côté du Pacifique, 5 espèces sont fréquemment pêchées: le saumon kéta, le saumon coho, le saumon kokani et nerka et le saumon chinook.

Toutes les recettes de ce chapitre sont interchangeables, car la chair de tous ces poissons possède une grande finesse. Voici d'autres *Salmonidés* que l'on peut apprêter en adaptant chacune des recettes de ce chapitre: omble de l'Arctique, truite brune, saumon rose, truite fardée, cisco de lac, inconnu et menomini rond.

Note: Il faut, par contre, bien surveiller la cuisson de chaque poisson.

Omble chevalier

Saumon de l'Atlantique

Saumon kokani et saumon nerka (*sockeye*)

Saumon coho

Saumon kéta

Saumon quinnat ou saumon chinook

Touladi

Omble de fontaine

Truite arc-en-ciel

Corégone

OMBLE CHEVALIER

Salvelinus alpinus (Linné)/*Arctic char*
Appellation erronée: omble de l'Arctique

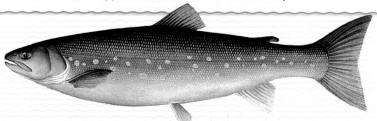

CARACTÉRISTIQUES: dos vert foncé ou bleu vert, flancs bleu argenté avec des taches oranges ou rouges et ventre blanchâtre ou rouge orange. Poisson ayant une longueur moyenne d'environ 30 à 45 cm (12 à 18 po).

TYPE DE CHAIR: grasse.

PROVENANCE: extrémité est du Québec et baie d'Hudson au-dessus du 50e parallèle.

OÙ ET QUAND LE TROUVER: s'il s'agit d'un poisson d'élevage, on le trouve généralement toute l'année.

TRAITEMENT ET COMMERCIALISATION: entier, en filets et en darnes.

CUISSON: rôti entier, meunière, farci, braisé ou poché.

APPRÉCIATION: poisson de haute qualité culinaire.

REMARQUES: ce poisson, à cause de sa chair d'une grande finesse, supporte mal la congélation. Au Québec, nous l'appelons omble de l'Arctique, ce qui est erroné, car il y a un salmonidé de pêche sportive qui se nomme «ombre de l'Arctique», qui lui, n'est abondant que dans les régions nordiques. Il est évident que les poissons d'élevage sont nettement moins bons que les poissons de pêche sportive.

$$$

Omble chevalier* aux plaquebières

160 g (env. 1 tasse)	**Beurre**
80 ml (env. 1/3 tasse)	**Huile d'arachide**
quantité suffisante	**Sel et poivre**
4 X 120 g (4 oz)	**Filets d'omble chevalier frais**
160 g (1 1/3 tasse)	**Plaquebières**
quantité suffisante	**Feuilles d'ail des bois ciselées**

- Dans une poêle en fonte, faire chauffer la moitié du beurre et l'huile. Saler et poivrer les filets d'omble.
- Cuire meunière les filets en les saisissant bien. La cuisson terminée, réserver les filets au chaud. Éliminer le gras de cuisson.
- Faire fondre le beurre qui reste doucement et étuver les plaquebières.
- Disposer les filets sur des assiettes chaudes et déposer les plaquebières sur chaque filet. Parsemer des feuilles d'ail des bois.

NOTE: Les plaquebières ou chicoutés, petits fruits de la toundra, possèdent un goût d'une grande finesse qui se marie bien à celui de l'omble.

* Je dédie cette recette à mon fils Joël, qui m'a fait découvrir ce merveilleux poisson du Nord.

Préparation: 15 min	**Cuisson:** 12 min
Rendement: 4 portions	**Prix de revient:** $$$

Savarin d'omble chevalier du Nunavik, sauce à l'omble fumé

500 g (env. 1 lb)	Chair d'omble chevalier
4	Œufs
250 ml (1 tasse)	Crème à 35 %
quantité suffisante	Sel et poivre
170 g (1 tasse)	Beurre
50 g (env. 2 oz)	Omble chevalier en dés
30 g (3 ½ c. à soupe)	Champignons en dés
12	Bâtonnets de ciboule
125 ml (½ tasse)	Fumet de poisson
100 g (env. 3 oz)	Omble chevalier fumé

- Passer la chair d'omble chevalier au mélangeur. Ajouter les œufs et 150 ml (²/₃ tasse) de crème. Assaisonner, puis ajouter 60 g (¹/₃ tasse) de beurre en pommade. Bien faire tourner cette mousse de façon à la rendre très légère. Avec 20 g (2 c. à soupe) de beurre, beurrer de petits moules à savarin et les remplir de cette mousse. Disposer ces moules sur une plaque et cuire au bain-marie à 180°C (350°F).

- Dans 40 g (3 ½ c. à soupe) de beurre, faire suer les petits morceaux d'omble chevalier et de champignons. Saler et poivrer. Ajouter la ciboule et 100 ml (3 ½ oz) de crème au dernier moment. Garnir l'intérieur des savarins avec ce ragoût.

- Faire réduire le fumet de poisson (non salé). Mettre en purée l'omble chevalier fumé et mélanger avec 50 g (4 ½ c. à soupe) de beurre. Monter le fumet réduit avec ce mélange; poivrer. Napper le tour des savarins de ce mélange et servir.

Préparation: 5 min   **Cuisson:** 15 min
Rendement: 6 portions   **Prix de revient:** $$$

SAUMON DE L'ATLANTIQUE

Salmo salar/Atlantic salmon
Appellation erronée: saumon de Gaspé

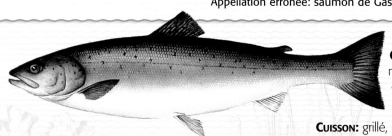

OÙ ET QUAND LE TROUVER: toute l'année, s'il s'agit d'un poisson d'élevage.

TRAITEMENT ET COMMERCIALISATION: entier, en darnes et en filets.

CUISSON: grillé, meunière, poché, vapeur ou braisé au four.

CARACTÉRISTIQUES: couleur variant selon l'âge; flancs et ventre généralement argentés, dos dans les tons de brun, de vert ou de bleu, avec des taches noires; coloration violet bronzé avec des taches rougeâtres à la période du frai. Poids variant de 1,4 à 9,2 kg (3 à 20 lb).

APPRÉCIATION: le saumon de l'Atlantique sauvage reste un poisson de fête.

REMARQUES: grâce à l'élevage, le saumon de l'Atlantique est devenu un poisson à la portée de tous. Cependant, il est fragile lorsqu'on le cuit, cela est dû à son sédentarisme. Évidemment, en ce qui concerne le goût, rien n'égalera une prise sportive.

TYPE DE CHAIR: grasse.

PROVENANCE: Atlantique.

$$

Saumoneau au vin rouge, farci de julienne de légumes*

500 ml (2 tasses)	Vin rouge
25 g (2 ³/₄ c. à soupe)	Échalotes hachées
400 ml (14 oz)	Fumet de poisson
100 g (²/₃ tasse)	Beurre
35 g (¹/₃ tasse)	Céleri en fine julienne
85 g (³/₄ tasse)	Carotte en fine julienne
100 g (env. 1 tasse)	Blanc de poireau en fine julienne
quantité suffisante	Vin rouge
300 g (10 oz)	Saumoneau frais
quantité suffisante	Sel et poivre
quantité suffisante	Roux blanc (voir recettes de base)

Préparation: 1 h	**Cuisson:** 7 à 10 min
Rendement: 2 portions	**Prix de revient:** $$$

- Faire chauffer le vin rouge avec les échalotes hachées et laisser réduire presque complètement. Ajouter le fumet de poisson et laisser cuire pendant 7 à 8 min. Réserver ce fumet réduit au chaud.
- Faire fondre au beurre les légumes en julienne. Ajouter quelques gouttes de vin rouge et laisser cuire à l'étouffée. Laisser refroidir ces légumes.
- Désosser le saumoneau par le ventre, saler et poivrer; le farcir avec la julienne de légumes et le déposer sur une plaque beurrée allant au four. Ajouter le fumet de poisson.
- Couvrir avec du papier d'aluminium beurré. Faire cuire au four à 200°C (400°F) pendant 7 à 10 min. Sortir du four et retirer la peau pendant que le poisson est encore chaud. Réserver le saumoneau au chaud et en récupérer le fond de cuisson. Ajouter le fond de cuisson

du saumoneau au fumet réduit préalablement réservé. Lier avec un peu de roux blanc.

- Déposer le saumoneau sur un plat chaud et le napper de sauce au vin rouge (sauf la tête).

Accompagnement: Petites pommes de terre cocotte cuites au vin rouge.

* Je dédie cette recette au chef Pierre Garcin.

Darnes de saumon de l'Atlantique grillées

4 X 180 g (6 oz)	**Darnes de saumon de l'Atlantique**
quantité suffisante	**Sel et poivre**
quantité suffisante	**Huile d'arachide**
1	**Citron**

- Après avoir bien éponge les darnes de saumon, saler, poivrer et badigeonner d'huile.
- Chauffer le gril à deux degrés différents d'intensité: un côté très chaud, l'autre modéré. Saisir et quadriller les darnes des deux côtés sur la partie chaude, puis transférer sur le côté moins chaud. Terminer la cuisson de cette façon.

- Avant de servir, enlever les peaux et l'arête centrale. Servir avec citron ou sauce béarnaise (voir recettes de base).

Accompagnement: Pommes cocotte cuites vapeur.

NOTE: Pour réussir un poisson grillé, il est important de bien éponger les darnes, car pour griller un poisson, on doit le faire complètement sur le gril. La clé de la réussite d'un poisson grillé est de lui enlever une grande partie de son humidité avant de le cuire.

Préparation: 20 min	**Cuisson:** 12 à 15 min
Rendement: 4 portions	**Prix de revient:** $$

Saumon de l'Atlantique en robe de chou

4	Feuilles de chou de Savoie
160 g (env. 1 tasse)	Beurre
50 g (^{1}/2 tasse)	Échalotes hachées
50 g (^{1}/2 tasse)	Blanc de poireau émincé
125 ml (^{1}/2 tasse)	Vin blanc sec
200 ml (7 oz)	Fumet de poisson
quantité suffisante	Roux blanc
125 ml (^{1}/2 tasse)	Crème à 35 %
1	Citron (jus)
quantité suffisante	Sel et poivre
160 g (1 ^{1}/4 tasse)	Champignons hachés
100 g (^{1}/2 tasse)	Dés de tomates épépinées et sans peau
4 X 150 g (5 oz)	Filets de saumon de l'Atlantique sans peau

- Blanchir à l'eau salée les feuilles de chou.
- Avec 50 g (4 ^{1}/2 c. à soupe) de beurre, faire fondre les échalotes hachées et le blanc de poireau émincé; ajouter le vin blanc et laisser réduire des ^{9}/10, ajouter le fumet de poisson et lier légèrement avec le roux blanc.

Finir par la crème et le jus de citron. Assaisonner au goût, passer au chinois étamine ou passoire à mailles fines. Réserver.

- Avec 50 g (4 ^{1}/2 c. à soupe) de beurre, faire suer les champignons à sec, puis ajouter les dés de tomates, saler et poivrer. Réserver.
- Bien étendre les feuilles de chou de Savoie blanchies, puis saler et poivrer les filets de saumon. Déposer les champignons et les dés de tomates sur les filets. Refermer les feuilles de chou sur les filets de saumon.
- Avec 60 g (^{1}/3 tasse) de beurre, badigeonner un plat allant au four, déposer les «robes de chou». Autour, verser la sauce et cuire à basse température (85°C ou 185°F) de 25 à 40 min. Servir tel quel avec un riz blanc, créole ou pilaf.

NOTE: Comment vérifier la cuisson d'un poisson enveloppé? Avec un thermomètre, c'est l'idéal, la température doit être à 80°C (175°F), ou avec la pointe d'un couteau. Piquer au centre et retirer, lorsque la pointe est «tiède-chaude»... le poisson est cuit.

Préparation: 30 min   **Cuisson:** 40 min
Rendement: 4 portions   **Prix de revient:** $$$

Photo page suivante →

SAUMON KOKANI ET SAUMON NERKA

Oncorhynchus nerka/Sockeye salmon
Appellation erronée: saumon rouge

Où et quand le trouver: toute l'année, s'il s'agit d'un poisson d'élevage.

Traitement et commercialisation: entier, en darnes, en filets et fumé.

Cuisson: grillé, meunière, poché, vapeur ou braisé au four.

Appréciation: il s'agit certainement du meilleur des saumons du Pacifique, surtout le saumon pêché à la ligne.

Caractéristiques: flancs de couleur argentée et dos vert avec des points noirs. Poids variant de 1,4 à 9,2 kg (3 à 20 lb) et longueur moyenne de 72 cm (28 po).

Type de chair: grasse.

Provenance: Pacifique.

Remarques: les saumons du Pacifique meurent toujours à leur retour en eau douce après la reproduction (mâles et femelles). Cela n'arrive pas aux saumons de l'Atlantique. Le kokani et le nerka sont les saumons du Pacifique les plus réputés.

$$$

Escalopes de saumon cuites unilatéralement, coulis d'écrevisse

4 X 130 g (env. 4 oz)	Escalopes de saumon
160 ml (env. ²/₃ tasse)	Coulis d'écrevisse (voir Coulis de homard dans recettes de base)
quantité suffisante	Sel et poivre
60 g (¹/₃ tasse)	Beurre
12	Branches de ciboulette

- Base fondamentale: Acheter un saumon entier, fileté, les arêtes enlevées et sans peau. Faire (ou demander au poissonnier de le faire) des filets en fines escalopes de 1 cm (¹/₂ po) chacune. Bien les ranger à plat sur une pellicule plastique et les congeler. Une fois congelées, bien les envelopper et les garder au congélateur. Un saumon devrait donner une trentaine de portions. D'autre part, il faut toujours garder une sauce au homard ou aux écrevisses surgelée en petits pots de 250 ml (1 tasse).

- Si des invités arrivent à l'improviste, décongeler au four à micro-ondes la sauce au homard ou aux écrevisses et garder au chaud, sortir du congélateur les portions de saumon, puis les étaler sur une plaque Téfal allant au four. Saler, poivrer et déposer des noix de beurre sur les escalopes de saumon, puis passer au four à *broil* sur un seul côté. Déposer sur une assiette très chaude et verser la sauce autour. En 20 min, les invités seront satisfaits.

Accompagnement: Riz et branches de ciboulette.

Note: Cette recette peut dépanner lorsque des amis se présentent à la dernière minute.

Préparation: À l'avance	**Cuisson:** 2 min
Rendement: 4 portions	**Prix de revient:** $$$

Boudin de saumon à la vapeur, beurre au citron

500 g (env. 1 lb)	Chair de saumon
125 ml (¹/₂ tasse)	Crème à 35 %
5	Œufs entiers
quantité suffisante	Persil haché
quantité suffisante	Sel et poivre
quantité suffisante	Muscade râpée
¹/₂	Citron (jus)
1	Boyau de mouton (boyau à boudin)
quantité suffisante	Court-bouillon (voir recettes de base)

BEURRE AU CITRON:

80 ml (env. ¹/₃ tasse)	Jus de citron
250 g (1 ¹/₂ tasse)	Beurre doux
15 ml (1 c. à soupe)	Crème à 35 %
quantité suffisante	Sel et poivre

- Passer le saumon, la crème, les œufs et le persil au mélangeur de façon à obtenir une farce assez lisse. Saler et poivrer, puis ajouter la muscade râpée. Goûter, rectifier l'assaisonnement si nécessaire, puis ajouter le jus de citron.

- Faire tremper le boyau de mouton au moins 2 h à l'avance. Enfiler le boyau sur un entonnoir, faire un nœud au bout, puis garnir le boyau de farce au saumon. Ficeler les boudins tous les 10 cm (4 po).
- **Court-bouillon:** Saler assez fortement le court-bouillon, porter à ébullition, baisser le feu, ajouter les boudins et les cuire pendant 10 min dans le court-bouillon frémissant (ne pas faire bouillir). Retirer les boudins du court-bouillon et mettre de côté. Pour les réchauffer, disposer les boudins dans la partie haute d'un couscoussier et cuire à la vapeur pendant 4 min.
- **Beurre au citron:** Porter le jus de citron au point d'ébullition, puis ajouter petit à petit, tout en remuant, les morceaux de beurre bien dur.
- Ajouter la crème au mélange de beurre au citron, les assaisonnements et ramener à ébullition. Retirer du feu et servir.

Préparation: 1 h	**Cuisson:** 5 min
Rendement: 6 portions	**Prix de revient:** $$$

SAUMON COHO

Oncorhynchus kisutch/Coho salmon, silver salmon
Appellation erronée: saumon argenté

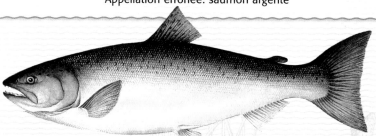

CARACTÉRISTIQUES: poisson presque entièrement argenté avec le dos variant du bleu métallique au vert. Poids variant de 1,6 à 4,5 kg (3 ½ à 10 lb) et longueur moyenne de 38 cm (15 po).

TYPE DE CHAIR: grasse.

PROVENANCE: Pacifique.

OÙ ET QUAND LE TROUVER: toute l'année, s'il s'agit d'un poisson d'élevage.

TRAITEMENT ET COMMERCIALISATION: entier, en darnes, en filets et fumé.

CUISSON: braisé, poché, vapeur, grillé, meunière ou rôti.

APPRÉCIATION: de bonne qualité.

REMARQUES: dans les poissonneries, c'est le saumon coho que nous trouvons le plus fréquemment.

$$$

Mousseline de saumon coho aux rillettes d'anguille fumée

6 tranches	Pain de mie
200 ml (7 oz)	Crème à 35 %
500 g (env. 1 lb)	Filets de saumon coho
5	Jaunes d'œufs
5	Blancs d'œufs
quantité suffisante	Sel et poivre
quantité suffisante	Muscade
60 g (⅓ tasse)	Beurre
quantité suffisante	Rillettes d'anguille fumée (recette suivante)

Préparation: 1 h   **Cuisson:** 1 h
Rendement: 10 portions   **Prix de revient:** $$$

- Retirer la croûte du pain et le mettre à tremper dans la crème pendant 5 min. Passer au mélangeur, de 2 à 3 min, le saumon coho, le pain imbibé de crème et les jaunes d'œufs.
- Ajouter la crème et les blancs d'œufs. Saler, poivrer et râper un peu de muscade; passer encore 1 min au mélangeur.
- Beurrer généreusement une terrine et la remplir à mi-hauteur. Faire un œil au milieu avec les rillettes d'anguille. Recouvrir avec le reste de l'appareil. Cuire au bain-marie à 180°C (350°F), à couvert, pendant 1 h. Laisser refroidir 12 h avant de servir.

Accompagnement: Sauce moscovite (voir recettes de base).

Rillettes d'anguille fumée

150 g (5 oz)	Chair d'anguille fumée
150 g (5 oz)	Chair de poisson blanc
1	Blanc d'œuf
quantité suffisante	Sel et poivre

- Au robot culinaire, passer «grossièrement» tous les éléments. Étaler une pellicule plastique et former avec la farce un petit rouleau de rillettes. Cuire à la vapeur quelques minutes et réfrigérer. Cette roulade servira pour la mousseline de saumon.

Préparation: 10 min **Cuisson:** 5 min
Rendement: 12 portions **Prix de revient:** $$$

Saumon coho en darioles, pleurotes sautés, beurre blanc

650 g (1 ½ lb)	Chair de saumon coho
1	Œuf
1	Blanc d'œuf
500 ml (2 tasses)	Crème à 35 %
quantité suffisante	Sel et poivre
½ botte	Cresson
500 g (env. 1 lb)	Gros pleurotes
quantité suffisante	Beurre
600 ml (2 ½ tasses)	Beurre blanc (voir recettes de base)
10 ml (2 c. à thé)	Ciboulette ciselée

- Passer la chair de saumon au mélangeur ou au robot de cuisine. Ajouter l'œuf et le blanc d'œuf et mélanger jusqu'à l'obtention d'un mélange homogène. Passer cet appareil au tamis fin et le réfrigérer. Remettre l'appareil au mélangeur et incorporer la crème bien froide. Assaisonner et ajouter les feuilles de cresson. Mélanger pendant quelques instants ou jusqu'à ce que les feuilles soient hachées grossièrement et bien incorporées au mélange. Réfrigérer de nouveau.

- Beurrer des petits moules à darioles. Dresser la mousseline de saumon dans ces moules, à l'aide d'une poche à pâtisserie. Recouvrir ces mousselines d'un papier d'aluminium beurré et les faire cuire au bain-marie à 180°C (350°F) pendant environ 10 min, jusqu'à ce qu'elles soient fermes.
- Enlever la tige non comestible des pleurotes et les faire sauter légèrement au beurre, c'est-à-dire les faire cuire à feu vif, en remuant la poêle, ou les faire cuire à la vapeur pendant quelques instants.

Service: Démouler les mousselines chaudes sur les assiettes de service et garnir avec les pleurotes. Napper l'assiette d'un peu de beurre blanc. Décorer de ciboulette et servir immédiatement.

NOTE: Les mousselines peuvent être cuites à l'avance, réservées, puis réchauffées au dernier moment.

Préparation: 30 min **Cuisson:** 20 min
Rendement: 12 portions **Prix de revient:** $$$

Photo page suivante →

SAUMON KÉTA

Oncorhynchus keta/Chum salmon, dog salmon et *silverbright salmon*

Appellations erronées: saumon chien, saumon chum et saumon Qualla

Caractéristiques: flancs de couleur argentée et dos de couleur bleu sombre métallique. Poids variant de 1,8 à 13,5 kg (4 à 30 lb) et longueur moyenne de 80 cm (31 1/2 po).

Type de chair: grasse.

Provenance: Pacifique.

Où et quand le trouver: toute l'année, s'il s'agit d'un poisson d'élevage.

Traitement et commercialisation: entier, en filets et en darnes.

Cuisson: poché, grillé, vapeur ou au four.

Appréciation: un peu ferme à la cuisson.

Remarques: la chair est blanche tirant sur le crème. De tous les saumons, c'est celui dont la chair a la plus faible teneur en matières grasses. Ce saumon est généralement réservé à la conserve.

$$$

Bavarois de poissons fumés

250 g (env. 1/2 lb)	Parures de poissons fumés (truite, saumon, esturgeon, morue, etc.)
500 ml (2 tasses)	Lait
6	Jaunes d'œufs
45 ml (3 c. à soupe)	Jus de citron
45 g (4 1/2 c. à soupe)	Gélatine neutre
250 ml (1 tasse)	Crème à 35 %
quantité suffisante	Poivre du moulin
quantité suffisante	Huile
100 g (env. 3 oz)	Saumon fumé, tranché
20 demi-tranches	Citron
8 branches	Aneth

- Faire infuser les parures de poissons fumés dans le lait pendant quelques minutes. Amener ensuite à ébullition et retirer immédiatement du feu.

- Battre les jaunes d'œufs et ajouter le liquide chaud, en continuant de fouetter. Remettre le tout sur le feu et faire chauffer à feu doux, en remuant, jusqu'à ce que cet appareil épaississe; ne pas le laisser bouillir. Passer le tout au mélangeur, puis au chinois étamine ou passoire à mailles fines. Ajouter le jus de citron.

- Faire gonfler la gélatine dans l'eau et l'incorporer à l'appareil aux poissons fumés encore chaud.

- Fouetter la crème jusqu'à l'obtention de pics fermes. Incorporer cette crème fouettée à l'appareil refroidi.

- Rectifier l'assaisonnement, s'il y a lieu. Verser ce mélange à bavarois dans un moule à terrine huilé. Laisser prendre au réfrigérateur pendant au moins 6 h avant de servir.
- Démouler la terrine et servir une tranche par portion, sur une assiette froide; garnir cette tranche d'une rosace de saumon fumé, de deux demi-tranches de citron et d'une branche d'aneth.

Accompagnement: Tranches de pain baguette grillées et beurre.

Préparation: 40 min	**Cuisson:** 5 min
Rendement: 10 portions	**Prix de revient:** $$$$

Feuillantine de tacons aux épinards

4	Saumoneaux (tacons)
quantité suffisante	Sel et poivre
2 kg (4 ¹/₂ lb)	Épinards en branches
125 g (³/₄ tasse)	Beurre
1 kg (2 ¹/₄ lb)	Champignons
2 kg (4 ¹/₂ lb)	Pâte feuilletée
60 g (¹/₂ tasse)	Échalotes hachées
400 ml (14 oz)	Crème à 35 %
400 ml (14 oz)	Bisque de homard

- Parer le saumoneau. Lever les filets et les assaisonner. Sauter les filets de saumoneau, juste pour les saisir.
- Faire suer la moitié des épinards dans la moitié du beurre; mettre l'autre moitié de côté.
- Peler les champignons et les hacher. Mélanger les épinards et les champignons; assaisonner.
- Étendre la pâte feuilletée et diviser en deux parties égales. Étendre les filets sur une des abaisses de pâte. Tartiner avec la farce (épinards et champignons). Couvrir avec l'autre abaisse. Découper en forme de poisson. Cuire au four à 180°C (350°F), jusqu'à ce que la pâte soit bien dorée.
- Faire suer avec le reste du beurre les épinards qui restent et les échalotes. Ajouter la crème et porter à ébullition. Laisser réduire et ajouter la bisque de homard. Passer au mélangeur. Rectifier l'assaisonnement. Servir la sauce à part.

NOTE: Il est très rare que l'on trouve des tacons sur le marché, car il est formellement interdit de les pêcher et de les vendre. Cependant, il fut un temps où il était possible de trouver des tacons qui provenaient des États-Unis. En revanche, cette recette peut très bien s'adapter à la truite arc-en-ciel ou à l'omble de fontaine (truite mouchetée).

Préparation: 30 min	**Cuisson:** 20 min
Rendement: 4 portions	**Prix de revient:** $$$

Photo page 109

SAUMON QUINNAT OU SAUMON CHINOOK

Oncorhynchus tshawytscha (Walbaum)/*Chinook salmon, king salmon* et *spring salmon*
Appellations erronées: saumon roi

CARACTÉRISTIQUES: flancs argentés et dos de couleur vert sombre avec des taches noires. Taille moyenne de 56 cm (22 po). Poids variant de 1,4 à 6,8 kg (3 à 15 lb).

TYPE DE CHAIR: grasse.

PROVENANCE: Pacifique.

OÙ ET QUAND LE TROUVER: toute l'année, s'il s'agit d'un poisson d'élevage.

TRAITEMENT ET COMMERCIALISATION: entier, en darnes et en filets.

CUISSON: meunière, grillé au four, poché, vapeur ou rôti.

$$

Ballottine de saumon quinnat et de crevettes, sauce maltaise

600 g (env. 1 ¼ lb)	Filets de saumon quinnat frais en tranches de 1 cm (½ po)
quantité suffisante	Sel et poivre
2	Algues nori en feuilles
200 g (7 oz)	Chair de crevette crue
1	Petit œuf entier
1 ml (¼ c. à thé)	Poivre de Cayenne
2 ml (½ c. à thé)	Paprika
100 ml (3 ½ oz)	Crème à 35 %
2 litres (8 tasses)	Fumet de poisson
2 feuilles	Gélatine
100 ml (3 ½ oz)	Eau tiède
2 feuilles	Poireau
quantité suffisante	Eau
50 ml (3 c. à soupe)	Gelée de poisson*

- Former un rectangle avec les filets de saumon en les disposant sur de la pellicule plastique. Saler et poivrer. Étendre les algues sur les filets; presser légèrement et réfrigérer pendant 1 h.
- Mélanger la chair de crevette et l'œuf au robot de cuisine. Saler, poivrer, ajouter le poivre de Cayenne et le paprika, puis mélanger jusqu'à l'obtention d'une purée fine. Ajouter lentement la crème, tout en mélangeant. Vérifier l'assaisonnement et réfrigérer cette mousse avant de l'utiliser. Étendre la mousse sur les filets et bien lisser la surface. Rouler les filets en les pressant légèrement. Enlever la pellicule plastique et rouler le filet dans une étamine (coton à fromage) pour former une ballottine (cylindre). Attacher avec de la ficelle sans trop presser. Déposer la ballottine dans le fumet de poisson froid, puis placer au four à 180°C (350°F) et laisser pocher pendant 30 min.

- Faire gonfler la gélatine dans l'eau tiède pendant 10 min. Égoutter la gélatine et l'ajouter au fumet de poisson contenant la ballottine. Laisser refroidir dans le fumet, au réfrigérateur, pendant 24 h. Retirer la ballottine du fumet. Enlever l'étamine (coton à fromage), puis envelopper la ballottine dans une pellicule plastique jusqu'au moment de l'utiliser.
- Faire blanchir les feuilles de poireau à l'eau bouillante salée; les rafraîchir à l'eau froide et bien les éponger. Découper les feuilles de poireau en forme d'algues fines et les dresser sur les assiettes pour leur donner la forme d'une algue en mouvement. Coller ce poireau sur l'assiette avec un peu de gelée de poisson, à l'aide d'un pinceau. Réfrigérer pendant 15 min. Napper le fond de l'assiette d'une mince couche de gelée de poisson. Trancher la ballottine en comptant 3 tranches par personne. Napper légèrement les tranches de gelée de poisson et les dresser dans les assiettes. Servir avec une sauce maltaise (voir recettes de base).

* La gelée de poisson est faite avec du fumet de poisson et de la gélatine.

| **Préparation:** 45 min | **Cuisson:** 40 min |
| **Rendement:** 15 portions | **Prix de revient:** $$$ |

Queues de saumon quinnat à la crème d'oursin

4 X 170 g (6 oz)	Queues de saumon quinnat
8	Oursins
120 ml (1/2 tasse)	Vin blanc sec
40 g (1/3 tasse)	Échalotes hachées
160 ml (env. 2/3 tasse)	Fond brun de volaille (voir recettes de base)
160 ml (env. 2/3 tasse)	Crème à 35 %
quantité suffisante	Sel et poivre

- À l'aide d'un cuit-vapeur ou d'une marguerite, cuire les queues de saumon quinnat simplement avec un peu d'eau salée pour produire la vapeur. À chaud, enlever la peau et les arêtes, puis réserver en couvrant d'un linge humide.
- Ouvrir les oursins à l'aide d'un ciseau et les vider complètement. Bien mélanger l'ensemble avec un fouet. Réserver.
- Faire réduire des 9/10 le vin blanc avec les échalotes hachées. Ajouter le fond brun de volaille et cuire 10 min. Incorporer la crème, puis le mélange d'oursins. Attention: ne pas laisser atteindre le point d'ébullition, car les composantes de l'oursin feraient «tourner» la sauce, rester à 75°C (170°F). Passer la sauce au chinois étamine ou passoire à mailles fines, saler, poivrer au goût et verser sur les queues de saumon quinnat.

Accompagnement: Riz sauvage.

NOTE: Pourquoi utiliser des queues? Les queues sont plus économiques, et c'est la partie du saumon qui «travaille» le plus, donc c'est la partie la moins grasse et souvent la plus savoureuse.

| **Préparation:** 15 min | **Cuisson:** 10 min |
| **Rendement:** 4 portions | **Prix de revient:** $$ |

Photo page suivante →

TOULADI

Salvelinus namaycush/Lake trout
Appellation erronée: truite grise

Caractéristiques: couleur variant du vert pâle ou du gris au vert foncé, au brun ou au presque noir, avec de nombreuses taches pâles. C'est l'un des plus gros poissons d'eau douce. Il peut atteindre 35 kg (77 lb), mais il pèse en moyenne 2 kg (4 ½ lb) dans les pêcheries commerciales.

Type de chair: grasse.

Provenance: poisson de lacs en eau profonde.

Où et quand le trouver: toute l'année, s'il s'agit d'un poisson d'élevage.

Traitement et commercialisation: entier, en darnes et en filets.

Cuisson: au four, meunière, grillé, vapeur ou poché.

Appréciation: excellent poisson au goût de fondant délicat.

Remarques: ce poisson, très prisé par les pêcheurs sportifs au Québec, est très apprécié.

$$$

Touladi du lac Denain aux herbes sauvages*

2,5 kg (5 ½ lb)	Touladi
quantité suffisante	Sel et poivre
160 g (env. 1 tasse)	Beurre
150 g (1 ½ tasse)	Échalotes hachées
400 g (2 bottes)	Cresson officinal
100 g (½ tasse)	Feuilles d'ail des bois
100 g (½ tasse)	Orpin pourpre (pourpier)
250 g (env. ½ lb)	Filet de corégone
2	Œufs
160 ml (env. ⅔ tasse)	Crème à 35 %
250 ml (1 tasse)	Vin blanc
160 ml (env. ⅔ tasse)	Fumet de poisson
20 g (2 c. à thé)	Cresson officinal cru, haché
20 g (2 c. à thé)	Orpin pourpre cru, haché
20 g (2 c. à thé)	Feuilles d'ail sauvage cru, hachées

- Enlever les arêtes du touladi par le ventre, saler, poivrer et réserver.
- Dans 60 g (⅓ tasse) de beurre, faire étuver les échalotes hachées, puis faire sauter le cresson officinal, les feuilles d'ail des bois et l'orpin pourpre avec les échalotes et bien laisser égoutter, pour enlever le maximum de liquide. Laisser refroidir et hacher au couteau, puis assaisonner.
- Au robot culinaire, hacher finement le filet de corégone, incorporer les deux œufs, puis la crème, et passer l'appareil au tamis. Incor-

porer le mélange précédent à l'appareil et farcir le touladi.

- Bien beurrer (60 g ou 1/3 tasse de beurre) un plat allant au four. Y déposer le touladi farci. Verser le vin et le fumet de poisson. Couvrir avec un papier d'aluminium et cuire à 180°C (350°F). Piquer avec la pointe d'un couteau pour connaître la cuisson. Lorsque la pointe dans la farce sera tiède, le touladi sera cuit. Enlever la peau à chaud.

- Verser le jus de cuisson dans une casserole. Lier avec le beurre qui reste, puis ajouter les herbes sauvages crues. Servir bien chaud.

Accompagnement: Cœurs de quenouille au beurre.

*Cette recette est dédiée à Mme Renée Godbout et à M. Gilbert Godbout, deux grands cuisiniers et gastronomes de Val-d'Or.

Préparation: 1 h	**Cuisson:** 40 min
Rendement: 6 portions	**Prix de revient:** $$$

Photo page 115

Touladi aux légumes en papillote, sauce au porto

1 kg (2 1/4 lb)	Touladi
70 g (6 c. à soupe)	Beurre
85 g (3/4 tasse)	Carotte émincée
60 g (2/3 tasse)	Blanc de poireau émincé
85 g (3/4 tasse)	Céleri émincé
20 g (4 c. à soupe)	Échalotes émincées
quantité suffisante	Sel et poivre
100 ml (3 1/2 oz)	Porto
100 ml (3 1/2 oz)	Vin blanc
50 g (4 1/2 c. à soupe)	Beurre
1/2	Citron (jus) (facultatif)

- Couper le touladi par le ventre et en retirer l'arête centrale. Faire suer au beurre les légumes émincés; les laisser cuire à moitié, puis les retirer du feu et les laisser refroidir. Saler et poivrer l'intérieur du poisson. Farcir le touladi avec les légumes émincés et bien le refermer. Saler et poivrer la surface du poisson.

- Déposer le touladi sur une feuille de papier d'aluminium préalablement beurrée. Refermer la papillote aux trois quarts et verser le porto et le vin à l'intérieur. Refermer complètement la papillote et la faire cuire sur une plaque, au four à 180°C (350°F) de 12 à 15 min, selon l'épaisseur du poisson.

- Ouvrir la papillote et enlever immédiatement la peau du touladi. Déposer le poisson sur une assiette de service et réserver au chaud.

- Récupérer le jus de cuisson et le monter au beurre. Si désiré, ajouter à la sauce le jus d'un demi-citron.

- Servir le poisson très chaud avec la sauce et des légumes au choix tels que des pommes de terre cuites vapeur et des crosses de fougère.

Préparation: 40 min	**Cuisson:** 12 à 15 min
Rendement: 3 portions	**Prix de revient:** $$$

OMBLE DE FONTAINE

Salvelinus fontinalis/Brook trout
Appellation erronée: truite mouchetée

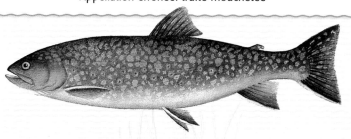

CARACTÉRISTIQUES: corps dans les tons de vert ou de bleu avec les joues et les flancs argentés, le ventre blanc et plusieurs taches orangées très pâles sur les côtés. Poisson pouvant atteindre un poids de 1,4 kg (env. 3 lb).

TYPE DE CHAIR: grasse.

PROVENANCE: lacs et rivières.

OÙ ET QUAND LA TROUVER: dans les poissonneries, on trouve maintenant de l'omble de fontaine de pisciculture.

TRAITEMENT ET COMMERCIALISATION: entière.

CUISSON: meunière.

APPRÉCIATION: grande finesse de chair.

REMARQUES: l'omble de fontaine est un poisson de sport hautement estimé et l'un des plus populaires de l'est du Canada.

$$

Papillote d'omble de fontaine aux petits légumes et aux graines d'anis

125 g (1 tasse)	Carotte en julienne
125 g (1 tasse)	Céleri en julienne
125 g (1 ¹/2 tasse)	Poireau en julienne
30 g (2 ¹/2 c. à soupe)	Beurre
6 X 250 g (env. ¹/2 lb)	Omble de fontaine
quantité suffisante	Sel et poivre
90 ml (3 oz)	Vin blanc
quantité suffisante	Graines d'anis

Préparation: 30 min   **Cuisson:** 20 min
Rendement: 6 portions   **Prix de revient:** $$

- Faire suer les juliennes de légumes au beurre; les garder croquantes. Réserver.
- Découper du papier d'aluminium en feuilles assez grandes pour envelopper les poissons. Badigeonner chaque feuille de beurre. Désosser les ombles de fontaine par le dos, saler, poivrer et farcir avec les légumes croquants.
- Arroser chaque portion de 15 ml (1 c. à soupe) de vin blanc. Parsemer de graines d'anis. Envelopper chaque truite en faisant une papillote avec le papier d'aluminium. Cuire au four à 180°C (350°F) pendant environ 20 min. Servir telles quelles.

Omble de fontaine au lait de noisette *

120 g (¾ tasse)	Beurre en pommade
quantité suffisante	Farine
8 petites	Ombles de fontaine
quantité suffisante	Sel et poivre
60 g (⅓ tasse)	Beurre
60 ml (¼ tasse)	Huile d'arachide
25 ml (1 ½ c. à soupe)	Lait de noisette
1	Citrons (jus)

- Le beurre en pommade doit être laissé à température de la pièce, c'est-à-dire sur le comptoir de la cuisine la veille de l'utilisation.
- Fariner les poissons. Saler et poivrer. Chauffer les 60 g (⅓ tasse) de beurre et l'huile. Saisir les ombles de fontaine, bien les dorer de chaque côté et ralentir la cuisson. Après la cuisson, laisser reposer les poissons.
- Chauffer le lait de noisette et le jus de citron. Émulsionner l'ensemble avec le beurre en pommade, puis déposer sur les ombles de fontaine.

Accompagnement: Panais fondus au beurre.

NOTE: L'omble de fontaine est un poisson d'une grande délicatesse et d'une finesse de goût exceptionnelle. Le lait de noisette et le goût du panais rehaussent encore la saveur de ce magnifique poisson.

* Je dédie cette recette à mon ami et chef Marcel Bouchard.

Préparation: 20 min	**Cuisson:** 7 à 8 min
Rendement: 4 portions	**Prix de revient:** $$$

TRUITE ARC-EN-CIEL

Salmo gairdneri (Richardson) 1836/*Rainbow trout*
Appellation erronée: *Steelhead* et *Kamloops trout*

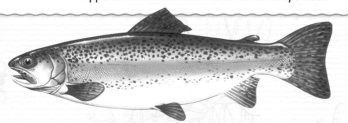

CARACTÉRISTIQUES: dos de couleur bleu métallique avec des taches noires et flancs argentés. Poisson pouvant atteindre un poids de 2,3 à 2,7 kg (5 à 6 lb).

TYPE DE CHAIR: grasse.

PROVENANCE: partout au Canada.

OÙ ET QUAND LA TROUVER: au Québec, poisson d'élevage et de pêche sportive.

TRAITEMENT ET COMMERCIALISATION: entière et en filets.

CUISSON: meunière ou au court-bouillon.

$$

Filets de truite arc-en-ciel fumée, beurre blanc parfumé à l'érable

4	Filets de truite arc-en-ciel fumée à froid
80 ml (env. 1/3 tasse)	Eau
80 ml (env. 1/3 tasse)	Vinaigre de vin
100 g (1 tasse)	Échalote hachée
100 ml (3 1/2 oz)	Crème à 35 %
250 g (1 1/2 tasse)	Beurre doux
quantité suffisante	Sel et poivre du moulin
60 ml (1/4 tasse)	Sirop d'érable
20 g (1 1/2 c. à soupe)	Dés de tomate émondée
quantité suffisante	Cerfeuil

- Couper les filets de truite fumée en quatre parties égales et les reconstituer sur une plaque légèrement huilée; les réserver.
- Verser l'eau et le vinaigre dans une casserole. Ajouter l'échalote et faire réduire à feu doux. Laisser mijoter lentement jusqu'à l'obtention d'un mélange ayant la consistance d'une marmelade.
- Ajouter la crème à la réduction et laisser mijoter pendant quelques instants. Monter cette sauce au beurre, c'est-à-dire lui ajouter des noisettes de beurre froid en la fouettant jusqu'à ce qu'elle soit homogène.
- Saler et poivrer la sauce, puis ajouter le sirop d'érable et la réchauffer à feu doux. Faire chauffer la truite au four à 230°C (450°F) pendant 1 min. Verser la sauce au centre de l'assiette et dresser les morceaux de truite sur la sauce en gardant la forme de la truite entière.
- Déposer tout autour les dés de tomate chauds. Décorer d'une branche de cerfeuil et servir.

Préparation: 10 min	**Cuisson:** 10 min
Rendement: 4 portions	**Prix de revient:** $$

Filets de truite arc-en-ciel, sauce au cresson

6 X 220 g (1/2 lb)	Truites arc-en-ciel
quantité suffisante	Sel et poivre
quantité suffisante	Farine tout usage
100 g (2/3 tasse)	Beurre doux
2 bottes	Cresson
quantité suffisante	Eau
quantité suffisante	Vinaigre
60 ml (1/4 tasse)	Crème à 35 %
30 g (4 c. à soupe)	Échalote hachée
30 g (2 1/2 c. à soupe)	Beurre
250 ml (1 tasse)	Fumet de poisson
45 g (1/4 tasse)	Beurre

- Écailler, lever les filets de truite et les parer en enlevant les arêtes. Saler et poivrer les filets, puis les fariner légèrement.
- Faire cuire ces filets au beurre. Retirer les filets de la casserole, les dresser dans une assiette de service et les réserver au chaud.
- Équeuter le cresson et bien le laver à l'eau vinaigrée. Faire cuire le cresson avec la crème.
- Faire revenir l'échalote au beurre, à feu doux, pendant 2 à 3 min.
- Ajouter le fumet de poisson et faire réduire de moitié. Ajouter le cresson; passer le tout au mélangeur, puis au chinois étamine ou passoire à mailles fines.
- Faire réduire la sauce et la monter au beurre, c'est-à-dire lui ajouter des noisettes de beurre froid en la fouettant jusqu'à ce qu'elle soit homogène. Napper les filets de truite de la sauce au cresson et servir sans tarder.

Accompagnement: Feuilles de cresson et céleri.

Préparation: 30 min	**Cuisson:** 5 à 7 min
Rendement: 6 portions	**Prix de revient:** $$

CORÉGONE

Coregonus clupeaformis (Mitchill) 1818/*Lake whitefish* et *common whitefish*
Appellations erronées: corégone de lac et poisson blanc

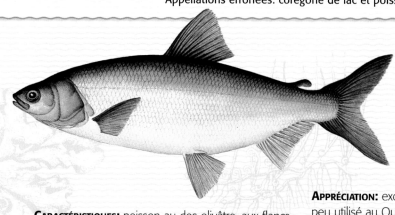

PROVENANCE: lacs du Québec.

OÙ ET QUAND LE TROUVER: dans les poissonneries, on peut le trouver toute l'année.

TRAITEMENT ET COMMERCIALISATION: entier et en filets.

CUISSON: entier au four ou meunière.

CARACTÉRISTIQUES: poisson au dos olivâtre, aux flancs argentés et au ventre blanc. Longueur moyenne d'environ 70 cm (27 po).

TYPE DE CHAIR: blanche et molle.

APPRÉCIATION: excellent poisson, malheureusement peu utilisé au Québec.

REMARQUES: en Europe, ce poisson appelé féra et lavaret possède de grandes qualités culinaires.

$

Corégone braisé à la moutarde des champs

2 X 1,2 à 1,5 kg (2 ¾ à 3 ¼ lb)	Corégones
quantité suffisante	Sel et poivre
40 g (3 ½ c. à soupe)	Graines de moutarde des champs
45 g (½ tasse)	Amandes effilées, grillées
50 g (½ tasse)	Échalotes hachées
120 ml (½ tasse)	Fond blanc de volaille (voir recettes de base)
2	Citrons (jus)
10 ml (2 c. à thé)	Glace de poisson (voir Les glaces dans les recettes de base)
100 g (⅔ tasse)	Beurre

• Enlever les arêtes des corégones par le ventre, saler et poivrer. Parsemer les poissons des graines de moutarde égouttées et des amandes colorées. Déposer les corégones dans un plat allant au four. Parsemer des échalotes hachées, verser le fond blanc de volaille, le jus de citron et couvrir avec un papier d'aluminium.

• Cuire 30 min à 180°C (350°F). Verser le jus de cuisson dans une casserole, ajouter la glace de poisson, réduire et monter au beurre. Rectifier l'assaisonnement et servir très chaud.

Accompagnement: Pommes de terre en rondelles cuites au fumet de poisson.

Préparation: 20 min	**Cuisson:** 30 à 40 min
Rendement: 4 portions	**Prix de revient:** $$

Corégone à la meunière au beurre d'agrumes

6 X 250 à 300 g (9 à 11 oz)	Corégones
quantité suffisante	Sel et poivre
quantité suffisante	Farine
85 g (¹/₂ tasse)	Beurre
6	Quartiers de citron
30 g (¹/₂ tasse)	Persil frais, haché

BEURRE AUX AGRUMES:

1	Citron (jus)
1	Orange (jus)
1	Pamplemousse (jus)
120 g (³/₄ tasse)	Beurre en pommade

- Bien nettoyer les poissons, les assaisonner, les fariner, puis les retourner dans les mains pour enlever le surplus de farine.
- Faire cuire les poissons dans du beurre, de 5 à 7 min de chaque côté.
- Servir ces poissons avec des quartiers de citron et du beurre aux agrumes. Parsemer le tout de persil haché et servir immédiatement.
- **Beurre aux agrumes**: Bien mélanger les jus avec le beurre, saler et poivrer. Conserver à température de la pièce.

Préparation: 15 min	**Cuisson:** 10 à 15 min
Rendement: 6 portions	**Prix de revient:** $$

Les bars et autres familles

Ce groupe comprend plusieurs familles, mais toutes font partie des poissons perciformes, c'est-à-dire des poissons à rayons épineux. Il y a d'abord la famille des *Serranidés*, c'est-à-dire les poissons qui ressemblent à la perche (bar d'Amérique, mérou et perche blanche). Il y a la famille des *Branchiostégidés*, qui se rencontrent surtout dans les mers chaudes, quelques-uns d'entre eux en eau profonde (tile). Il y a enfin la famille des *Carangidés*, famille très répandue de poissons océaniques (carangue jaune, faux-maquereau et sériole). Dans la famille des *Spares*, citons le spare tête-de-mouton.

Presque tous ces poissons nous viennent de l'Atlantique Sud. Ils sont peu connus des Québécois et demandent qu'on en développe la consommation chez nous. Certains possèdent un grand intérêt culinaire.

Famille des bars

Mérou rouge

Perche blanche ou bar blanc

Bar d'Amérique

Bar commun

Diverses familles

Tile

Tassergal

Carangue jaune

Acoupa royal

Spare tête-de-mouton

MÉROU ROUGE

Epinephelus morio (Valenciennes) 1828/*Red grouper*

PROVENANCE: centre-ouest de l'Atlantique (États-Unis et Caraïbes).

OÙ ET QUAND LE TROUVER: dans les poissonneries, généralement toute l'année.

TRAITEMENT ET COMMERCIALISATION: entier et en filets.

CARACTÉRISTIQUES: généralement gris olive ou brun olive avec des tons de rouge ou de saumon sur les parties inférieures de la tête, flancs avec quelques taches olive plus pâle et taches orangées sur la tête. Poisson pouvant atteindre une longueur de 110 cm (43 po).

TYPE DE CHAIR: maigre.

CUISSON: grillé, vapeur, poché, braisé ou meunière.

APPRÉCIATION: poisson qui possède de grandes qualités culinaires.

REMARQUES: si on l'achète entier, ce poisson a beaucoup de perte à cause de sa grosse tête.

$$$$

Mérou aux échalotes vertes

500 g (4 ²/₃ tasses)	Échalotes vertes
100 g (²/₃ tasse)	Beurre
200 ml (7 oz)	Vin blanc
1	Branche de thym
10 g (2 c. à soupe)	Coriandre fraîche
quantité suffisante	Sel et poivre
1 kg (2 ¹/₄ lb)	Mérou
250 ml (1 tasse)	Court-bouillon
250 ml (1 tasse)	Fumet de poisson

- Éplucher, laver et ciseler les échalotes vertes. Mettre dans une sauteuse, à feu doux, avec le beurre, puis couvrir. Laisser étuver 10 min en remuant de temps à autre; mouiller avec le vin, ajouter le thym et les graines de coriandre. Saler, poivrer et laisser cuire 20 min en découvrant vers la fin de la cuisson, pour faciliter l'évaporation de liquide.
- Pendant la cuisson, retirer la peau du mérou. Prélever la chair en la coupant en escalopes.
- Porter à ébullition le court-bouillon et le fumet de poisson à frémissement. Pocher les escalopes de mérou pendant 2 min.
- Pour servir, répartir les échalotes sur des assiettes et couvrir avec les escalopes de mérou.

Accompagnement: Riz pilaf ou créole.

Préparation: 30 min	**Cuisson:** 15 min
Rendement: 4 portions	**Prix de revient:** $$$$

Mérou rouge aux champignons et à la menthe

300 g (4 tasses)	Champignons blancs, émincés
500 ml (2 tasses)	Fumet de poisson
160 g (env. 1 tasse)	Beurre doux
800 g (1 3/4 lb)	Filets de mérou (mérou rouge)
150 ml (env. 2/3 tasse)	Vin blanc
2	Échalotes sèches, hachées finement
quantité suffisante	Feuilles de menthe

- Faire cuire les champignons à l'étuvée et garder le jus. Ajouter le fumet de poisson.
- Avec 50 g (4 1/2 c. à soupe) de beurre, badigeonner généreusement le fond d'un plat allant au four, puis y déposer les filets de mérou.
- Recouvrir avec les champignons, le fumet de poisson, le vin blanc, les échalotes et une dizaine de feuilles de menthe. Couvrir et faire cuire au four à 200°C (400°F) pendant 6 à 8 min, selon l'épaisseur des filets de poisson. Bien égoutter les filets de poisson cuits. Réserver. Égoutter les champignons et les feuilles de menthe à l'aide d'un chinois étamine ou passoire à mailles fines; les réserver.
- Faire réduire le fond de cuisson des deux tiers et le monter avec 60 g (1/3 tasse) de beurre.
- Faire sauter les champignons dans du beurre (50 g ou 4 1/2 c. à soupe) pour enlever toute l'humidité. Ajouter les champignons et les feuilles de menthe cuites au fond de cuisson et verser la sauce ainsi obtenue sur les filets de mérou.
- Décorer avec des feuilles de menthe fraîches. Servir ce poisson très chaud.

Accompagnement: Haricots blancs.

Préparation: 35 min	**Cuisson:** 6 à 8 min
Rendement: 4 portions	**Prix de revient:** $$$$

PERCHE BLANCHE OU BAR BLANC

Roccus americanus (Gmelin) 1789/*White perch*
Appellations erronées: bar et perche

OÙ ET QUAND LA TROUVER: arrivage irrégulier dans les comptoirs des poissonneries.

TRAITEMENT ET COMMERCIALISATION: entière et en filets.

CUISSON: meunière, au four, braisée ou pochée.

APPRÉCIATION: malgré sa chair molle, c'est un poisson au goût délicat.

CARACTÉRISTIQUES: poisson dans les tons d'olive et de gris sur le dos et blanc argenté sur le ventre. Longueur pouvant atteindre 56 cm (22 po) et poids allant jusqu'à 2,3 kg (5 lb), mais longueur moyenne de 24 cm (9 po) et poids moyen de 450 g (1 lb).

TYPE DE CHAIR: maigre.

PROVENANCE: Atlantique Nord (golfe du Saint-Laurent et Caroline du Sud).

REMARQUES: la perche blanche est anadrome, c'est-à-dire qu'elle vit en eau salée et se reproduit en eau douce, mais dans plusieurs eaux du Canada, elle se comporte comme une espèce landlockée, en d'autres mots comme une espèce qui vit en eau douce. La perche blanche est un poisson de mer, ne pas confondre avec la perchaude.

$$

Perche blanche ou bar blanc au basilic

SAUCE AU BASILIC:

6	Branches de basilic
80 ml (¹/₃ tasse)	Huile d'olive
500 g (2 ³/₄ tasses)	Tomates bien mûres
¹/₂	Gousse d'ail, hachée
quantité suffisante	Sel et poivre
300 ml (1 ¹/₄ tasse)	Fumet de poisson
200 ml (7 oz)	Lait
600 g (env. 1 ¹/₄ lb)	Perche blanche ou bar blanc
4	Feuilles de basilic frais, ciselées

Préparation: 30 min **Cuisson:** 8 à 12 min
Rendement: 4 portions **Prix de revient:** $$$

- **Sauce au basilic:** Effeuiller le basilic et réserver les plus belles feuilles. Laver, égoutter et écraser les feuilles dans un récipient, jusqu'à l'obtention d'une pâte. Verser lentement 40 ml (3 c. à soupe) d'huile d'olive en travaillant toujours avec le pilon pour obtenir un mélange homogène. Émonder, épépiner et couper finement les tomates. Dans une casserole, à feu doux, faire revenir l'ail dans 40 ml (3 c. à soupe) d'huile d'olive, puis cuire doucement de 7 à 8 min. Saler et poivrer. Lorsque la tomate est froide, l'incorporer au mélange de basilic et d'huile. Réserver.
- Verser dans une casserole le fumet de poisson et le lait. Déposer le morceau de filet de perche. Commencer la cuisson à feu doux et

compter 8 min de frémissement sans jamais faire bouillir.
- Éteindre, couvrir et laisser tiédir dans le liquide.
- Égoutter soigneusement le poisson, puis retirer la peau et l'arête.
- Réchauffer la sauce au basilic et déposer une partie de la sauce dans l'assiette.

- Mettre la perche blanche dans l'assiette. Recouvrir du reste de sauce et parsemer de basilic ciselé.

NOTE: Ce poisson est un poisson de mer, de la même famille que le bar d'Amérique. Il possède une chair d'une grande fragilité, mais neutre; d'où l'apport de la tomate et du basilic.

Bar blanc aux poivrons rouges et aux tomates

350 g (2 ½ tasses)	**Poivrons rouges émondés et épépinés**
700 g (3 ¾ tasses)	**Tomates émondées et épépinées**
35 g (3 c. à soupe)	**Beurre**
100 g (¾ tasse)	**Oignon en brunoise**
1	**Gousse d'ail hachée**
200 ml (7 oz)	**Vin blanc**
200 ml (7 oz)	**Fumet de poisson**
1	**Citron (jus)**
650 g (1 ½ lb)	**Filets de bar blanc**
quantité suffisante	**Sel et poivre**
4	**Feuilles de trévise**

- Couper en petits dés les poivrons et les tomates. Faire suer au beurre l'oignon, les poivrons et l'ail.

- Ajouter le vin blanc, le fumet de poisson et le jus de citron, puis laisser cuire pendant environ 10 à 15 min.
- Ajouter les tomates et monter cet appareil au beurre; réserver au chaud.
- Déposer les filets de bar sur une plaque; les assaisonner et déposer des noisettes de beurre à la surface. Faire cuire ces filets de poisson à la salamandre pendant 3 à 4 min. Verser l'appareil aux poivrons et aux tomates dans le fond des assiettes chaudes.

Service: Dresser les filets de poisson sur cet appareil et décorer les assiettes avec des feuilles de trévise blanchies.

Préparation: 20 min	**Cuisson:** 10 à 15 min
Rendement: 4 portions	**Prix de revient:** $$

Photo page suivante →

BAR D'AMÉRIQUE

Roccus saxatilis (Walbaum) 1792/*Striped bass*
Appellations erronées: bar de mer, bar rayé et loup de mer

PROVENANCE: golfe du Saint-Laurent.

OÙ ET QUAND LE TROUVER: arrivage régulier dans les poissonneries s'il s'agit de poisson d'élevage, mais le bar est meilleur s'il est pêché à la ligne.

TRAITEMENT ET COMMERCIALISATION: entier et en filets.

CUISSON: grillé entier ou braisé au four.

APPRÉCIATION: poisson de haute qualité culinaire, selon sa provenance.

CARACTÉRISTIQUES: poisson généralement olive variant du bleuâtre au noir sur le dos, plus pâle sur les flancs et dans les tons d'argent et de blanc sur le ventre; sept ou huit bandes horizontales foncées sur les flancs. Poids variant beaucoup en fonction de l'âge et pouvant atteindre jusqu'à 18,4 kg (40 lb).

TYPE DE CHAIR: maigre.

REMARQUES: ce poisson est un cousin germain du bar européen, mais ses qualités culinaires sont légèrement inférieures, car il vit sur des fonds marins différents. C'est cependant un poisson qui demande à être plus connu.

$$$$

Blancs de bar d'Amérique à l'ail des bois et aux échalotes

6 X 150 g (5 oz)	Darnes de bar d'Amérique
quantité suffisante	Sel et poivre
quantité suffisante	Farine tout usage
45 g (¹/4 tasse)	Beurre
45 ml (3 c. à soupe)	Huile d'arachide
5 g (1 c. à thé)	Ail des bois émincé
15 g (2 c. à soupe)	Échalote hachée
75 ml (env. ¹/3 tasse)	Crème à 35 %
125 g (³/4 tasse)	Beurre en petits morceaux
20 ml (4 c. à thé)	Jus de citron

- Faire détailler chez le poissonnier six darnes de bar d'Amérique. Saler et poivrer le poisson, puis le fariner légèrement des deux côtés.
- Faire chauffer beurre et huile jusqu'à ce que le mélange mousse. Ajouter les darnes et cuire 6 min de chaque côté.
- Cuire doucement l'ail et les échalotes dans la crème pendant 2 min. Monter la sauce au beurre. Saler, poivrer et ajouter le jus de citron. Enlever l'arête centrale et la peau autour des darnes. Déposer les darnes au fond de l'assiette et napper de sauce.

Accompagnement: Pommes noisettes cuites à l'eau.

Préparation: 15 min	**Cuisson:** 12 à 15 min
Rendement: 6 portions	**Prix de revient:** $$$$

Bar d'Amérique au parfum d'anis

15 ml (1 c. à soupe)	Huile d'olive
100 g (³/4 tasse)	Oignon haché
quantité suffisante	Graines d'anis et graines de fenouil concassées
150 g (1 ³/4 tasse)	Blanc de poireau en julienne
20 ml (4 c. à thé)	Ricard
500 ml (2 tasses)	Lait
¹/2	Gousse d'ail, hachée très finement
quantité suffisante	Sel et poivre
quantité suffisante	Beurre
600 g (env. 1 ¹/4 tasse)	Filets de bar d'Amérique
250 g (1 ¹/4 tasse)	Riz

- Faire revenir à l'huile d'olive l'oignon, les graines d'anis et de fenouil ainsi que le poireau. Ajouter le Ricard et le faire flamber. Ajouter ensuite le lait et l'ail. Saler et poivrer.
- Faire revenir au beurre les filets de bar.
- Faire suer le riz au beurre. Ajouter 350 ml (1 ¹/2 tasse) de l'appareil au lait et faire cuire au four à 180°C (350°F), à couvert de 18 à 20 min. Recouvrir le poisson avec le riz et faire cuire au four à 180°C (350°F) pendant 5 min. Sortir du four et servir immédiatement.

Préparation: 30 min	**Cuisson:** 20 min
Rendement: 4 portions	**Prix de revient:** $$$$

BAR COMMUN

Dicentrarchus labrax/Sea bass
Appellation erronée: loup

CARACTÉRISTIQUES: coloration argentée avec des taches et une rayure bleu pâle; tête argentée et ventre blanc. Poisson pouvant atteindre une longueur de 45 cm (18 po) et un poids de 1,4 à 1,8 kg (3 à 4 lb). Mêmes caractéristiques que le bar d'Amérique, sauf qu'il n'a pas de rayures.

TYPE DE CHAIR: maigre.

PROVENANCE: côte atlantique d'Europe et Méditerranée.

OÙ ET QUAND LE TROUVER: arrivage irrégulier dans les poissonneries où l'on vend des produits importés.

TRAITEMENT ET COMMERCIALISATION: généralement entier.

CUISSON: grillé entier ou braisé au four.

APPRÉCIATION: c'est un poisson de «fête».

$$$$$

Bar commun au gros sel

3	Branches de persil
1	Branche d'aneth ou de fenouil
2	Branches de cerfeuil
120 g (³/4 tasse)	Beurre
60 g (¹/3 tasse)	Herbes salées
quantité suffisante	Poivre
1 kg (2 ¹/4 lb)	Bar commun
3 à 4 kg (11 à 15 tasses)	Gros sel

Préparation: 25 min **Cuisson:** 40 à 60 min
Rendement: 2 portions **Prix de revient:** $$$$

- Laver et hacher les herbes fraîches, les malaxer avec le beurre et les herbes salées, poivrer. Introduire ce mélange à l'intérieur du poisson nettoyé.
- Au fond d'un plat contenant largement le bar, étaler 1 kg (env. 4 tasses) de gros sel. Déposer le bar et recouvrir totalement de gros sel. Mettre au four pendant 40 min à 200°C (400°F).
- Pour servir, casser le bloc.
- Vous pouvez l'accompagner d'un beurre au citron.

Photo page 131

Bar grillé au fenouil

1,2 kg (2 ¾ lb)	**Bar**
quantité suffisante	**Sel et poivre**
50 ml (3 c. à soupe)	**Huile d'olive**
15	**Branches de fenouil, séchées**

- Cette recette a une particularité, il faut posséder une grille spéciale pour la cuisson du poisson.
- Bien assaisonner le bar (sel et poivre), puis le badigeonner d'huile d'olive.
- Au fond de la grille, déposer la moitié des branches de fenouil, y déposer le bar, puis le reste des branches de fenouil.
- Cuire sur un feu de braise en le retournant fréquemment.
- Servir avec un beurre non salé à température de la pièce et avec des pommes de terre vapeur.

Préparation: 10 min	**Cuisson:** 40 min
Rendement: 2 portions	**Prix de revient:** $$$$

TILE

Lopholatilus chamaeleonticeps (Goode et Bean) 1879/*Tilefish*
Appellation erronée: doré de mer

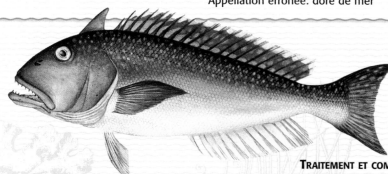

PROVENANCE: sud de la Floride et golfe du Mexique.

OÙ ET QUAND LE TROUVER: arrivage irrégulier dans les comptoirs des poissonneries où l'on vend des produits d'importation.

TRAITEMENT ET COMMERCIALISATION: entier et en filets.

CUISSON: au four, vapeur, meunière ou poché.

CARACTÉRISTIQUES: le tile peut atteindre 1,2 m (4 pi) et peser 16 kg (35 lb). Il possède une grosse tête. Partie supérieure des flancs et dos dans les tons de bleu et de vert. Partie inférieure des flancs et ventre roses. Taches jaunes sur les flancs et tête rougeâtre sur les côtés.

APPRÉCIATION: à cause de sa chair molle et sans goût prononcé, il s'apprête avec beaucoup d'éléments secondaires.

REMARQUES: beaucoup de perte si on l'achète entier, à cause de sa grosse tête.

TYPE DE CHAIR: maigre et molle.

$$$

Tile à l'étuvée avec petits légumes de printemps, sauce au yogourt et au raifort

8	Pommes de terre bleues (petites)
4	Oignons (petits)
8	Carottes nouvelles
4	Petites ravioles
4	Petits pâtissons jaunes
quantité suffisante	Sel et poivre
4 X 180 à 200 g (6 à 7 oz)	Filets de tile
5 g (2 1/2 c. à thé)	Zeste de citron râpé

SAUCE AU YOGOURT ET AU RAIFORT:

240 ml (1 tasse)	Yogourt nature
10 g (3 c. à soupe)	Aneth frais, haché
10 g (1 c. à soupe)	Raifort haché

- À l'aide d'une marguerite, cuire les légumes l'un après l'autre, puis réserver ceux-ci au fond d'un plat allant au four.
- Saler et poivrer les filets de tile, puis les déposer sur les légumes. Verser l'eau de cuisson sur les poissons à 2 cm (3/4 po) du fond et parsemer des zestes de citron. Couvrir hermétiquement et cuire au four à 150°C (300°F) de 8 à 10 min. Les poissons doivent s'effeuiller.
- **Sauce au yogourt et au raifort:** Mélanger le yogourt, l'aneth haché et le raifort haché. Saler et poivrer.

Service: Dresser les légumes au fond de l'assiette, puis disposer les filets de tile. Servir la sauce à part.

Préparation: 30 min	**Cuisson:** 40 min
Rendement: 4 portions	**Prix de revient:** $$$

Tile rôti au croustillant de feuilles de riz

40 g (1/3 tasse)	**Échalotes hachées**
quantité suffisante	**Huile d'olive**
quantité suffisante	**Sel et poivre**
4 X 180 g (6 oz)	**Darnes de tile**
160 ml (env. 2/3 tasse)	**Jus de palourde**
160 ml (env. 2/3 tasse)	**Lait de soya**
quantité suffisante	**Roux blanc**
1/2	**Citron (jus)**
4	**Feuilles de riz**

- Faire revenir les échalotes hachées dans l'huile d'olive.
- Saler et poivrer les darnes de tile. Faire sauter les darnes avec les échalotes. Une fois cuites, les enlever et les garder au chaud.
- Dans la casserole, verser le jus de palourde et le lait de soya. Lier légèrement avec un peu de roux blanc. Passer au chinois étamine ou passoire à mailles fines et finir par le jus de citron. Réserver.
- Plonger les feuilles de riz dans l'huile bouillante pour les frire. Elles deviendront très croustillantes.
- Sur chaque assiette, déposer la darne de tile, verser la sauce et déposer la feuille de riz sur le dessus.

Préparation: 20 min **Cuisson:** 7 à 12 min
Rendement: 4 portions **Prix de revient:** $$$

137

TASSERGAL

Pomatomus saltatrix (Linné) 1758/*Bluefish*

PROVENANCE: mers chaudes, au large de la côte est des Amériques, du Cap Cod au Brésil.

OÙ ET QUAND LE TROUVER: arrivage irrégulier dans les comptoirs des poissonneries.

TRAITEMENT ET COMMERCIALISATION: entier et en filets.

CUISSON: grillé, meunière ou braisé.

CARACTÉRISTIQUES: dos verdâtre et ventre argenté avec des taches noires à la base des nageoires pectorales. Poids atteignant jusqu'à 22,7 kg (50 lb), mais poids moyen variant de 4,5 à 6,8 kg (10 à 15 lb).

APPRÉCIATION: ce poisson possède une chair particulière, il peut donc avoir un grand succès auprès de vos invités ou être une déception.

TYPE DE CHAIR: molle et mi-grasse.

$$

Tassergal mariné et grillé, sauce aux agrumes

90 ml (3 oz)	Jus de mandarine
90 ml (3 oz)	Jus d'orange
120 ml (1/2 tasse)	Vinaigre blanc
120 ml (1/2 tasse)	Eau froide
70 ml (env. 1/3 tasse)	Miel
1	Pincée de thym en brindilles
1/2	Feuille de laurier
10	Grains de poivre noir
quantité suffisante	Sel et poivre
2 X 400 g (14 oz)	Filets de tassergal
200 ml (7 oz)	Huile d'arachide
40 g (2 c. à soupe)	Zestes de citron
10 g (1 c. à thé)	Gingembre frais, haché
2	Feuilles de menthe

- Porter à ébullition les jus de mandarine et d'orange, le vinaigre, l'eau, le miel, le thym, le laurier et le poivre. Saler au goût et laisser refroidir. Tremper les filets de tassergal dans ce mélange pendant 1 h.
- Bien égoutter les filets et éponger pendant une bonne demi-heure.
- Faire réduire la marinade des $9/10$, passer au chinois étamine ou passoire à mailles fines et laisser refroidir. Émulsionner cette réduction avec 150 ml (env. $2/3$ tasse) d'huile d'arachide et réserver.
- Saler et poivrer les filets de tassergal. Badigeonner de 50 ml (3 c. à soupe) d'huile et griller en commençant du côté peau, jusqu'à ce qu'elle soit légèrement croustillante, puis tourner les filets et finir la cuisson sur le gril.
- Servir les filets sur des assiettes chaudes et déposer l'émulsion autour. Parsemer de zestes de citron, de gingembre et des feuilles de menthe hachées.

NOTE: Cette recette peut se faire avec des tassergals entiers.

Préparation: 1 h	**Cuisson:** 6 à 8 min
Rendement: 4 portions	**Prix de revient:** $$

Ceviche de tassergal avec oignon rouge et petit piment vert fort

800 g (1 ³/₄ lb)	**Filets de tassergal sans peau**
1	**Piment vert fort, haché très finement**
1	**Oignon rouge, haché très finement**
quantité suffisante	**Sel et poivre**
30 ml (2 c. à soupe)	**Sauce tamari**
6 à 8	**Limes (jus)**
10	**Feuilles de menthe fraîche, émincées**

- Couper les filets de tassergal en lanières de 2 cm (³/₄ po).

- Au fond d'un plat, déposer les lanières de tassergal sur une seule rangée, parsemer du piment vert ainsi que de l'oignon rouge. Saler, poivrer et verser la sauce tamari et le jus de lime autour des lanières afin qu'ils se répandent bien partout. Couvrir d'une pellicule plastique et laisser au réfrigérateur au moins 12 h.

Service: Déposer harmonieusement dans l'assiette les lanières de tassergal. Verser un peu de marinade et parsemer de feuilles de menthe fraîche émincées.

Accompagnement: Salade de pommes de terre coupées en tout petits dés.

Préparation: 30 min
Rendement: 4 portions   **Prix de revient:** $$

CARANGUE JAUNE

Caranx crysos (Mitchill) 1815/*Blue runner*
Appellations erronées: *hard tail* et *yellow jack*

Caractéristiques: dos dans les tons de vert, parties inférieures des flancs et ventre de couleur dorée ou argentée. Poisson pouvant atteindre une longueur de 60 cm (24 po) et un poids de 1,8 kg (4 lb).

Type de chair: ferme et maigre.

Provenance: centre-ouest de l'Atlantique (États-Unis).

Où et quand la trouver: arrivage irrégulier dans les poissonneries où l'on vend des produits importés.

Traitement et commercialisation: entière.

Cuisson: grillée ou pochée.

Appréciation: poisson excellent grillé.

Remarques: le pompano, qui fait partie de la famille des carangues, est aussi un excellent poisson.

$$

Filets de carangue grillés, jus de fruit de la Passion et goyave

8 X 80 g (2 ¾ oz)	Filets de carangue
quantité suffisante	Sel et poivre
100 ml (3 ½ oz)	Jus de fruit de la Passion
100 ml (3 ½ oz)	Jus de goyave
100 ml (3 ½ oz)	Jus de noix de coco
120 g (4 oz)	Chayote en dés
80 g (⅔ tasse)	Noix de pacane hachées
100 g (⅔ tasse)	Beurre doux
quantité suffisante	Huile d'olive vierge
8	Petits plantains
5 g (2 ½ c. à soupe)	Origan haché

- Dans un plat suffisamment grand, déposer les filets de carangue sur une seule rangée. Saler et poivrer, puis verser le jus de fruit de la Passion, de goyave et de noix de coco. Laisser macérer au moins 1 à 2 h.
- Bien égoutter les filets de carangue et les envelopper de papier essuie-tout pour enlever le plus de jus possible. Faire chauffer doucement le jus de macération et cuire les dés de chayote. Lorsque ceux-ci sont cuits, ajouter les noix de pacane hachées, rectifier l'assaisonnement et réserver au chaud.
- Avec le beurre et l'huile d'olive, cuire doucement les petits plantains assaisonnés.
- Parsemer les filets de carangue d'origan et les faire griller afin qu'ils soient croustillants à l'extérieur et moelleux à l'intérieur.

Service: Déposer en haut de l'assiette les plantains, puis le jus des fruits avec chayote et pacane. Déposer les filets de carangue dessus.

Préparation: 30 min **Cuisson:** 10 à 15 min
Rendement: 4 portions **Prix de revient:** $$$

Carangues farcies aux noix et aux raisins, cuites en feuilles de banane

2 X 700 à 800 g (1 ¹/₂ à 1 ³/₄ lb)	Carangues
quantité suffisante	Sel et poivre
120 g (4 oz)	Filets de plie
2	Blancs d'œufs
120 ml (¹/₂ tasse)	Crème à 35 %
40 g (4 ¹/₂ c. à soupe)	Noisettes hachées
40 g (5 c. à soupe)	Noix de Grenoble hachées
40 g (4 c. à soupe)	Raisins secs, hachés
1	Pincée de quatre-épices
120 ml (¹/₂ tasse)	Huile d'olive
4	Feuilles de banane
2	Citrons (jus)

- Bien nettoyer les poissons et enlever les arêtes par le ventre. Saler, poivrer et réserver.

- Mettre les filets de plie au robot culinaire, saler et poivrer, incorporer les blancs d'œufs, puis la crème. Enlever du robot culinaire et mettre dans un cul-de-poule, puis incorporer les noisettes, les noix de Grenoble, les raisins secs et le quatre-épices. Rectifier l'assaisonnement.
- Farcir les 2 carangues avec cette farce.
- Bien faire revenir les carangues à l'huile d'olive très chaude, pendant quelques minutes, puis les envelopper dans les feuilles de banane et les cuire sur une plaque au four à 200°C (400°F). À la sortie du four, développer les poissons et les servir tel quel sur les feuilles de banane avec le jus de citron.

Préparation: 40 min	**Cuisson:** 35 min
Rendement: 4 portions	**Prix de revient:** $$$

ACOUPA ROYAL

Cynoscion regalis (Bloch et Schneider) 1801/*Weakfish*
Appellations erronées: truite de mer et faux maquereau

CARACTÉRISTIQUES: plus svelte que le bar d'Amérique et la perche blanche, il possède 2 petites épines anales. Poids moyen de 2,2 kg (env. 5 lb) ou moins.

TYPE DE CHAIR: molle et mi-grasse.

PROVENANCE: côte est des États-Unis, de la baie Massachusetts à la Floride.

OÙ ET QUAND LE TROUVER: arrivage irrégulier dans les poissonneries où l'on vend des produits d'importation.

TRAITEMENT ET COMMERCIALISATION: entier.

CUISSON: au four ou grillé.

APPRÉCIATION: ce poisson est agréable à déguster avec des légumes exotiques.

REMARQUES: ce poisson souvent vendu sous la dénomination de maquereau espagnol est très prisé par les habitants des Caraïbes.

$$

Acoupa royal à la vapeur de thé, beurre au lait d'amande

quantité suffisante	Sel et poivre
4 X 160 à 180 g (5 à 6 oz)	Filets d'acoupa royal
100 ml (3 ½ oz)	Vin blanc
100 ml (3 ½ oz)	Fumet de poisson
30 ml (2 c. à soupe)	Thé au jasmin
180 g (1 tasse)	Beurre doux en pommade
100 ml (3 ½ oz)	Lait d'amande
1	Citron (jus)
15 g (4 c. à soupe)	Cerfeuil haché

- Saler et poivrer les filets d'acoupa royal.
- Déposer une grande marguerite dans un sautoir, verser le vin blanc, le fumet de poisson, puis le thé au jasmin. Couvrir et cuire 6 à 8 min.
- Après cuisson, réserver les filets de poisson au chaud.
- Réduire des 9/10 le fond de cuisson passé au chinois étamine ou passoire à mailles fines, puis ajouter le beurre en pommade, le lait d'amande et le jus de citron. Émulsionner et finir par le cerfeuil haché. Rectifier l'assaisonnement.

Service: Déposer les filets d'acoupa royal et napper de beurre d'amande au thé.

Accompagnement: Petites pommes de terre cocotte, cuites à l'eau.

Préparation: 15 min	**Cuisson:** 8 à 12 min
Rendement: 4 portions	**Prix de revient:** $$$

142

Acoupa royal au cari

120 ml (¹/₂ tasse)	Huile d'olive
100 g (³/₄ tasse)	Oignon blanc, haché
400 g (2 tasses)	Tomates émondées, épépinées et en dés
2	Gousses d'ail hachées finement
40 g (³/₄ tasse)	Basilic frais, haché
quantité suffisante	Sel et poivre
400 g (6 tasses)	Aubergines coupées en dés
80 g (¹/₂ tasse)	Farine de blé entier
40 g (2 c. à thé)	Cari de qualité
4 X 150 g (5 oz)	Filets d'acoupa royal
60 g (¹/₃ tasse)	Beurre non salé
20 g (¹/₄ tasse)	Coriandre fraîche, hachée
20 g (¹/₃ tasse)	Persil frais, haché

Préparation: 20 min **Cuisson:** 15 min
Rendement: 4 portions **Prix de revient:** $$$

- Chauffer 60 ml (¹/₄ tasse) d'huile d'olive dans une grande poêle et y faire sauter l'oignon haché. Ajouter les dés de tomate, l'ail, le basilic, le sel et le poivre. Laisser mijoter quelques minutes, puis ajouter les aubergines coupées en dés et laisser cuire jusqu'à ce qu'elles deviennent tendres. Réserver.
- Parallèlement, mélanger la farine et le cari. Enrober les filets d'acoupa de ce mélange. Cuire les filets à la meunière avec le beurre et 60 ml (¹/₄ tasse) d'huile. Les poissons doivent prendre une belle couleur dorée.
- Les poissons à la meunière doivent toujours avoir un «temps de repos» après la cuisson.
- Dresser les filets sur des assiettes chaudes, puis recouvrir avec la préparation d'aubergine, de basilic, d'ail et d'oignon. Parsemer de coriandre et de persil haché.

Accompagnement: Riz brun et quartiers de citron.

SPARE TÊTE-DE-MOUTON

Archosargus probatocephalus (Walbaum) 1792/*Sheepshead*
Appellation erronée: *porgy*

PROVENANCE: centre-ouest de l'Atlantique (États-Unis).

OÙ ET QUAND LE TROUVER: arrivage irrégulier dans les poissonneries où l'on vend des produits d'importation.

CARACTÉRISTIQUES: dans les tons de gris au jaune vert avec environ sept bandes verticales allant du brun au noir. Poisson pouvant atteindre une longueur de 90 cm (35 po) et un poids de 9,2 kg (20 lb).

TYPE DE CHAIR: blanche et ferme.

TRAITEMENT ET COMMERCIALISATION: entier.

CUISSON: grillé.

APPRÉCIATION: poisson excellent grillé.

$$

Filets de spare tête-de-mouton à l'orpin pourpre, sauce aux pistaches

80 ml (env. 1/3 tasse)	Huile d'olive vierge
400 g (14 oz)	Orpin pourpre
1	Gousse d'ail hachée finement
200 g (1 3/4 tasse)	Pommes de terre en petits dés
quantité suffisante	Sel et poivre
4 X 180 g (6 oz)	Filets de spare tête-de-mouton
140 ml (env. 2/3 tasse)	Coulis de homard (voir recettes de base)
160 g (1 tasse)	Pistaches écaillées, hachées

- Chauffer l'huile d'olive et faire revenir l'orpin pourpre ainsi que l'ail haché. Ajouter les pommes de terre, saler, poivrer et cuire doucement. Après cuisson, à l'aide d'un fouet, bien écraser les pommes de terre qui lieront le jus.
- Déposer cet appareil dans un plat allant au four. Ranger les filets de poisson. Saler et poivrer. Couvrir avec du papier d'aluminium et cuire au four à 200°C (400°F) 6 à 8 min.
- Chauffer le coulis de homard et y ajouter les pistaches hachées.

Service: À l'aide d'un cercle, mouler au centre de l'assiette le mélange d'orpin pourpre et de pommes de terre. Déposer les filets de spare dessus et verser autour la sauce aux pistaches.

Préparation: 20 à 30 min **Cuisson:** 6 à 12 min
Rendement: 4 portions **Prix de revient:** $$$

Spare tête-de-mouton farci avec des algues marines, au jus de papaye

60 g (2 c. à soupe)	Laminaire à long stipe fraîche, émincée (algues)
60 g (2 c. à soupe)	Fucus vésiculeux frais émincé (algues)
100 ml (3 ½ oz)	Vin blanc sec
2	Blancs d'œufs
2 X 600 g (env. 1 ¼ lb)	Spares tête-de-mouton
200 ml (7 oz)	Jus de papaye
1	Lime (jus)
100 g (3 ½ oz)	Pommes de terre émincées très finement
quantité suffisante	Huile d'olive
120 g (¾ tasse)	Beurre doux en pommade
quantité suffisante	Sel et poivre

- Mélanger les algues, le vin blanc et les blancs d'œufs. Réserver.

Préparation: 1 h **Cuisson:** 30 min
Rendement: 4 portions **Prix de revient:** $$$

- Enlever les arêtes par le ventre et badigeonner de 60 ml (¼ tasse) de jus de papaye. Poivrer, mais ne pas saler à cause des algues. Réserver au réfrigérateur 30 min.
- Pendant ce temps, faire réduire 140 ml (⅔ tasse) de jus de papaye et le jus de lime des 9/10. Réserver.
- Au mélange d'algues, ajouter les pommes de terre émincées très finement et farcir les 2 spares avec ce mélange. Refermer et faire de légères incisions sur les deux côtés des poissons. Badigeonner avec l'huile d'olive et «quadriller» les poissons sur un gril chaud. Finir la cuisson au four à 180°C (350°F) pendant 15 à 20 min.
- Pendant la cuisson des poissons, émulsionner le jus de papaye et de lime réduit avec le beurre en pommade. Assaisonner au goût.
- Servir les spares sur un plat de service afin qu'ils gardent bien leur chaleur. Une fois sur l'assiette, déposer l'émulsion de beurre de papaye sur chaque morceau de spare.

Accompagnement: Dés de chayote cuits dans du jus de papaye.

Note: Si les algues sont trop salées, les faire bouillir avant.

Les Scombridés et les Clupéidés

Tous les poissons de cette famille ont une particularité: ils ont une chair relativement grasse.

LA FAMILLE DES SCOMBRIDÉS

Au Canada, ces poissons ont une grande importance du point de vue commercial. Nous ne les traiterons pas tous dans ce chapitre, mais il est important qu'ils soient tous cités: le thazard, le maquereau bleu, le maquereau blanc, la bonite à dos rayé, le thon rouge, le germon atlantique, l'albacore à nageoires jaunes et le thon ventru.

Ces poissons, qui vivent dans les parties les plus profondes de la mer, sont généralement de rapides nageurs. Leur corps est fuselé et reconnaissable à la queue de forme caractéristique portant une nageoire profondément échancrée. Entre la nageoire dorsale et la nageoire caudale, sont situés plusieurs genres de petits pics appelés pinnules que l'on retrouve aussi entre la nageoire anale et la nageoire caudale.

LA FAMILLE DES CLUPÉIDÉS

Les poissons osseux constituent le plus vaste groupe de poissons. La nageoire caudale possède deux lobes, le squelette est formé de tissus osseux et les vertèbres sont bien développées. Les écailles sont en forme de minces plaquettes osseuses. Ce sont des poissons relativement primitifs, qui vivent surtout dans les grandes profondeurs. Leur vessie communique avec le tube digestif. L'ordre comprend une vingtaine de familles. Ils vivent en bancs et se nourrissent de plancton.

Famille des Scombridés

Bonite à dos rayé

Maquereau bleu

Germon atlantique

Albacore à nageoires jaunes

Thon rouge

Famille des Clupéidés

Hareng atlantique

Anchois
(famille des *Engraulidés*)

Gaspareau

Alose savoureuse

Sardine

BONITE À DOS RAYÉ

Sarda sarda (Bloch) 1793/*Atlantic bonito*
Appellations erronées: bonita et bonito

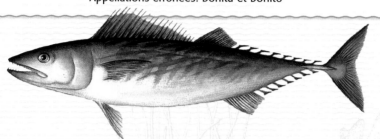

CARACTÉRISTIQUES: poisson au dos bleu acier, aux flancs argentés et présentant sept lignes dans les tons de bleu foncé, descendant vers le bas de la partie avant, à partir du dos. Longueur pouvant atteindre 120 cm (47 po) et poids variant de 4,5 à 5,5 kg (10 à12 lb).

TYPE DE CHAIR: grasse.

PROVENANCE: parties les plus chaudes de l'océan Atlantique.

OÙ ET QUAND LA TROUVER: arrivage irrégulier dans les poissonneries où l'on vend des produits d'importation.

TRAITEMENT ET COMMERCIALISATION: entière et en filets.

CUISSON: braisée, grillée, sautée ou crue.

APPRÉCIATION: ce poisson de qualité inférieure au thon possède cependant de bonnes qualités.

$$

Tartare de bonite à dos rayé aux algues

20 g (¹/4 tasse)	Laitue de mer (ulse) séchée (algues)
50 ml (3 c. à soupe)	Vin blanc
200 g (2 tasses)	Salicornes (haricots de la mer)
2	Citrons (jus)
150 ml (env. ²/3 tasse)	Huile de tournesol
10 g (2 ¹/2 c. à soupe)	Cerfeuil frais
500 g (env. 1 lb)	Chair de bonite à dos rayé
2	Échalotes hachées finement
60 ml (¹/4 tasse)	Jus de mye
80 ml (env. ¹/3 tasse)	Huile d'olive extra-vierge
2	Limes (jus)
30 ml (2 c. à soupe)	Jus de papaye
quantité suffisante	Sel et poivre
30 g (¹/2 tasse)	Persil haché très finement

- Tout d'abord, il est important de préciser que les poissons utilisés pour faire du tartare doivent presque venir tout juste de sortir de l'eau.
- Régénérer la laitue de mer (ulse) avec le vin blanc. Mélanger les salicornes avec les algues, le jus de citron, l'huile de tournesol et les pluches de cerfeuil.
- Hacher finement au couteau la chair de bonite à dos rayé, incorporer les échalotes hachées, le jus de mye, l'huile d'olive extra-vierge ainsi que les jus de lime et de papaye. Goûter. Saler et poivrer au goût et, au dernier moment, ajouter le persil. Laisser au réfrigérateur, car le tartare doit se consommer très froid.

Service: Mettre en haut de l'assiette la salade de salicornes aux algues. En bas de l'assiette, le tartare.

NOTE: On peut lier le tartare avec un peu de mayonnaise.
Cette recette est encore plus savoureuse faite avec du thon rouge.

Préparation: 30 min
Rendement: 4 portions **Prix de revient:** $$$

Filet de bonite à dos rayé, beurre de safran

4 g (1 c. à thé)	Pistils de safran
60 ml (¼ tasse)	Vin blanc
1	Citron (jus)
160 g (env. 1 tasse)	Beurre non salé
quantité suffisante	Sel et poivre
4 X 180 g (6 oz)	Morceaux de filet de bonite à dos rayé
quantité suffisante	Huile d'arachide

- Réhydrater le safran avec le vin blanc et le jus de citron pendant 10 min. Au robot culinaire ou dans un récipient, bien mélanger cet appareil avec le beurre doux en pommade. Saler, poivrer au goût et réserver à température de la pièce.
- Faire griller les morceaux de bonite en ayant bien soin de les badigeonner d'huile.

NOTE: Pour cuire la bonite, commencer la cuisson rapidement (quadriller), puis beaucoup plus lentement sur le côté du gril le moins chaud. La bonite ne doit pas être trop cuite.

Préparation: 10 min **Cuisson:** 10 à 12 min
Rendement: 4 portions **Prix de revient:** $$$

MAQUEREAU BLEU

Scomber scombrus (Linné) 1758/*Atlantic mackerel*

CARACTÉRISTIQUES: dos bleu acier foncé et corps possédant de 23 à 33 bandes foncées ondulées; ventre blanc argenté. Poisson pouvant atteindre une longueur de 56 cm (22 po) et un poids de 2 kg (4 ½ lb).

TYPE DE CHAIR: semi-grasse.

PROVENANCE: régions du Plateau continental des deux côtés de l'Atlantique.

OÙ ET QUAND LE TROUVER: de juin à octobre, en abondance; congelé, toute l'année.

TRAITEMENT ET COMMERCIALISATION: entier et en filets.

CUISSON: au four, grillé ou braisé.

APPRÉCIATION: poisson sous-estimé qui mérite d'être plus connu.

REMARQUES: la pêche du maquereau a été assujettie à de grandes fluctuations. D'une année à l'autre, les captures sont très irrégulières. Il est appelé lisette lorsqu'il est petit (50 à 100 g ou 2 à 3 oz).

$

Ragoût de maquereau aux petits légumes, sauce moutarde

125 g (1 tasse)	**Carotte en julienne**
125 g (1 tasse)	**Céleri en julienne**
125 g (1 tasse)	**Poireau en julienne**
900 g (2 lb)	**Filets de maquereau en dés**
500 ml (2 tasses)	**Vin blanc sec**
500 ml (2 tasses)	**Crème à 35 %**
45 ml (3 c. à soupe)	**Moutarde forte**
quantité suffisante	**Sel et poivre**

- Faire cuire les légumes séparément dans de l'eau salée. Garder croquants. Réserver.
- Faire pocher les morceaux de maquereau dans le vin. Réserver ces morceaux de poisson au chaud avec les légumes. Faire réduire aux trois quarts le bouillon de cuisson.
- Ajouter la crème et la moutarde. Faire mijoter jusqu'à la consistance d'une sauce. Retirer du feu; déposer les dés de maquereau dans la sauce et laisser en attente 2 à 3 min. Vérifier l'assaisonnement. Servir chaud avec les légumes.

Préparation: 10 min **Cuisson:** 8 à 10 min
Rendement: 6 portions **Prix de revient:** $$

Filets de maquereau aux épinards

900 g (2 lb)	Épinards en feuilles
quantité suffisante	Crème à 35 %
quantité suffisante	Beurre
quantité suffisante	Sel et muscade
900 g (2 lb)	Filets de maquereau
1,5 litre (6 tasses)	Court-bouillon
3	Œufs cuits dur
125 g (4 oz)	Fromage râpé
quantité suffisante	Paprika

Préparation: 15 min **Cuisson:** 4 à 6 min
Rendement: 6 portions **Prix de revient:** $$

- Faire cuire les épinards à l'eau bouillante salée. Égoutter. Hacher les épinards, ajouter 125 ml (1/2 tasse) de crème et mélanger. Garnir de cette préparation le fond d'un plat beurré allant au four. Assaisonner de sel et de muscade.
- Faire pocher les filets de maquereau dans un court-bouillon bien relevé de 4 à 6 min. Les égoutter et les poser sur les épinards.
- Hacher les œufs et en garnir les deux extrémités du plat. Napper du reste de la crème fraîche, saupoudrer de fromage râpé et de paprika. Passer quelques instants au four.

Accompagnement: Pommes de terre bouillies.

GERMON ATLANTIQUE

Thunnus alalunga (Bonnaterre) 1788/*Albacore*
Appellations erronées: albacore, *tuna* et taupe

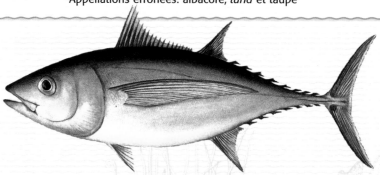

Caractéristiques: dos et flancs de couleur bleu acier, ventre argenté et nageoires foncées avec lustre métallique. Longueur pouvant atteindre 120 cm (47 po) et poids variant de 34 à 36,3 kg (75 à 80 lb).

Type de chair: ferme, dense, blanche et grasse.

Provenance: Atlantique tropical ainsi que Méditerranée.

Où et quand le trouver: d'août à octobre, en abondance.

Traitement et commercialisation: en filets pour en faire des morceaux.

Cuisson: grillé ou braisé.

Appréciation: surtout utilisé en conserve.

Remarques: en conserve de thon, le germon constitue ce qu'il y a de meilleur. Sur la boîte doit figurer le nom «thon blanc» ou «thon germon». La simple appellation de thon concerne d'autres sortes de thon.

$$

Germon grillé, beurre aux agrumes

800 g (1 ¾ lb)	Tranche de germon coupée au milieu du poisson
quantité suffisante	Sel et poivre
6	Tranches fines de poitrine de porc fumé ou tranches de bacon
60 ml	Huile d'olive extra-vierge
160 g (env. 1 tasse)	Beurre aux agrumes (voir Beurre de citron aux herbes dans les recettes de base)
4	Citrons en quartiers

- Essayer d'enlever le plus d'arêtes possible dans la tranche de germon, avec une petite pince. Saler.
- Entourer la tranche de germon des bandes de poitrine de porc fumé ou des tranches de bacon. Ficeler. Poivrer seulement.
- Badigeonner le poisson d'huile d'olive. Sur un gril assez chaud, déposer la tranche de germon environ 15 min de chaque côté. Servir immédiatement avec le beurre aux agrumes et les quartiers de citron.

Préparation: 10 min	**Cuisson:** 30 min
Rendement: 4 portions	**Prix de revient:** $$$

Filets de germon aux aromates

50 ml (3 c. à soupe)	Huile d'olive
85 g (³/₄ tasse)	Carotte en minces rondelles
100 g (²/₃ tasse)	Oignon d'Espagne en rondelles
¹/₂	Citron en rondelles cannelées
¹/₂	Gousse d'ail hachée
10 g (2 c. à soupe)	Coriandre
quantité suffisante	Thym
1	Feuille de laurier
¹/₂	Clou de girofle
100 ml (3 ¹/₂ oz)	Vinaigre de vin
175 ml (³/₄ tasse)	Vin blanc sec
quantité suffisante	Sel et poivre
300 g (10 oz)	Filets de germon
4	Branches de persil frais, hachées

- Faire chauffer l'huile d'olive dans une poêle et ajouter les légumes en rondelles, les tranches de citron, l'ail, la coriandre, le thym, la feuille de laurier et le clou de girofle.
- Faire revenir les légumes, puis déglacer la poêle au vinaigre. Faire réduire aux trois quarts et ajouter le vin blanc. Saler, poivrer et laisser cuire pendant 4 à 5 min.
- Déposer les filets de germon dans une plaque allant au four. Verser le mélange précédent sur les filets. Couvrir et faire cuire au four à 180°C (350°F) pendant 4 à 5 min.
- Parsemer de persil haché à la sortie du four. Dresser les filets sur une grande assiette et présenter aux convives. Servir froid, de préférence.

NOTE: Il est à noter que cette recette peut s'adapter au maquereau, à l'albacore, au thon rouge et au gaspareau, si l'on surveille bien la cuisson des différents poissons.

Préparation: 35 min	**Cuisson:** 4 à 5 min
Rendement: 2 portions	**Prix de revient:** $$

ALBACORE À NAGEOIRES JAUNES

Thunnus albacares (Bonnaterre) 1788/Yellowfin tuna

Appellation erronée: *Allison's tuna*

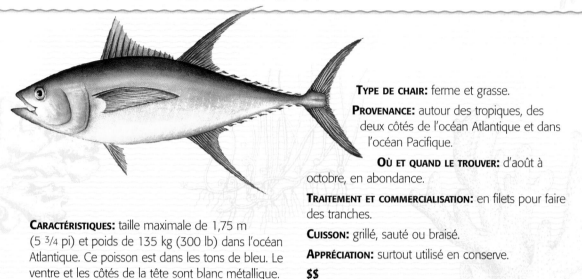

TYPE DE CHAIR: ferme et grasse.

PROVENANCE: autour des tropiques, des deux côtés de l'océan Atlantique et dans l'océan Pacifique.

OÙ ET QUAND LE TROUVER: d'août à octobre, en abondance.

TRAITEMENT ET COMMERCIALISATION: en filets pour faire des tranches.

CUISSON: grillé, sauté ou braisé.

APPRÉCIATION: surtout utilisé en conserve.

CARACTÉRISTIQUES: taille maximale de 1,75 m (5 ³/4 pi) et poids de 135 kg (300 lb) dans l'océan Atlantique. Ce poisson est dans les tons de bleu. Le ventre et les côtés de la tête sont blanc métallique.

$$

Filet d'albacore cuit à la vapeur dans une feuille de banane

1,2 kg (2 ³/4 lb)	Filet d'albacore à nageoires jaunes
quantité suffisante	Sel et poivre
80 ml (env. ¹/3 tasse)	Jus de papaye
2	Limes (jus)
I ou 2	Feuilles de banane
100 ml (3 ¹/2 oz)	Jus de noix de coco
200 ml (7 oz)	Velouté de poisson (voir recettes de base)
100 g (²/3 tasse)	Beurre

- Pour cette recette, il faut posséder une marmite à deux ou trois étages, ou encore une grosse marguerite.
- Enlever le maximum d'arêtes du poisson. Saler et poivrer. Badigeonner de jus de papaye et de jus de lime. Envelopper le morceau d'albacore dans les feuilles de banane.
- Déposer de l'eau au premier étage de la marmite à vapeur. Au deuxième, déposer le morceau d'albacore. Couvrir et cuire de 30 à 40 min selon l'épaisseur du poisson.
- Mélanger le jus de noix de coco au velouté de poisson, puis chauffer. Rectifier l'assaisonnement et passer au chinois étamine ou passoire à mailles fines. Finir la sauce au beurre et réserver.

Service: Couper le morceau d'albacore en portions égales. Napper de sauce et garnir de morceaux de chayote sautés au beurre.

Préparation: 30 min	**Cuisson:** 40 à 50 min
Rendement: 4 portions	**Prix de revient:** $$

Filets d'albacore au cidre du Minot

85 g (³/₄ tasse)	Carotte en rondelles
1	Oignon moyen
1	Pomme Golden
quantité suffisante	Sel et poivre du moulin
6 X 100 g (env. 3 oz)	Filets d'albacore frais avec la peau
quantité suffisante	Beurre
500 ml (2 tasses)	Cidre du Minot
150 ml (env. ²/₃ tasse)	Vinaigre de cidre
1	Feuille de laurier
quantité suffisante	Ciboulette hachée

• Peler la carotte, la canneler et la couper en minces rondelles. Faire blanchir ces rondelles en les faisant cuire à l'eau bouillante pendant quelques secondes, puis les laisser refroidir.

Préparation: 15 min   **Cuisson:** 10 min
Rendement: 6 portions   **Prix de revient:** $$

• Émincer l'oignon en rondelles fines. Trancher la pomme en minces quartiers.
• Saler et poivrer (mouture grossière) la face intérieure des filets d'albacore.
• Beurrer légèrement une plaque de cuisson et déposer au fond les fruits et les légumes. Déposer les filets d'albacore sur ce fond, la peau vers le haut. Arroser de cidre et de vinaigre. Briser la feuille de laurier en quatre et répartir les morceaux dans le liquide.
• Recouvrir d'un papier d'aluminium beurré et faire cuire au four à 200°C (400°F) pendant 10 min. Retirer le poisson du four et le laisser refroidir dans son fond de cuisson. Réfrigérer le poisson pendant au moins 12 h avant de le servir.
• Déposer les filets sur les assiettes. Garnir avec les fruits et les légumes de braisage et un peu de la marinade devenue gélatineuse. Parsemer de ciboulette hachée et servir.

THON ROUGE

Thunnus thynnus (Linné) 1758/*Bluefin tuna*
Appellations erronées: *bluefin* et *horse mackerel*

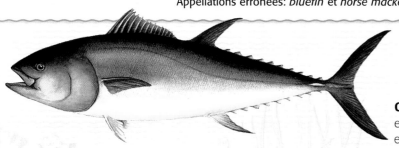

OÙ ET QUAND LE TROUVER: en juillet, août et septembre, en abondance.

CARACTÉRISTIQUES: dos bleu foncé, ventre grisâtre avec des taches argentées, nageoires dorsales sombres et nageoires anales gris argenté. Très gros poisson pouvant atteindre une longueur de 5 m (16 $^1/_2$ pi) et un poids de 909 kg (2000 lb).

TYPE DE CHAIR: grasse.

PROVENANCE: eaux chaudes de l'océan Atlantique, de la baie Notre-Dame à Terre-Neuve et vers le sud jusqu'aux Antilles.

TRAITEMENT ET COMMERCIALISATION: en filets pour en faire des morceaux.

CUISSON: grillé, sauté, braisé ou meunière.

APPRÉCIATION: cru, grillé ou braisé, ce poisson est toujours une fête pour le palais.

REMARQUES: très prisé par les Japonais, le thon rouge est chez eux comme la viande chez nous. C'est un poisson noble.

$$$$

Thon rouge en sashimi

480 g (env. 1 lb)	Thon rouge de première qualité
quantité suffisante	Sel et poivre
80 g (³/4 tasse)	Daikon émincé
quantité suffisante	Huile de sésame grillé
1	Lime (jus)

SAUCE AU GINGEMBRE ET AU SÉSAME:

100 ml (3 $^1/_2$ oz)	Sauce tamari*
40 ml (3 c. à soupe)	Eau froide
20 g (2 $^1/_4$ c. à soupe)	Graines de sésame grillées
4 g (1 c. à thé)	Gingembre frais, râpé
10 g ($^1/_2$ c. à soupe)	Miel
20 g (3 c. à soupe)	Échalote hachée très finement
1	Lime (jus)

SAUCE WASABI:

10 g (4 c. à thé)	Poudre de wasabi*
quantité suffisante	Eau froide
60 ml ($^1/_4$ tasse)	Sauce tamari

- Il faut absolument un couteau qui coupe comme un rasoir. Couper de très fines tranches de thon et les disposer en forme de marguerite sur une grande assiette, en laissant un petit espace au centre. Saler et poivrer.
- Mélanger le daikon émincé avec un peu d'huile de sésame grillé et le jus de lime. Le disposer au centre de l'assiette. Servir les sauces dans de petits bols à part.
- **Sauce au gingembre et au sésame:** Bien mélanger l'ensemble des ingrédients et laisser reposer avec une pellicule plastique sur

le contenant afin que l'ensemble conserve bien toutes ses saveurs. Réserver.

- **Sauce wasabi:** Mélanger la poudre de wasabi avec suffisamment d'eau pour faire une pâte et réserver au réfrigérateur. Après 10 min, mélanger le tamari, le wasabi et de l'eau froide jusqu'à consistance voulue. Réserver.

* Tamari: on l'appelle généralement sauce soya.

* Wasabi: le wasabi est une variété de raifort vert vendu généralement en poudre.

Préparation: 30 min
Rendement: 4 portions   **Prix de revient:** $$$$

Thon rouge à la niçoise

1,4 kg (env. 3 lb)	Tomates fraîches
250 g (env. 1/2 lb)	Olives noires (ou 48)
quantité suffisante	Huile d'olive
450 g (3 1/4 tasses)	Oignons hachés
4	Gousses d'ail hachées
quantité suffisante	Thym
1	Feuille de laurier
170 g (2/3 tasse)	Pâte de tomate
1 litre (4 tasses)	Vin blanc
1,6 kg (3 1/2 lb)	Filets de thon rouge
quantité suffisante	Sel et poivre
quantité suffisante	Feuilles de laitue (facultatif)

Préparation: 1 h   **Cuisson:** 2 h
Rendement: 8 portions   **Prix de revient:** $$$$

- Émonder et épépiner les tomates, puis les couper en dés. Dénoyauter les olives et les faire blanchir.
- Faire revenir à l'huile d'olive les oignons, l'ail, les tomates, le thym et le laurier. Faire chauffer séparément la pâte de tomate afin de lui enlever son acidité. Ajouter la pâte de tomate cuite au mélange de légumes.
- Mouiller avec le vin blanc, puis ajouter les olives. Laisser cuire pendant 10 min.
- Couper les filets de thon en médaillons de 2 cm (3/4 po) d'épaisseur. Placer ces médaillons sur une plaque ayant des bords élevés.
- Saler et poivrer le poisson, puis le recouvrir de l'appareil aux tomates. Couvrir et faire cuire au four à 180°C (350°F) pendant 1 h à 1 h 30. Servir en morceaux ou émietter le poisson cuit et le napper de sauce. Servir cette préparation chaude ou froide.
- Dans ce dernier cas, accompagner de feuilles de laitue.

Photo page suivante →

HARENG ATLANTIQUE

Clupea harengus harengus (Linné) 1758/*Atlantic herring*
Appellation erronée: sardine

CARACTÉRISTIQUES: coloration noir bleuâtre ou bleu verdâtre sur le dos et argentée sur le ventre et les flancs. Longueur moyenne de 50 cm (20 po) et poids de 675 g (1 ½ lb).

TYPE DE CHAIR: grasse.

PROVENANCE: nord du Labrador et ouest du Groenland.

OÙ ET QUAND LE TROUVER: d'avril à septembre, en abondance; congelé, toute l'année.

TRAITEMENT ET COMMERCIALISATION: entier, en filets frais et en filets fumés.

CUISSON: grillé, au four ou braisé.

APPRÉCIATION: poisson d'hiver de qualité surprenante.

REMARQUES: voici quelques produits dérivés du hareng:

BUCKLING: frais, salé quelques heures et fumé à chaud;

GENDARME: salé 9 jours, fumé de 10 à 18 h;

HARENG SAUR: (entier ou en filets): salé et fumé;

KIPPER: frais, ouvert sur le dos, lavé, éviscéré, salé 1 ou 2 h et légèrement fumé;

ROLLMOPS: étêté, éviscéré, salé et mariné dans du vinaigre et des aromates.

$$

Filets de hareng, fumé et mariné

700 g (1 ½ lb)	Filets de hareng fumé
500 ml (2 tasses)	Lait
200 g (1 ⅓ tasse)	Oignon espagnol en fines rondelles
85 g (⅔ tasse)	Carotte en fines tranches
20 g (3 c. à soupe)	Céleri en fines tranches
2	Gousses d'ail en fines rondelles
quantité suffisante	Thym
2	Feuilles de laurier
quantité suffisante	Épices pour marinades
quantité suffisante	Poivre
½	Clou de girofle
500 ml (2 tasses)	Huile d'arachide
500 ml (2 tasses)	Huile d'olive
quantité suffisante	Pommes de terre en robe des champs

- Faire tremper les filets de hareng dans du lait pendant 12 h; les égoutter et bien les essuyer avec un linge.
- Déposer les filets dans un récipient en verre ou en grès et les mélanger avec les rondelles d'oignon, de carotte, de céleri et d'ail, le thym, les feuilles de laurier, les épices pour marinades, le poivre, le clou de girofle et les deux huiles. Laisser mariner pendant au moins 48 h.

- Servir les filets sur un lit de pommes tièdes avec les légumes de la marinade.

NOTE: Les filets marinés se conservent au garde-manger ou au réfrigérateur pendant plusieurs semaines.

On fait tremper les filets de hareng fumé dans du lait lorsqu'ils sont trop salés. En revanche, on trouve maintenant des filets de hareng fumé qui ne sont pas trop salés et qui ne sont que légèrement fumés.

Préparation: 30 min   **Marinade:** 48 h
Rendement: 10 portions **Prix de revient:** $$

Hareng frais à la gaspésienne

12 X 60 g (2 oz)	Filets de hareng frais avec la peau
250 g (1 ¾ tasse)	Farine
quantité suffisante	Sel et poivre
80 g (½ tasse)	Beurre
30 ml (2 c. à soupe)	Huile
500 g (3 ⅓ tasses)	Oignons émincés
125 ml (½ tasse)	Fumet de poisson (voir recettes de base)
30 ml (2 c. à soupe)	Vinaigre de vin rouge
5 g (2 c. à thé)	Moutarde sèche
4	Portions de légumes verts, cuits (facultatif)

Préparation: 20 min   **Cuisson:** 30 min
Rendement: 4 portions   **Prix de revient:** $$

- Laver les filets de hareng et prendre soin de bien enlever les écailles. Bien éponger ces filets et les passer dans la farine additionnée de sel et de poivre.
- Faire chauffer dans une poêle la moitié du beurre et l'huile et y faire dorer les filets, en commençant par le côté de la chair. Déposer les filets dans un plat allant au four et les réserver.
- Faire fondre le reste du beurre dans la même poêle et y faire cuire les oignons pendant quelques minutes, sans coloration.
- Ajouter le bouillon de poisson, le vinaigre de vin et la moutarde. Laisser cuire jusqu'à l'évaporation complète du liquide, soit pendant 5 à 10 min. Disposer ces oignons sur les filets et les faire cuire au four à 180°C (350°F) pendant 15 min.
- Servir ce poisson sans tarder, avec des légumes verts au choix, si désiré.

Photo page 159

ANCHOIS

Engraulis encrasicolus (Linné) 1758/*Anchovy*
Appellation erronée: sardine

CARACTÉRISTIQUES: petit poisson de 20 cm (8 po) au maximum, au corps très élancé. Gris avec un peu de vert ou de jaune sur la tête, ventre argenté à l'éclat métallique. Il se déplace en bancs importants le long des côtes.

TYPE DE CHAIR: fine et un peu grasse.

PROVENANCE: Atlantique du côté européen et en Méditerranée.

OÙ ET QUAND LE TROUVER: toute l'année, salé et en conserve.

TRAITEMENT ET COMMERCIALISATION: entier, en filets et en conserve.

CUISSON: grillé.

APPRÉCIATION: on aime ou on n'aime pas.

REMARQUES: l'anchois est beaucoup plus élancé que la sardine et son œil est plus gros. Fragile, il se conserve mal.

$$

Anchois en beignets, sauce homardine aux câpres

20	Anchois frais
200 ml (7 oz)	Sauce homardine (voir recettes de base)
80 g (¹/2 tasse)	Câpres hachées
quantité suffisante	Huile de friture
300 ml (1 ¹/4 tasse)	Pâte à frire

PÂTE À FRIRE:

3	Œufs
300 g (2 tasses)	Farine
quantité suffisante	Sel et poivre
quantité suffisante	Bière

Préparation: 20 min   **Cuisson:** 10 min
Rendement: 4 portions   **Prix de revient:** $$

- Bien nettoyer les anchois et les envelopper de papier essuie-tout pour absorber le maximum d'humidité.
- Pâte à frire: Séparer les jaunes et les blancs d'œufs. Mettre la farine dans un bol et faire une fontaine au milieu. Saler, poivrer et incorporer la bière et les jaunes d'œufs jusqu'à ce que le mélange soit comme une pâte liquide. Monter les blancs d'œufs en neige et les incorporer à l'appareil au dernier moment.
- Chauffer la sauce homardine et ajouter les câpres hachées.
- Chauffer l'huile de friture pour qu'elle soit très chaude. Tremper un par un les anchois dans la pâte à frire et saisir en friteuse. Une fois cuit, servir très chaud avec des petits bols de sauce individuels.

Anchois à la portugaise

800 g (1 ¾ lb)	Anchois entiers, frais
quantité suffisante	Sel de Guérande
80 g (½ tasse)	Câpres
12	Olives noires dénoyautées
100 ml (3 ½ oz)	Huile d'olive
10 g (3 c. à thé)	Poivre noir concassé
200 ml (7 oz)	Vin blanc
quantité suffisante	Tomates provençales

- Bien nettoyer et essuyer les anchois. Les déposer dans un récipient et saupoudrer d'une poignée de sel de Guérande. Garder 2 h au frais en prenant soin de mélanger de temps à autre.
- Essuyer les anchois, puis les étêter et enlever les arêtes sans séparer les filets.

- Au mortier ou dans un récipient solide, faire une pommade avec les câpres et les olives hachées finement au préalable.
- Ranger les anchois sur le dos dans un plat à gratin bien huilé (20 ml ou 4 c. à thé d'huile). Parsemer de poivre noir concassé, arroser de vin blanc et du reste de l'huile. Farcir avec la pommade d'olive et de câpres et refermer les poissons. Couvrir avec un papier d'aluminium et cuire au four assez chaud de 5 à 6 min.
- Servir immédiatement avec des tomates provençales.

Préparation: 10 min   **Cuisson:** 5 à 8 min
Rendement: 4 portions   **Prix de revient:** $$

GASPAREAU

Alosa pseudoharengus (Wilson) 1811/*Alewife*
Appellations erronées: hareng et gasparot

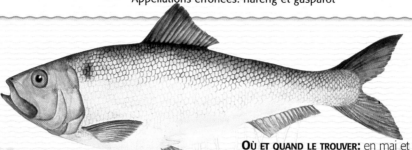

Caractéristiques: dos de couleur gris vert, flancs et ventre argentés. Longueur d'environ 24 à 30 cm (9 à 12 po) et poids moyen de 225 g (½ lb).

Type de chair: grasse.

Provenance: Terre-Neuve et le sud du golfe du Saint-Laurent jusqu'à la Caroline du Nord. L'espèce se rencontre apparemment landlockée dans les lacs Ontario et Érié.

Où et quand le trouver: en mai et en juin, en abondance.

Traitement et commercialisation: entier et en filets.

Cuisson: au four ou braisé.

Appréciation: poisson d'hiver de qualité surprenante.

Remarques: le gaspareau fraie dans les lacs; il remonte plus haut dans les cours d'eau que l'alose et franchit facilement les rapides et les échelles à poissons, puis il retourne en mer.

$$

Gaspareau à la gelée de cidre

6 X 120 g (4 oz)	Filets de gaspareau
60 g (env. ½ tasse)	Carotte en tranches fines
45 g (⅓ tasse)	Oignon émincé
quantité suffisante	Bouquet garni (céleri, laurier et thym)
10	Graines de coriandre
500 ml (2 tasses)	Cidre sec
quantité suffisante	Sel et poivre
3 feuilles	Gélatine neutre en feuilles
50 ml (3 c. à soupe)	Eau
15 ml (1 c. à soupe)	Vinaigre de vin
30 ml (2 c. à soupe)	Huile

- Couper grossièrement les filets de gaspareau, les disposer dans une casserole avec les légumes, le bouquet garni, la coriandre, le cidre et les assaisonnements. Cuire doucement pendant 10 à 15 min.
- Faire gonfler la gélatine dans de l'eau, puis l'incorporer au bouillon de cuisson avec le vinaigre. Mettre les gaspareaux dans une terrine en terre cuite et rectifier l'assaisonnement si nécessaire. Filtrer le bouillon, puis le verser sur les gaspareaux. Conserver les légumes.
- Verser l'huile en dernier lieu. Conserver au réfrigérateur pendant 24 h avant de servir. Pour le service, disposer le gaspareau avec la gelée et les légumes.

Préparation: 15 min	**Cuisson:** 10 à 18 min
Rendement: 6 portions	**Prix de revient:** $$

Salade tiède de gaspareau au vinaigre de framboise, sur lit d'épinards

4 X 120 g (4 oz)	Filets de gaspareau
quantité suffisante	Sel et poivre
500 ml (2 tasses)	Huile
250 ml (1 tasse)	Vinaigre de framboise
2 paquets	Épinards
125 g (3 tasses)	Ciboulette fraîche, ciselée

Préparation: 10 min   **Cuisson:** 5 à 8 min
Rendement: 4 portions   **Prix de revient:** $$

- Faire macérer pendant 24 h le gaspareau assaisonné dans l'huile et le vinaigre de framboise. Égoutter. Faire griller.
- Laver, équeuter, égoutter et ciseler les épinards. Les déposer sur une assiette. Faire chauffer la marinade, arroser légèrement le filet de poisson d'un peu de marinade et conserver le reste pour d'autres utilisations.
- Parsemer de ciboulette fraîche, ciselée. Servir tiède.

ALOSE SAVOUREUSE

Alosa sapidissima (Wilson) 1811/*American shad*
Appellation erronée: alose d'Amérique

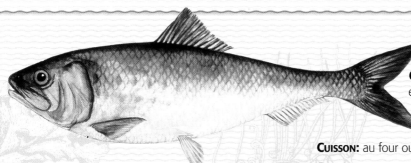

PROVENANCE: du golfe du Saint-Laurent jusqu'à la Floride.

OÙ ET QUAND LA TROUVER: en mai et en juin, en abondance.

TRAITEMENT ET COMMERCIALISATION: entière.

CUISSON: au four ou braisée.

APPRÉCIATION: une certaine clientèle trouve en effet que ce poisson est «savoureux».

CARACTÉRISTIQUES: bleu foncé sur le dos et blanc argenté sur les flancs et sur le ventre. Longueur pouvant atteindre 90 cm (35 po) et poids pouvant atteindre 4 kg (8 à 9 lb).

REMARQUES: l'alose savoureuse est un poisson anadrome, c'est-à-dire qu'elle pénètre dans les rivières à l'époque du frai.

TYPE DE CHAIR: grasse.

$

Alose pochée, crème d'herbes aromatiques du jardin

100 g (²/₃ tasse)	Beurre
4	Échalotes ciselées
20 g (¹/₂ tasse)	Ciboulette
8	Feuilles d'oseille
20	Feuilles d'estragon
6	Feuilles de laitue
60 g (1 tasse)	Persil
25 g (¹/₂ tasse)	Cerfeuil
200 ml (7 oz)	Noilly Prat blanc
60 ml (¹/₄ tasse)	Fond blanc de volaille (voir recettes de base)
quantité suffisante	Sel et poivre
1 litre (4 tasses)	Court-bouillon (voir recettes de base)
4 X 180 g (6 oz)	Filets d'alose savoureuse sans arêtes
200 ml (7 oz)	Crème à 35 %

- Avec le beurre, faire fondre les échalotes ciselées, ajouter toutes les herbes du jardin, le Noilly Prat et le fond de volaille. Saler, poivrer et laisser mijoter 4 à 5 min.
- Pendant cette cuisson, chauffer le court-bouillon et pocher les filets d'alose savoureuse 7 à 10 min selon l'épaisseur.
- Pendant la cuisson du poisson, émulsionner au mélangeur l'appareil précédent et incorporer la crème chaude. Rectifier l'assaisonnement et garder au chaud — maximum 85°C ou 170°F, à cause des acides.

Service: Au centre des assiettes, déposer les filets d'alose et napper de sauce aux herbes aromatiques.

Accompagnement: Salsifis ou topinambours.

Préparation: 30 min	**Cuisson:** 7 à 15 min
Rendement: 4 portions	**Prix de revient:** $$

Filets d'alose savoureuse au pain d'épices

100 g (env. 3 oz)	Pain d'épices au miel
130 g (³/4 tasse)	Beurre doux
130 ml (env. ¹/2 tasse)	Huile d'arachide
quantité suffisante	Sel et poivre
4 X 150 g (5 oz)	Filets d'alose savoureuse
80 g (³/4 tasse)	Échalotes hachées
100 ml (3 ¹/2 oz)	Vin blanc
120 ml (¹/2 tasse)	Fond brun de veau (voir recettes de bases)

- Au robot culinaire ou au couteau, hacher très finement le pain d'épices.
- Faire chauffer doucement 50 g (4 ¹/2 c. à soupe) de beurre et 50 ml (3 c. à soupe) d'huile. Saler et poivrer les filets d'alose savoureuse, les tremper dans le beurre et l'huile et les enrober de pain d'épices haché. Réserver au réfrigérateur au moins 30 min. Cette opération a pour but de faire adhérer le pain d'épices haché au poisson par le refroidissement des gras.
- Faire chauffer le reste du beurre et de l'huile et cuire les filets d'alose à la meunière. Réserver.
- Déglacer la poêle avec les échalotes et le vin. Réduire et incorporer le fond brun de veau.
- Déposer chaque filet d'alose au milieu d'une assiette et faire un cordon de sauce autour.

Accompagnement: Petites pommes de terre cocotte à l'eau.

Note: Ce poisson possède une chair très fine et délicate, mais il contient beaucoup d'arêtes.

Préparation: 25 min	**Cuisson:** 15 min
Rendement: 4 portions	**Prix de revient:** $$

SARDINE

Sardina pilchardus (Walbaum) 1792/*Pilchard*

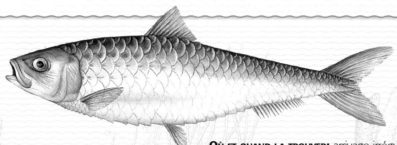

CARACTÉRISTIQUES: petit poisson de pleine mer, vivant en bancs compacts. Dos dans les tons de bleu avec parfois des reflets dorés et ventre argenté. Grandes écailles qui s'enlèvent facilement.

TYPE DE CHAIR: grasse.

PROVENANCE: Atlantique Sud.

OÙ ET QUAND LA TROUVER: arrivage irrégulier dans les poissonneries où l'on vend des produits d'importation.

TRAITEMENT ET COMMERCIALISATION: entière.

CUISSON: grillée.

APPRÉCIATION: excellente grillée... mais à l'extérieur, car elle dégage de fortes odeurs.

$$

Filets de sardines à l'aneth

16	Sardines assez grosses
quantité suffisante	Poivre
quantité suffisante	Gros sel de mer
quantité suffisante	Brins d'aneth ou de fenouil
50 ml (3 c. à soupe)	Huile d'olive extra-vierge

- Nettoyer les sardines en coupant la tête aux 2/3 du dos vers la gorge sans la détacher complètement. La tirer ensuite, elle viendra en entraînant les entrailles. Avec le pouce, glisser le long de l'arête centrale, partager le corps en deux jusqu'à la queue que l'on conserve et retirer l'arête. La sardine est ouverte à plat et a conservé sa peau. Elle est en porte-feuille. Avec un couteau, éliminer les grandes arêtes de côté et retirer la vertèbre. (Voir photos des techniques Comment désosser un poisson par le ventre.)

- Poivrer et saler au gros sel de mer, puis parsemer chaque sardine de brins d'aneth ou de fenouil. Passer dessus un pinceau imbibé de très peu d'huile d'olive et laisser les sardines au frais 2 h.

- Au moment de la dégustation, chauffer une poêle Téfal avec quelques gouttes d'huile. Replier chaque sardine sur l'aneth, après en avoir rajouté un peu de chaque côté et cuire à feu moyen 1 min de chaque côté.

- Servir immédiatement avec des petites pommes de terre sautées.

Préparation: 10 min	**Cuisson:** 2 à 4 min
Rendement: 4 portions	**Prix de revient:** $$

Escabèche de sardines

24	Sardines (de 24 à 26 au kg)
quantité suffisante	Farine
150 ml (env. 2/3 tasse)	Huile d'olive
12	Petits oignons blancs
1	Oignon blanc, haché
2	Carottes en rondelles fines
4	Gousses d'ail
200 ml (7 oz)	Vinaigre de vin blanc
400 ml (14 oz)	Eau
1	Feuille de laurier
1 pincée	Brindilles de thym
1 pincée	Safran haché
1 soupçon	Poivre de Cayenne
quantité suffisante	Sel et poivre

Préparation: 25 min **Cuisson:** 15 min
Rendement: 4 portions **Prix de revient:** $$

- Bien nettoyer les sardines et bien les essuyer, puis les passer dans la farine en les secouant par la queue pour enlever l'excédent de farine.
- Faire chauffer la moitié de l'huile et frire vivement pendant 1 min de chaque côté. Les déposer sur un papier essuie-tout et les ranger tête à queue dans un plat de dimension appropriée.
- Chauffer le reste de l'huile et faire revenir à feu doux pendant 7 à 8 min les petits oignons blancs, l'oignon, les carottes et l'ail. Ajouter le vinaigre, l'eau, le laurier, le thym, le safran et le poivre de Cayenne. Saler, poivrer et laisser mijoter pendant 15 min.
- Verser cette préparation bien chaude sur les sardines. Laisser refroidir et conserver au réfrigérateur au moins 24 h. Servir bien froid.

Accompagnement: Salade de pommes de terre.

ÉPERLAN, ROUGET, DORADE ET LES AUTRES

Familles diverses

Ce groupe est composé de plusieurs espèces de différentes familles qui sont commercialisées au Québec. Certains de ces poissons sont déjà très connus, d'autres demandent à être découverts.

Loquette d'Amérique

Tanche-tautogue

Capelan

Éperlan

Aiguillat commun

Baudroie

Congre d'Amérique

Sébaste

Rouget

Saint-pierre

Dorade

Prionote du nord

Loup de l'Atlantique

Vivaneau

Espadon

LOQUETTE D'AMÉRIQUE

Macrozoarces americanus (Bloch et Schneider) 1801/*Ocean pout*

Appellation erronée: *eelpout*

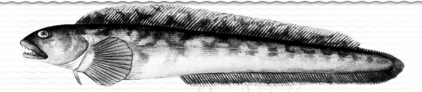

CARACTÉRISTIQUES: peut atteindre 1,15 m (3 3/4 pi) et un poids de 5,5 kg (12 lb), mais en général les exemplaires de plus de 80 cm (31 1/2 po) sont rares. Sa couleur varie du jaunâtre au brun rougeâtre, parsemée de taches grises ou vert olive.

TYPE DE CHAIR: maigre.

PROVENANCE: partie ouest de l'Atlantique du Nord, de Battle Harbour (Labrador) au Delaware, du sud du golfe du Saint-Laurent jusqu'au New Jersey.

OÙ ET QUAND LA TROUVER: on peut actuellement se la procurer sur commande directement des pêcheurs.

TRAITEMENT ET COMMERCIALISATION: en filets surgelés (tout nouveau sur le marché).

CUISSON: meunière, pochée ou vapeur.

APPRÉCIATION: excellent poisson dont la chair à la cuisson ressemble à celle de la sole.

REMARQUES: ce poisson ressemble au loup atlantique, mais son corps est plus grêle et ses lèvres plus grosses.

$$

Loquette d'Amérique en papillote d'épinard

300 g (10 oz)	Feuilles d'épinard
quantité suffisante	Sel et poivre
800 g (1 3/4 lb)	Filets de loquette d'Amérique
150 g (env. 3/4 tasse)	Beurre
1	Citron à vif en dés
250 ml (1 tasse)	Vin blanc sec
quantité suffisante	Fumet de poisson
400 g (14 oz)	Rhubarbe (tiges)
200 g (2 tasses)	Poireaux en julienne
200 g (1 3/4 tasse)	Carottes en julienne
quantité suffisante	Sucre
150 ml (env. 2/3 tasse)	Crème à 35 %

Préparation: 30 min   **Cuisson:** 10 à 15 min
Rendement: 4 portions   **Prix de revient:** $$

- Blanchir les feuilles d'épinard dans l'eau salée et les refroidir à l'eau glacée.
- Assaisonner de sel et de poivre les filets de loquette d'Amérique, les déposer sur chaque feuille d'épinard, ajouter 50 g (4 1/2 c. à soupe) de beurre sur chaque filet et quelques dés de citron à vif. Envelopper le poisson des feuilles d'épinard et ficeler.
- Badigeonner un plat allant au four avec 50 g (4 1/2 c. à soupe) de beurre, déposer les filets de loquette enveloppés d'épinards. Mouiller avec le vin blanc et le fumet de poisson, puis recouvrir d'un papier d'aluminium et cuire au four à 200°C (400°F) une dizaine de minutes.
- Pendant ce temps, éplucher les tiges de rhubarbe et les émincer. Avec le reste du beurre, faire sauter la rhubarbe, puis ajouter les

poireaux et les carottes. Laisser étuver jusqu'à complète cuisson. Goûter et, si le mélange est trop acide, ajouter un peu de sucre.

- Après la cuisson des loquettes, récupérer le jus de cuisson dans une casserole, puis réduire des 9/10. Ajouter la crème, réduire de moitié et verser dans la casserole de légumes.

Service: Déposer l'appareil de sauce aux légumes au fond de l'assiette, puis ranger dessus la loquette après avoir pris soin d'en enlever la ficelle.

Filets de loquette d'Amérique aux moules de baies

80 g (1/2 tasse)	**Herbes salées**
4 X 150 g (5 oz)	**Filets de loquette**
quantité suffisante	**Sel et poivre**
60 g (1/2 tasse)	**Échalotes hachées**
160 ml (env. 2/3 tasse)	**Jus de moule**
120 ml (1/2 tasse)	**Fond brun de volaille**
70 g (6 c. à soupe)	**Beurre doux en pommade**
160 g (env. 5 oz)	**Moules de baies sans coquilles**
20 g (1/2 tasse)	**Ciboulette ciselée**

- Faire blanchir les herbes salées, c'est-à-dire les mettre à l'eau froide et, au premier bouillon, égoutter rapidement.
- Déposer les filets de loquette assaisonnés dans un plat allant au four, parsemer des échalotes hachées, puis verser le jus de moule. Couvrir avec un papier d'aluminium et cuire au four à 200°C (400°F) jusqu'à ce que de petits points blancs sortent des filets, puis réserver les filets.
- Faire réduire le jus de cuisson des 9/10, ajouter le fond de volaille et réduire de moitié. Monter cette sauce avec le beurre en pommade.
- Quelques minutes avant de servir, ajouter les moules décortiquées et les herbes salées. Laisser mijoter quelques minutes avant de servir.
- Déposer les filets au milieu de l'assiette, verser la sauce dessus et parsemer de ciboulette ciselée.

Accompagnement: Riz cuit à l'eau.

NOTE: Ce poisson est très peu utilisé, il demande cependant à être mieux connu, car il est excellent et possède la texture de la sole.

Préparation: 30 min	**Cuisson**: 10 min
Rendement: 4 portions	**Prix de revient**: $$

Photo page suivante →

TANCHE-TAUTOGUE

Tautogolabrus adspersus (Walbaum) 1792/*Cunner*
Appellations erronées: tanche, perche et achigan de mer

Type de chair: mi-grasse.

Provenance: côte Atlantique de l'Amérique du Nord, du golfe du Saint-Laurent jusqu'à l'embouchure de la baie Chesapeake.

Où et quand la trouver: ce poisson est actuellement peu demandé. On peut se le procurer sur commande directement des pêcheurs.

Traitement et commercialisation: en filets surgelés.

Cuisson: meunière, pochée, vapeur ou grillée.

Appréciation: goût intéressant à développer.

$

Caractéristiques: pouvant atteindre jusqu'à 50 cm (20 po) de longueur, d'un poids de 1,6 kg (3 ½ lb). Sa couleur varie selon la nature des fonds marins. Elle peut être tachetée de rougeâtre, de brun et de bleu, l'une de ces couleurs étant prédominante.

Filets de tanche-tautogue en croûte d'épices

20 g (2 c. à soupe)	Échalote émincée		3 g (2 c. à thé)	Oignon sec moulu
100 ml (3 ½ oz)	Huile d'olive		2 g (½ c. à thé)	Quatre-épices en poudre
8	Tomates émondées, épépinées en dés		2 g (1 c. à thé)	Gingembre en poudre
1	Gousse d'ail hachée finement		2 g (½ c. à thé)	Sel de céleri en poudre
quantité suffisante	Sel et poivre		4 X 180 g (6 oz)	Filets de tanche-tautogue
150 ml (env. ⅔ tasse)	Fond brun de volaille (voir recettes de base)		100 g (⅔ tasse)	Beurre doux
30 g (⅔ tasse)	Feuilles de basilic ciselé		300 g (10 oz)	Rapinis
5 g (1 ¾ c. à thé)	Paprika en poudre			
1 pincée	Piment de Cayenne en poudre			
quantité suffisante	Poivre noir moulu			
1 pincée	Brindilles de thym			

- Dans une casserole, faire suer l'échalote dans 50 ml (3 c. à soupe) d'huile d'olive, ajouter les tomates en dés et la gousse d'ail, saler et poivrer. Laisser mijoter quelques minutes et ajouter le fond de volaille et le basilic ciselé. Cuire 20 min et réserver.

- Mélanger toutes les épices ensemble.
- Couper les filets de tanche-tautogue en morceaux d'égales grosseurs.
- Saler et poivrer les filets de poisson. Les enrober dans le mélange d'épices et les saisir dans une poêle Téfal sans corps gras pour colorer légèrement les épices, puis déposer de petites noix de beurre (60 g ou 1/3 tasse) sur chaque filet pour terminer la cuisson. Réserver.

- Parallèlement, dans 50 ml (3 c. à soupe) d'huile d'olive et 40 g (3 c. à soupe) de beurre doux, faire sauter vivement les rapinis. Assaisonner.

Service: Déposer la sauce au fond de l'assiette, puis les filets de tanche-tautogue dessus. Disposer en haut de l'assiette les rapinis sautés.

Préparation: 20 min	**Cuisson:** 5 à 10 min
Rendement: 4 portions	**Prix de revient:** $$

Tanche-tautogue à la livèche

1,6 kg (3 1/2 lb)	Tanche-tautogue
quantité suffisante	Sel et poivre
60 ml (1/4 tasse)	Huile d'olive
120 g (1 tasse)	Échalotes hachées
1	Gousse d'ail hachée
160 g (2/3 tasse)	Feuilles de céleri
160 g (2/3 tasse)	Feuilles de livèche
100 g (2/3 tasse)	Beurre
120 ml (1/2 tasse)	Vin blanc
100 ml (3 1/2 oz)	Fond brun de veau (voir recettes de base)

- Enlever les arêtes de la tanche-tautogue par le ventre, saler, poivrer et réserver.
- Faire chauffer l'huile d'olive, fondre la moitié des échalotes hachées avec l'ail haché, puis ajouter les feuilles de céleri et de livèche. Cuire 10 min ou jusqu'à évaporation complète de l'humidité, assaisonner et réserver au réfrigérateur une dizaine de minutes.

- Farcir la tanche avec le mélange précédent. Avec 60 g (1/3 tasse) de beurre, beurrer le fond d'un plat allant au four et parsemer du reste des échalotes. Déposer le poisson, puis verser le vin blanc. Recouvrir d'un papier d'aluminium et cuire au four à 200°C (400°F) pendant 20 min.
- Enlever le fond de cuisson dans une casserole, le réduire des 9/10 et ajouter le fond brun de veau. Monter la sauce avec le reste du beurre.
- Déposer au centre de l'assiette un morceau de tanche-tautogue avec la garniture et napper de sauce.

Accompagnement: Pommes de terre cuites à l'eau.

NOTE: Ce poisson, qui est le principal prédateur du homard, possède des qualités culinaires appréciables.

Préparation: 30 min	**Cuisson:** 20 à 30 min
Rendement: 4 portions	**Prix de revient:** $$

Photo page 175

CAPELAN

Mallotus villosus (Müller) 1777/*Capelin*
Appellations erronées: capelin et caplan

CARACTÉRISTIQUES: dos dans les tons de vert, ventre blanc et côtés argentés sous la ligne latérale. Longueur pouvant atteindre 26 cm (10 po).

TYPE DE CHAIR: maigre.

PROVENANCE: golfe Coronation, baie James, baie d'Hudson et baie d'Ungava et, vers le sud, jusqu'au golfe du Saint-Laurent.

OÙ ET QUAND LE TROUVER: en juin et en juillet, en abondance.

TRAITEMENT ET COMMERCIALISATION: entier.

CUISSON: en friture, au four ou meunière.

APPRÉCIATION: goût délicat.

REMARQUES: le capelan est un poisson de haute mer qui vient sur la côte pour frayer sur les grèves de gros sable ou de gravier fin. De grandes quantités de capelan fraient juste à l'endroit où les vagues se brisent sur la plage.

$$

Capelans marinés au vin blanc

600 g (env. 1 ¹/₄ lb)	Capelans frais (petits)
125 g (¹/₂ tasse)	Gros sel
125 ml (¹/₂ tasse)	Huile d'olive
125 ml (¹/₂ tasse)	Huile d'arachide
90 g (²/₃ tasse)	Oignon émincé
350 g (3 tasses)	Fenouil émincé
30 g (1 c. à soupe)	Aneth haché
30 g (¹/₂ tasse)	Persil chinois, haché
5 g (¹/₂ c. à thé)	Sel
5 g (1 c. à thé)	Chiles (piments) broyés
750 ml (3 tasses)	Vin blanc
250 ml (1 tasse)	Vinaigre

- Nettoyer les capelans. Les couvrir de gros sel et laisser pendant 2 h. Bien essuyer les capelans et les faire sauter dans le mélange d'huile fumante. Les égoutter et bien les éponger pour enlever toute trace de gras. Mélanger les capelans avec les oignons, le fenouil, l'aneth, le persil chinois, le sel et les chiles (piments) broyés.
- Mouiller avec le vin blanc et le vinaigre. Laisser mariner pendant 24 h.
- Se sert accompagné de tranches de pommes de terre tièdes cuites à l'eau.

Préparation: 30 min	**Cuisson:** 5 à 8 min
Rendement: 6 portions	**Prix de revient:** $$

Capelans de Charlevoix

100 ml (3 ½ oz)	Huile d'arachide
600 g (env. 1 ¼ lb)	Capelans
300 g (10 oz)	Bacon
quantité suffisante	Sel et paprika
6	Quartiers de citron
quantité suffisante	Persil haché

• Avec 50 ml (env. 2 oz) d'huile, badigeonner le fond d'un moule. Y disposer les capelans et les tranches de bacon en les entrelaçant (comme si vous tressiez un panier). Saler et badigeonner avec le reste de l'huile. Saupoudrer de paprika. Cuire au four à 200°C (400°F) de 10 à 15 min, jusqu'à ce que le dessus soit doré.

• Servir avec des quartiers de citron et garnir de persil haché.

Préparation: 30 min **Cuisson:** 10 à 15 min
Rendement: 6 portions **Prix de revient:** $$

Capelans marinés au vin blanc

ÉPERLAN

Osmerus mordax (Mitchill) 1815/*American smelt*
Appellations erronées: épelan, éperlan arc-en-ciel et éplan

CARACTÉRISTIQUES: dos dans les tons de vert, flancs plus pâles avec bande argent et ventre argenté; ensemble du corps parsemé de petits points noirâtres. Longueur variant de 13 à 20 cm (5 à 8 po).

TYPE DE CHAIR: maigre.

PROVENANCE: le long du littoral atlantique de l'Amérique du Nord.

OÙ ET QUAND LE TROUVER: en octobre et en novembre, en abondance.

TRAITEMENT ET COMMERCIALISATION: entier.

CUISSON: grillé, au four, à la meunière ou frit.

APPRÉCIATION: les petits éperlans sont excellents en petite friture. S'il s'agit de poissons plus gros, les cuire au four.

REMARQUES: l'éperlan vit dans les eaux côtières et remonte les cours d'eau pour frayer.

$$

Éperlans farcis à la mousse d'oursin

8	Petits oursins
85 g (3 oz)	Filet de plie
1	Blanc d'œuf
130 ml (env. 1/2 tasse)	Crème à 35 %
quantité suffisante	Sel et poivre
16	Éperlans de grosseur moyenne
125 ml (1/2 tasse)	Vin blanc
20 g (1 c. à thé)	Échalotes sèches, hachées
200 ml (7 oz)	Fumet de poisson
1	Citron (jus)
quantité suffisante	Garniture aux petits légumes (facultatif)

- Ouvrir les oursins et les évider complètement; réserver le liquide, la chair (gonades) et les coquilles séparément. Passer la chair de plie au robot de cuisine. Ajouter la chair des oursins et bien mélanger. Incorporer le blanc d'œuf et 50 ml (3 c. à soupe) de crème. Saler, poivrer et réserver cette farce au frais. Ultérieurement, farcir les coquilles d'oursin préalablement lavées et sans épines avec le mélange précédent.

- Enlever les arêtes centrales des éperlans, puis les saler et les poivrer. Farcir les éperlans avec le reste de la farce et les réserver. Faire pocher les coquilles d'oursin au four à 200°C (400°F), au bain-marie, pendant 10 à 12 min.

- Faire chauffer le vin blanc. Ajouter les échalotes et les éperlans et faire cuire au four à 190°C (375°F) pendant 2 à 3 min. Bien éponger les éperlans cuits sur un linge. Faire réduire des 3/4 le jus de cuisson des éperlans avec le fumet de poisson. Ajouter le reste de la crème et laisser réduire de nouveau jusqu'à ce que la sauce soit bien lisse. Ajouter le jus d'oursin et le jus de citron. Passer cette sauce au chinois étamine ou passoire à mailles fines et la réserver au chaud. Saler et poivrer au goût.

Préparation: 45 min	**Cuisson:** 2 à 8 min
Rendement: 4 portions	**Prix de revient:** $$$

- Dresser les éperlans en étoile sur des assiettes chaudes. Napper les poissons de sauce. Disposer deux oursins farcis dans chaque assiette. Si désiré, servir avec des petits légumes tournés.

Beignets d'éperlan à la farine de sarrasin

3 douzaines	Éperlans
quantité suffisante	Sel et poivre
100 g (1/2 tasse)	Farine de sarrasin
3 g (1/2 c. à thé)	Levure chimique
45 g (1/3 tasse)	Fécule de maïs
65 g (2 c. à soupe)	Oignons déshydratés
1	Œuf
150 ml (env. 2/3 tasse)	Lait
quantité suffisante	Huile à frire
2	Citrons

Préparation: 20 min	**Cuisson:** 5 min
Rendement: 6 portions	**Prix de revient:** $$

- Extraire la grande arête des éperlans à l'aide d'un couteau d'office en entaillant le dos, de la tête vers la queue. Assaisonner les poissons et les réserver.
- Tamiser les ingrédients secs ensemble et bien mélanger. Ajouter l'œuf. Mélanger en ajoutant graduellement le lait. Laisser reposer la pâte pendant 20 min.
- Faire chauffer l'huile jusqu'à 150°C (300°F). Tremper chaque éperlan dans la pâte et les faire frire dans l'huile pendant environ 3 min. Servir ces poissons chauds avec des quartiers de citron.

Éperlans farcis à la mousse d'oursin

AIGUILLAT COMMUN

Squalus acanthias (Linné) 1758/*Spiny dogfish*
Appellations erronées: chien, chien de mer et saumonette

CARACTÉRISTIQUES: dos gris parfois teinté de brun et ventre variant du gris pâle au blanc. Poisson pouvant mesurer jusqu'à 135 cm (53 po) et pouvant peser jusqu'à 9,2 kg (20 lb).

TYPE DE CHAIR: mi-grasse.

PROVENANCE: des deux côtés de l'Atlantique nord, surtout les eaux tempérées et subarctiques.

OÙ ET QUAND LE TROUVER: de juin à octobre.

TRAITEMENT ET COMMERCIALISATION: entier, écorché* et en filets.

CUISSON: braisé, au four ou vapeur.

APPRÉCIATION: surprenant, malgré sa texture.

REMARQUES: nos eaux canadiennes de l'Atlantique regorgent de ces poissons qui demandent à être mieux connus. D'autres requins sont disponibles et deviennent de plus en plus populaires sur les tables de restaurants:
• le mako *(Isurus oxyrinchus)* Rafinesque 1810: espèce d'eaux profondes, sa chair ressemble à celle de l'espadon;
• la roussette *(Scyliorhinus canicula)* Linné 1758: cousin de l'aiguillat;
• le requin hâ *(Galeorhinus galeus)* Linné 1758.

* Comme pour l'anguille, on enlève la peau de ce poisson en l'accrochant par la tête et en tirant sur la peau.

$$

Aiguillat aux algues et aux poires

3	Poires à cuire
200 ml (7 oz)	Fumet de poisson
150 ml (env. 2/3 tasse)	Vin blanc sec
30 g (1 c. à thé)	Échalotes sèches, hachées
quantité suffisante	Algues noires, sèches
120 ml (1/2 tasse)	Crème à 35 %
quantité suffisante	Sel et poivre
800 g (1 3/4 lb)	Aiguillats communs, écorchés*
1	Citron (jus)
50 g (4 1/2 c. à soupe)	Beurre
quantité suffisante	Ciboulette hachée
200 g (2 tasses)	Haricots verts, extra-fins

• Éplucher les poires, les faire cuire dans le fumet de poisson et garder 4 moitiés de poire pour la garniture. Couper l'autre poire en petits dés.

• Faire chauffer le vin blanc avec les échalotes et laisser réduire des 9/10. Ajouter les algues et la poire en dés. Ajouter le fumet de poisson et faire réduire de moitié. Laisser refroidir ces légumes. Faire chauffer la crème et la laisser réduire de moitié; l'ajouter à la sauce aux algues. Saler et poivrer.

- Dans un plat allant au four, déposer le poisson préalablement coupé en tronçons de 10 à 12 cm (4 à 5 po). Verser la sauce sur le poisson et le faire cuire au four à 200°C (400°F) pendant 10 à 12 min, selon l'épaisseur des tronçons. Répartir le poisson cuit dans les assiettes de service. Ajouter le jus de citron, le beurre, le sel et le poivre à la sauce, puis la verser sur le poisson. Garnir chaque assiette avec une demi-poire et parsemer de ciboulette hachée. Servir avec les haricots verts cuits à l'eau salée.

* Écorché: Comme pour l'anguille, on enlève la peau de ce poisson en l'accrochant par la tête et en tirant sur la peau.

Préparation: 35 min	**Cuisson:** 10 à 12 min
Rendement: 4 portions	**Prix de revient:** $$

Photo page suivante →

Tronçons d'aiguillat aux effluves de cacao

4	Épis de maïs
1	Oignon espagnol, haché
1/2	Gousse d'ail hachée finement
5	Tomates, émondées, épépinées et en dés
10	Feuilles de coriandre fraîche
30 g (2/3 tasse)	Ciboulette ciselée
5 g (1/2 c. à soupe)	Piment vert piquant en dés
2	Limes (jus)
quantité suffisante	Sel et poivre
200 ml (7 oz)	Fond brun de volaille lié (voir recettes de base)
60 g (2/3 tasse)	Cacao non sucré
4 X 180 g (6 oz)	Aiguillats écorchés (sans la peau) en tronçons

- Cuire les épis de maïs à l'eau salée. Une fois cuits, les égrener et conserver au chaud.
- Déposer dans un bol l'oignon, l'ail haché, les tomates coupées en dés, les feuilles de coriandre, la ciboulette ciselée, le piment vert piquant en dés et le jus de lime. Saler, poivrer et laisser macérer au moins 1 h.
- Chauffer le fond brun de volaille avec le cacao non sucré et pocher les tronçons d'aiguillat 8 à 12 min selon la grosseur des tronçons. Goûter et rectifier l'assaisonnement au besoin.

Service: Au centre de l'assiette, déposer la macération de légumes, disposer dessus un tronçon d'aiguillat, puis napper de sauce. Disposer autour les grains de maïs.

Préparation: 20 min	**Cuisson:** 8 à 15 min
Rendement: 4 portions	**Prix de revient:** $$

BAUDROIE

Lophius americanus (Valenciennes) 1837/*Monkfish*
Appellations erronées: crapaud de mer, lotte et diable de mer

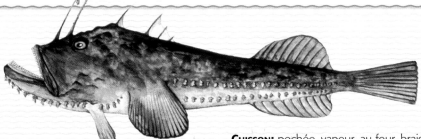

CARACTÉRISTIQUES: dos dans les tons de brun parsemé de taches foncées et ventre blanchâtre. Poisson pouvant atteindre une longueur de 140 cm (55 po) et un poids de 22,7 à 27,2 kg (50 à 60 lb).

TYPE DE CHAIR: maigre et ferme.

PROVENANCE: côte Est de l'Amérique du Nord, à partir de la partie nord du golfe du Saint-Laurent jusqu'à la Caroline du Nord.

OÙ ET QUAND LA TROUVER: de juin à août, en abondance.

TRAITEMENT ET COMMERCIALISATION: entière et en filets.

CUISSON: pochée, vapeur, au four, braisée ou rôtie.

APPRÉCIATION: ce poisson est idéal pour une personne qui commence à consommer du poisson. Sans saveur particulière ni odeur, il se marie avec toutes les sauces.

REMARQUES: la baudroie est appelée lotte, lorsqu'elle a la tête coupée. Pourquoi? Ce poisson est tellement vilain qu'en changeant son nom pour celui de «lotte», on oublie sa laideur. La baudroie est fort appréciée par les personnes qui n'aiment pas les poissons avec des arêtes, car elle n'a qu'une grande arête centrale.

$$

Médaillons de baudroie aux deux sauces

700 g (1 ½ lb)	Filets de baudroie
quantité suffisante	Sel et poivre
quantité suffisante	Beurre

SAUCE AUX TOMATES ET AUX MOULES:

200 ml (7 oz)	Vin blanc
80 g (¾ tasse)	Échalotes finement hachées
50 g (3 c. à soupe)	Pâte de tomate
200 ml (7 oz)	Jus de moule
200 ml (7 oz)	Fumet de poisson
quantité suffisante	Roux blanc (voir recettes de base)

SAUCE AUX ASPERGES:

200 g (7 oz)	Asperges fraîches
150 ml (env. ⅔ tasse)	Crème à 35 %

• Couper les filets de baudroie en médaillons et les déposer dans un plat allant au four. Saler et poivrer les médaillons, puis parsemer de noisettes de beurre à la surface. Faire cuire le poisson à la salamandre ou au four à 230°C (450°F) pendant quelques minutes, selon l'épaisseur des médaillons. Verser la sauce aux tomates dans une moitié des assiettes préalablement réchauffées, puis verser la sauce aux asperges dans l'autre moitié. Dresser les médaillons de baudroie sur ces sauces et servir immédiatement avec une garniture au choix.

- **Sauce aux tomates et aux moules:** Faire chauffer le vin blanc avec la moitié des échalotes et laisser réduire complètement. Ajouter la pâte de tomate et bien faire cuire afin d'enlever l'acidité. Ajouter la moitié du jus de moule et du fumet de poisson. Laisser cuire pendant 10 à 15 min. Lier la sauce au roux blanc; la saler et la poivrer, puis la monter au beurre. Passer cette sauce au chinois étamine ou passoire à mailles fines et la réserver au chaud.
- **Sauce aux asperges:** Faire cuire les asperges à l'eau bouillante salée; les égoutter et les réduire en purée au mélangeur. Incorporer la crème froide, puis saler et poivrer. Faire chauffer le vin blanc avec le reste des échalotes et laisser réduire des 9/10. Ajouter le reste du jus de moule et du fumet de poisson et laisser cuire pendant 10 min. Incorporer graduellement le mélange d'asperges. Saler, poivrer et passer cette sauce au chinois étamine ou passoire à mailles fines, puis la monter au beurre. Réserver la sauce sur le coin du feu.

Préparation: 1 h	**Cuisson:** 10 à 15 min
Rendement: 4 portions	**Prix de revient:** $$$

Ragoût de baudroie au cari

1 kg (2 1/4 lb)	Filets de baudroie, parés
165 g (1 tasse)	Oignons hachés
60 g (1/2 tasse)	Échalotes hachées
40 g (3 1/2 c. à soupe)	Beurre
quantité suffisante	Sel et poivre
100 ml (3 1/2 oz)	Cognac
200 g (2 tasses)	Tomates émondées, épépinées et concassées
1	Gousse d'ail hachée
60 g (2 c. à soupe)	Cari
200 ml (7 oz)	Crème à 35 %
1 pointe	Poivre de Cayenne
quantité suffisante	Persil haché

- Couper la baudroie en morceaux.
- Faire blondir l'oignon haché et l'échalote au beurre, dans un sautoir assez large. Assaisonner la baudroie de sel et de poivre et l'ajouter au mélange d'oignons; faire saisir à feu vif. Arroser de cognac et flamber. Ajouter la tomate, l'ail et la poudre de cari. Faire cuire pendant 7 à 8 min, à feu doux et à couvert. Retirer les morceaux de baudroie du sautoir et les laisser égoutter. Passer la sauce au chinois étamine ou passoire à mailles fines et la remettre sur le feu. Ajouter la crème et laisser cuire pendant quelques minutes. Vérifier l'assaisonnement et ajouter une pointe de poivre de Cayenne. Remettre la baudroie dans la sauce. Laisser mijoter pendant quelques minutes.
- Dresser ce mets dans un plat, persiller et servir sans tarder. On peut servir les légumes de cuisson.

Préparation: 30 min	**Cuisson:** 15 min
Rendement: 6 portions	**Prix de revient:** $$$

Photo page 185

CONGRE D'AMÉRIQUE

Conger oceanicus (Mitchill) 1818/*American conger eel*
Appellation erronée: serpent de mer

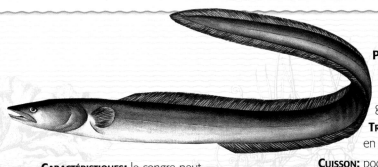

PROVENANCE: plateau continental du côté est de l'Atlantique Nord.

OÙ ET QUAND LE TROUVER: arrivage irrégulier dans les poissonneries.

TRAITEMENT ET COMMERCIALISATION: entier, en morceaux et en filets.

CARACTÉRISTIQUES: le congre peut atteindre 2,10 m (7 pi) et 10 kg (22 lb). Couleur généralement dans les tons de gris, ventre blanchâtre, marges des nageoires dorsale et anale noires.

TYPE DE CHAIR: très serrée, au goût assez neutre.

CUISSON: poché, vapeur, au four ou braisé.

APPRÉCIATION: c'est un poisson qui, par sa texture et ses nombreuses arêtes, ne rendra heureux que les convaincus. Il fait obligatoirement partie de la composition d'une bouillabaisse marseillaise.

$$

Congre d'Amérique braisé à l'oseille

60 ml (¼ tasse)	Huile d'olive
4 X 180 g (6 oz)	Morceaux de congre écorchés*
250 g (env. ½ lb)	Oseille fraîche
60 g (⅓ tasse)	Beurre
1	Oignon blanc en brunoise
1	Carotte en brunoise
quantité suffisante	Sel et poivre
1	Gousse d'ail hachée
120 ml (½ tasse)	Jus de homard

- Chauffer l'huile et faire revenir les morceaux de congre. Les réserver sur un papier essuie-tout. Puis dans la même huile, faire sauter vivement les feuilles d'oseille et les égoutter dans une passoire.

- Chauffer le beurre et faire fondre l'oignon et la carotte en brunoise. Assaisonner les morceaux de congre, les déposer sur la brunoise, ajouter l'ail haché et les feuilles d'oseille autour et sur les poissons. Verser le jus de homard et cuire à basse température (70°C ou 160°F) au moins 40 min.

- À la sortie du four, parsemer de petites noix de beurre et servir tel quel.

Accompagnement: Riz créole ou pommes vapeur.

* Comme pour l'anguille, on enlève la peau de ce poisson en l'accrochant par la tête et en tirant sur la peau.

Préparation: 30 min	**Cuisson:** 15 min
Rendement: 4 portions	**Prix de revient:** $$

Congre au pesto, sur un lit de pois chiches

350 g (16 oz)	Pois chiches
1	Oignon ciselé
100 g (^{2}/3 tasse)	Beurre
400 g (3 tasses)	Macédoine de carottes et de céleri
350 ml (1 ^{1}/2 tasse)	Fond brun de veau (voir recettes de base)
1	Bouquet garni (voir lexique)
quantité suffisante	Sel et poivre

Pesto

50 g (^{1}/3 tasse)	Noix de pin
100 g (2 tasses)	Feuilles de basilic
50 g (4 ^{1}/2 c. à soupe)	Persil plat
50 g (^{1}/2 tasse)	Parmesan
150 ml (env. ^{2}/3 tasse)	Huile d'olive
4 X 200 g (7 oz)	Tronçons de congre
quantité suffisante	Sel et poivre

- Faire tremper les pois chiches à l'eau froide une douzaine d'heures, puis les cuire en commençant par de l'eau froide, sans sel.
- Dans une casserole, faire fondre l'oignon dans 50 g (4 ^{1}/2 c. à soupe) de beurre, puis ajouter la macédoine de carottes et de céleri, le fond de veau, le bouquet garni et laisser mijoter doucement, ajouter ensuite les pois chiches. Rectifier l'assaisonnement et réserver au chaud.
- **Pesto:** Faire griller les noix de pin dans une poêle Téfal, puis passer au mélangeur le basilic, le persil plat, le parmesan, l'huile d'olive et les noix de pin.
- Enrober les morceaux de congre écorchés (c'est-à-dire sans la peau) du pesto et cuire à la vapeur à l'aide d'une marguerite ou d'une marmite à étages. La cuisson terminée, saler et poivrer.

Service: Au fond de l'assiette, déposer les pois chiches, puis les morceaux de congre.

Préparation: 30 min	**Cuisson:** 15 à 20 min
Rendement: 4 portions	**Prix de revient:** $$

189

SÉBASTE

Sebastes marinus (Linné) 1758/*Redfish*
Appellations erronées: perche de mer, poisson rouge et rascasse du Nord

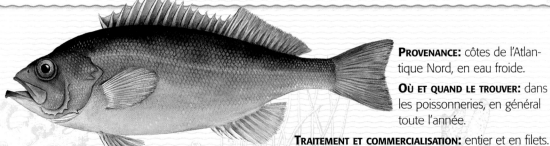

PROVENANCE: côtes de l'Atlantique Nord, en eau froide.

OÙ ET QUAND LE TROUVER: dans les poissonneries, en général toute l'année.

TRAITEMENT ET COMMERCIALISATION: entier et en filets.

CUISSON: entier au four, braisé, meunière ou grillé.

APPRÉCIATION: tout en étant fragile, ce poisson est très fin.

CARACTÉRISTIQUES: coloration du corps variant du orange au rouge vif et yeux noirs. Longueur variant de 20 à 41 cm (8 à 16 po) et poids moyen de 500 g (env. 1 lb).

REMARQUES: nous n'avons qu'une seule espèce de sébaste sur la côte Atlantique, tandis que sur les côtes du Pacifique, il y en a six.

TYPE DE CHAIR: délicate et fragile.

$$

Sébaste au cerfeuil, en papillote

1 kg (2 ¼ lb)	Sébaste
quantité suffisante	Sel et poivre
300 g (10 oz)	Pommes de terre coupées en petits dés
125 g (1 tasse)	Oignons en brunoise
½	Gousse d'ail hachée
40 g (¼ tasse)	Céleri en brunoise
500 g (2 ¾ tasses)	Tomates fraîches, émondées et épépinées, en dés
4	Branches de persil hachées
10 g (2 ½ c. à soupe)	Cerfeuil haché
100 ml (3 ½ oz)	Vin blanc sec
100 g (⅔ tasse)	Beurre doux fondu
30 ml (2 c. à soupe)	Huile d'olive
10 g (2 ½ c. à soupe)	Cerfeuil haché
1	Citron

- Bien gratter le sébaste afin d'enlever les écailles; le couper par le ventre et enlever l'arête centrale. Saler et poivrer le poisson, puis le réserver.

- Faire cuire aux ¾ les pommes de terre à l'eau salée, puis les laisser refroidir. Farcir le poisson avec ces pommes de terre. Déposer le poisson sur une feuille de papier d'aluminium; refermer celle-ci par le haut et laisser une moitié ouverte. Déposer l'oignon, l'ail, le céleri, les tomates, le persil et le cerfeuil sur le poisson et verser dans la papillote le vin blanc, le beurre et l'huile d'olive. Saler et poivrer.

- Refermer la papillote hermétiquement et faire cuire le poisson au four à 180°C (350°F) pendant 30 à 40 min, selon l'épaisseur du poisson. Sortir le poisson du four et ouvrir immédiatement la papillote. Diviser le poisson en portions et les déposer dans les assiettes très chaudes. Napper de jus de cuisson et servir avec la garniture de pommes de terre. Parsemer de cerfeuil et servir immédiatement avec des quartiers de citron.

Préparation: 40 min   **Cuisson:** 30 à 40 min
Rendement: 4 portions   **Prix de revient:** $$

*Filets de sébaste Doria**

8 X 60 g (2 oz)	Filets de sébaste avec la peau
125 g (1 tasse)	Farine
1	Œuf
125 g (1 tasse)	Chapelure blanche
30 ml (2 c. à soupe)	Huile d'arachide
120 g (³/4 tasse)	Beurre
3	Concombres
quantité suffisante	Sel et poivre
30 g (¹/2 tasse)	Persil haché
1	Gousse d'ail hachée
40 ml (3 c. à soupe)	Glace de viande (voir recettes de base)

- Laver les filets et les essuyer soigneusement avec du papier absorbant. Dans trois assiettes différentes, mettre la farine, l'œuf battu en omelette et la chapelure blanche. Passer successivement les filets dans la farine, l'œuf battu et la chapelure.
- Dans une poêle, mettre l'huile et la moitié du beurre. Chauffer et cuire les filets à feu vif; lorsqu'ils sont dorés d'un côté, les retourner avec une spatule et faire cuire l'autre face. La chair du poisson est tendre et cuit rapidement.
- Peler les concombres, puis les couper en tronçons de 5 cm (2 po) de longueur; les diviser en quatre. Dans une poêle, mettre le reste du beurre, y déposer les morceaux de concombre, saler, poivrer et laisser cuire lentement à découvert afin de faire évaporer l'eau des concombres. Tourner de temps en temps afin que les tronçons cuisent sur chacune des faces. Égoutter le gras de cuisson. Mélanger les concombres avec le persil et l'ail haché. Déposer au fond de l'assiette bien à plat, puis disposer les filets. De chaque côté, faire un cordon de glace de viande chaude.

Accompagnement: Pommes en olivette cuites à l'eau.

* Je dédie cette recette à mon regretté chef spirituel au Québec, M. Abel Benguet.

Préparation: 15 min   **Cuisson:** 5 à 6 min
Rendement: 4 portions   **Prix de revient:** $$$

Photo page suivante →

ROUGET-BARBET

Mullus barbatus (Linné) 1758/Goatfish
Appellations erronées: rouget grondin et grondon rouge

Caractéristiques: rose sur le dos et plus pâle sur le ventre. Petit poisson dépassant rarement 400 g (14 oz). Poisson de fond reconnaissable à la présence de deux barbillons sous le menton.

Type de chair: ferme et blanche. Goût délicat.

Provenance: mers chaudes.

Où et quand le trouver: arrivage irrégulier, dans les poissonneries où l'on vend des produits d'importation.

Traitement et commercialisation: entier.

Cuisson: grillé ou meunière.

Appréciation: très grande valeur culinaire, c'est un poisson de luxe.

Remarques: au Québec, nous utilisons généralement des rougets d'Afrique. Ils ont une jolie livrée rouge, rayée de fines bandes longitudinales et agrémentée de points jaunes et de points bleus sur les joues.

$$$$$

Tarte de rouget-barbet aux fines herbes et aux légumes croquants

8	Filets de rouget-barbet
400 g (14 oz)	Pâte feuilletée
4	Carottes coupées en tagliatelles
1	Blanc de poireau coupé en tagliatelles
120 g (1 tasse)	Céleri en branches coupé en tagliatelles
120 g (2/3 tasse)	Courgette coupée en tagliatelles
4	Tomates coupées en rondelles
4	Fonds d'artichaut cuits en fines lamelles
quantité suffisante	Sel et poivre

4	Feuilles de bette à carde ciselées
25 g (1/2 tasse)	Basilic frais, ciselé
50 g (3/4 tasse)	Persil frais, coupé
25 g (1/2 tasse)	Ciboulette fraîche, ciselée
25 g (env. 1 tasse)	Estragon en feuilles
10 g (1 3/4 c. à soupe)	Thym frais en petites brindilles
70 ml (env. 1/3 tasse)	Huile d'olive

- Bien éponger les filets de rouget. On aura pris soin de garder la peau écaillée dessus. Conserver au réfrigérateur.
- Étendre la pâte feuilletée et faire des cercles de 8 cm (3 po) de diamètre. Conserver au réfrigérateur une trentaine de minutes, puis

cuire ces abaisses de pâte feuilletée au four à 200°C (400°F) 4 à 5 min. Réserver.

- Pendant cette opération, chauffer de l'eau salée pour cuire les tagliatelles l'une après l'autre, puis les égoutter et les sécher dans un linge.
- Au fond des abaisses de pâte feuilletée à moitié cuites, déposer les tomates, les artichauts, les tagliatelles de légumes bien assaisonnées, puis parsemer des feuilles de bettes à carde ciselées, de basilic, de persil, de ciboulette, d'estragon et de thym.
- Sur chaque abaisse, ranger les filets de rouget en tête à queue. Cuire au four de 15 à 20 min à 190°C (375°F). À la sortie du four, napper avec de l'huile d'olive.

Préparation: 40 min	**Cuisson:** 15 à 30 min
Rendement: 4 portions	**Prix de revient:** $$$$

Rouget-barbet de roche au champagne

4 X 160 à 200 g (5 à 7 oz)	Rougets de roche
250 ml (1 tasse)	Champagne
160 ml (env. 2/3 tasse)	Velouté de poisson (voir recettes de base)
16	Pointes d'asperge blanche
24	Têtes de violon fraîches
quantité suffisante	Sel et poivre
quantité suffisante	Huile d'arachide
80 g (1/2 tasse)	Beurre
1/2 paquet	Champignons enokis

- Bien écailler les rougets, lever les filets, laver rapidement et bien essuyer. Réserver.
- Faire réduire le champagne des 7/10, puis ajouter le velouté de poisson. Réserver.
- Cuire les asperges et les têtes de violon en eau salée, séparément. Égoutter et réserver.
- Saler et poivrer les filets de rouget, les badigeonner d'huile et cuire à la grillade. Toujours commencer par le côté très chaud, puis finir par le côté moins chaud.
- Réchauffer la sauce, la monter au beurre, puis rectifier l'assaisonnement. Réchauffer les légumes au bain-marie.
- Disposer au fond de l'assiette la sauce, puis à cheval l'un sur l'autre les filets de rouget-barbet. Disposer les légumes délicatement autour et finir par les champignons crus.

Préparation: 25 min	**Cuisson:** 5 min
Rendement: 4 portions	**Prix de revient:** $$$$

Photo page 193

SAINT-PIERRE

Zeus faber (Linné) 1758/*Dory* et *John Dory*

TYPE DE CHAIR: très fine, très blanche et bien ferme. C'est l'un des meilleurs poissons, mais la perte à la préparation est de 65 à 70 % (grosse tête).

PROVENANCE: Atlantique près des côtes européennes.

OÙ ET QUAND LE TROUVER: arrivage irrégulier, dans les poissonneries où l'on vend des produits d'importation.

TRAITEMENT ET COMMERCIALISATION: entier et en filets.

CUISSON: vapeur, meunière, grillé ou au four.

APPRÉCIATION: poisson très apprécié en gastronomie.

CARACTÉRISTIQUES: poisson gris bleu avec deux grosses taches noires sur les flancs. Poids pouvant varier de 675 g à 2,7 kg (1 ½ à 6 lb).

REMARQUES: la chair du saint-pierre a un goût rappelant celle du crabe ou du homard.

$$$$$

Saint-pierre à la crème de caviar

150 g (5 oz)	Salsifis émincés
quantité suffisante	Lait
120 g (¾ tasse)	Petits pois frais
quantité suffisante	Sel et poivre
4 X 50 g (env. 2 oz)	Filets de saint-pierre
140 g (¾ tasse)	Beurre doux
300 ml (1 ¼ tasse)	Champagne
240 ml (1 tasse)	Bisque de crevette ou d'écrevisse (voir recettes de base)
80 ml (env. ⅓ tasse)	Crème sure
80 g (2 ¾ oz)	Caviar d'esturgeon du Témiscamingue

- Cuire les salsifis émincés dans du lait salé. Une fois cuits, les laisser dans le lait.
- Cuire les petits pois frais à l'eau salée.

- Saler et poivrer les filets de saint-pierre, puis avec 30 g (2 ½ c. à soupe) de beurre, badigeonner un plat allant au four et y déposer les poissons. Verser le champagne et parsemer de 70 g (6 c. à soupe) de beurre en petites noix. Couvrir avec un papier d'aluminium et cuire au four à 200°C (400°F), tout en surveillant bien les filets afin qu'ils restent moelleux.
- La cuisson terminée, verser le fond de cuisson dans une casserole et réduire de moitié. Ajouter la bisque de crevette ou d'écrevisse, laisser mijoter quelques minutes, puis incorporer en fouettant vivement la crème sure.
- Égoutter les salsifis et les petits pois, puis les faire sauter dans le reste du beurre. Assaisonner au goût.

- Juste avant de servir, incorporer le caviar d'esturgeon à la sauce.

Service: Disposer en haut de l'assiette, les salsifis et les petits pois, puis déposer les filets de saint-pierre et napper de sauce au caviar.

Préparation: 30 min	**Cuisson:** 10 à 15 min
Rendement: 4 portions	**Prix de revient:** $$$$

Filets de saint-pierre aux saveurs de pistache

160 g (env. 5 oz)	**Crosnes**
160 g (1 ½ tasse)	**Haricots verts extra-fins**
180 g (¾ tasse)	**Beurre de pistache**
4 X 130 à 150 g (4 à 5 oz)	**Filets de saint-pierre**
40 g (⅓ tasse)	**Échalotes hachées très finement**
120 ml (½ tasse)	**Vin blanc sec**
120 ml (½ tasse)	**Fumet de poisson**
quantité suffisante	**Sel et poivre**
quantité suffisante	**Pluches de cerfeuil**

- Cuire séparément en eau salée les crosnes et les haricots verts extra-fins. Réserver.
- Badigeonner un plat de dimensions appropriées allant au four de 80 g (⅓ tasse) de beurre de pistache, y disposer les filets de saint-pierre et les échalotes hachées, verser le vin blanc et le fumet de poisson. Couvrir avec un papier d'aluminium et cuire au four à 200°C (400°F).

- Attention: ce poisson est d'une grande délicatesse et ne doit surtout pas être trop cuit. Comme il est très mince, 4 à 5 min devraient suffire.
- Enlever les filets du plat et les réserver dans un endroit où ils resteront chauds. Faire réduire le jus de cuisson des 8/10.
- Déposer le jus bouillant réduit dans un mélangeur et incorporer le reste du beurre de pistache. Cette action aura pour but de lier l'ensemble.
- Réchauffer les légumes au bain-marie, c'est-à-dire dans un chinois étamine ou passoire à mailles fines à l'eau bouillante.
- Déposer les filets de saint-pierre au milieu des assiettes, napper de sauce aux pistaches et disposer les légumes assaisonnés autour, ainsi que les pluches de cerfeuil.

Préparation: 25 min	**Cuisson:** 4 à 8 min
Rendement: 4 portions	**Prix de revient:** $$$$

Photo page suivante →

DORADE

Spondyliesama cantharus (Linné) 1758/*Sea bream*
Appellations erronées: brème de mer, daurade et pageot gris

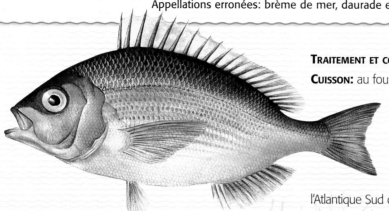

TRAITEMENT ET COMMERCIALISATION: entière.

CUISSON: au four, braisée, grillée ou à la meunière.

APPRÉCIATION: famille de poissons ayant une grande valeur culinaire.

REMARQUES: cette famille de *Sparidés* est peu présente au Canada et pourtant très vendue dans nos poissonneries, ces poissons viennent de l'Atlantique Sud ou de l'Europe.

Dorade royale *(Sparus aurata)*
Pagre *(Sparus pagrus)*
Dorade rose (rousseau) *(Pagellus centrodontus)*
Dorade rose *(Pagellus bogaraveo)*
Pageau *(Pagellus erythrinus)*
Bogue *(Boops, boops)*
Sar commun *(Diplodus sargus)*
Dente commun *(Dentex, dentex)*

Au Québec, nous utilisons beaucoup le vivaneau *(red snapper)* et les sébastes qui ne font pas partie de la famille des dorades.

$$$$

CARACTÉRISTIQUES: corps comprimé de 50 cm (20 po), poids pouvant atteindre 2 kg (4 ¹/₂ lb). Écailles très bien fixées, grisâtres et argentées aux reflets dorés.

TYPE DE CHAIR: très fine, blanche et savoureuse.

PROVENANCE: Atlantique Sud (Europe) et mer Méditerranée.

OÙ ET QUAND LA TROUVER: dans les poissonneries, en général toute l'année, selon les espèces et les catégories de dorade.

Dorade au four

2 X 600 à 900 g (1 ¹/₄ à 2 lb)	Dorades
quantité suffisante	Sel et poivre
2	Citrons en quartiers
2	Gousses d'ail
125 g (1 tasse)	Chapelure blanche
10 g (1 ¹/₂ c. à soupe)	Paprika
30 g (¹/₂ tasse)	Persil frais, haché
5	Pommes de terre moyennes
250 ml (1 tasse)	Eau
125 ml (¹/₂ tasse)	Huile d'olive
40 g (1 tasse)	Ciboulette fraîche, ciselée

- Bien écailler et laver les poissons, saler et poivrer. Faire 3 incisions parallèles d'environ 1 cm (¹/₂ po) de profondeur distancées de 3,5 cm (1 ¹/₄ po) dans le sens de la largeur de chaque poisson. Mettre dans chaque fente un morceau de citron en plaçant le côté de l'écorce vers l'extérieur.

- Hacher l'ail finement. Mélanger ensemble dans un plat la chapelure, l'ail, le paprika et le persil.
- Émincer les pommes de terre. Déposer les rondelles de pomme de terre dans un plat allant au four. Ajouter l'eau, puis assaisonner.
- Déposer les poissons sur les pommes de terre et les enduire d'huile d'olive. Parsemer les poissons de chapelure préparée. Cuire au milieu du four à 180°C (350°F) pendant environ 20 min ou jusqu'à ce que la chair et les pommes de terre soient cuites. Parsemer les dorades de ciboulette ciselée et servir immédiatement.

Préparation: 30 min	**Cuisson:** 20 min
Rendement: 4 portions	**Prix de revient:** $$$$

Photo page suivante →

Filets de dorade grise aux pleurotes et au beurre de homard

180 g (1 tasse)	Beurre doux
quantité suffisante	Sel et poivre
200 g (3 1/4 tasses)	Pleurotes
60 g (1/2 tasse)	Échalotes hachées finement
100 ml (3 1/2 oz)	Huile d'arachide
4 X 160 à 180 g (5 à 6 oz)	Filets de dorade grise
120 g (4 oz)	Beurre de homard
80 g (3/4 tasse)	Tomates émondées, épépinées et en dés

- Chauffer 100 g (2/3 tasse) de beurre, saler et poivrer les pleurotes, puis les cuire doucement. À mi-cuisson, parsemer les pleurotes des échalotes hachées.
- À la poêle et avec le reste du beurre et l'huile d'arachide, saisir les filets de dorade préalablement assaisonnés afin que la peau devienne croustillante.
- Chauffer doucement le beurre de homard.
- Déposer harmonieusement les pleurotes au fond de l'assiette, puis placer les filets de dorade côté peau à l'extérieur. Déposer les dés de tomates crus sur les pleurotes et, avec une petite cuillère, arroser l'ensemble de beurre de homard.

Accompagnement: Riz sauvage.

Préparation: 30 min	**Cuisson:** 15 min
Rendement: 4 portions	**Prix de revient:** $$$$

PRIONOTE DU NORD

Prionotus carolinus (Linné) 1771/*Northern searobin*
Appellation erronée: rouget

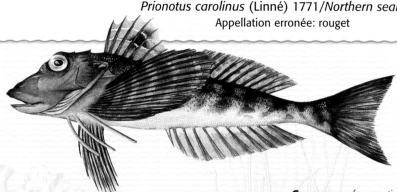

OÙ ET QUAND LE TROUVER: très rare sur le marché, car ce poisson n'est pas demandé.

TRAITEMENT ET COMMERCIALISATION: entier.

CUISSON: au four entier ou braisé.

CARACTÉRISTIQUES: pouvant atteindre 45 cm (18 po) et 850 g (env. 2 lb), le prionote est gris ou brun rougeâtre sur le dessus et blanche ou jaune pâle en dessous. Il possède aussi environ cinq marques foncées le long du dos.

APPRÉCIATION: ce poisson de grande qualité est fort prisé en Europe.

REMARQUES: le prionote du nord fait partie de la famille des *Triglidés* qui sont apparentés aux rascasses et aux chaboisseaux. Nous avons des chaboisseaux sur nos côtes de l'Atlantique qui se cuisinent comme le prionote du nord.

TYPE DE CHAIR: maigre.

PROVENANCE: eaux côtières le long de la Côte est des États-Unis, vers le Sud jusqu'à la Caroline-du-Sud.

$$

Prionote du nord à la lavande et au pamplemousse

4 X 250 à 300 g (9 à 10 oz)	Prionotes du nord
120 g (3/4 tasse)	Beurre
2	Échalotes ciselées
150 ml (env. 2/3 tasse)	Vin blanc
200 g (2 1/3 tasses)	Julienne de poireaux
200 g (1 3/4 tasse)	Julienne de carottes
2	Pamplemousses (jus)
400 ml (14 oz)	Fumet de poisson (voir recettes de base)
200 g (1 tasse)	Julienne de pommes de terre
30 g (1 oz)	Lavande hachée
quantité suffisante	Sel et poivre
100 ml (3 1/2 oz)	Crème à 35 %
1/2	Paquet de ciboulette ciselée
20 g (1 1/2 c. à soupe)	Zeste de pamplemousse

- Bien nettoyer les prionotes du nord en leur laissant la tête. Bien enlever toutes les nageoires. Garder au réfrigérateur.
- Avec le beurre, faire fondre les échalotes, puis ajouter le vin blanc, cuire pour enlever de l'acidité du vin, puis incorporer les poireaux et les carottes. Verser ensuite le jus de pamplemousse et le fumet de poisson. Cuire 3 à 4 min, puis ajouter la julienne de pommes de terre et la lavande hachée. Laisser mijoter quelques minutes.
- Choisir un plat allant au four où les prionotes, en étant tête à queue, auront assez

204

d'espace. Saler et poivrer. Verser dessus l'appareil précédent, couvrir d'un papier d'aluminium et cuire au four à 200°C (400°F) environ 20 à 25 min.

- Au sortir du four, enlever les prionotes, verser le jus de cuisson dans une casserole, fouetter vivement le mélange, rectifier l'assaisonnement et incorporer la crème et la ciboulette.

- Dans chaque assiette, déposer une prionote, verser l'appareil précédent sur chaque poisson et parsemer de zestes de pamplemousse.

- Ce poisson se sert toujours entier, afin de bien lui conserver sa forme. De toute façon, les arêtes s'enlèvent facilement.

Préparation: 25 min	**Cuisson:** 20 à 30 min
Rendement: 4 portions	**Prix de revient:** $$$

Prionote du nord braisé au moût de pomme Pommeraie d'Orford

4 X 250 à 300 g (9 à 10 oz)	Prionotes du nord
quantité suffisante	Sel et poivre
200 g (1 $^1/_3$ tasse)	Oignons espagnols, émincés
100 g ($^3/_4$ tasse)	Carottes en brunoise
100 g ($^2/_3$ tasse)	Beurre doux
200 ml (7 oz)	Moût de pomme Pommeraie d'Orford
120 ml ($^1/_2$ tasse)	Fond brun de volaille lié (voir recettes de base)
quantité suffisante	Coriandre en feuilles

- Bien écailler les poissons et couper les nageoires qui sont particulièrement grandes. Ne pas couper la tête. Bien laver et essuyer. Saler, poivrer et réserver.

- Faire fondre doucement les oignons et les carottes dans le beurre, ajouter le moût de pomme et laisser cuire doucement 12 à 15 min. Ajouter le fond brun de volaille lié, rectifier l'assaisonnement et réserver.

- Placer les prionotes du nord dans un plat allant au four tête à queue, verser le fond de braisage dessus. Recouvrir d'un papier d'aluminium et cuire au four à 150°C (300°F) pendant 25 à 35 min.

- Servir les poissons entiers sur chaque assiette, napper du fond de braisage. Parsemer des feuilles de coriandre.

NOTE: C'est un autre poisson d'une très grande qualité qui n'est presque pas utilisé au Québec.
– On peut aussi faire cette recette en utilisant des filets de prionote, comme sur la photo.

Préparation: 30 min	**Cuisson:** 25 à 35 min
Rendement: 4 portions	**Prix de revient:** $$$

Photo page 199

LOUP DE L'ATLANTIQUE

Anarhichas lupus (Linné) 1758/*Atlantic wolffish*
Appellations erronées: poisson-loup et loup de mer

CARACTÉRISTIQUES: dans les tons variant du bleu au vert, le loup de l'Atlantique se pêche dans les eaux côtières, précôtières et hauturières, il peut mesurer jusqu'à 85 cm (33 po) et peser de 1 à 10 kg (2 ¼ à 22 lb).

TYPE DE CHAIR: moyennement grasse et blanche.

PROVENANCE: des deux côtés de l'Atlantique Nord et du Sud du Labrador au Cap Cod.

OÙ ET QUAND LE TROUVER: actuellement on ne le trouve pas sur les marchés, on se le procure sur demande directement des pêcheurs.

TRAITEMENT ET COMMERCIALISATION: en filets.

CUISSON: poché, vapeur, grillé ou braisé.

APPRÉCIATION: demande à être connu.

$$

Loup de l'Atlantique laqué au miel, accompagné de chou croquant

75 g (env. ½ tasse)	Beurre
4 X 160 g (env. 5 oz)	Filets de loup de l'Atlantique
70 ml (env. ⅓ tasse)	Miel
1	Citron (jus)
1	Clou de girofle haché
1 pincée	Cannelle en poudre
100 ml (3 ½ oz)	Sauce soya
quantité suffisante	Huile de sésame grillé
1	Oignon émincé
600 g (env. 1 ¼ lb)	Chou chinois émincé
quantité suffisante	Sel et poivre
10 g (1 ¼ c. à soupe)	Fécule de maïs

- Chauffer le four à 150°C (300°F).
- Choisir un plat ou une plaque allant au four afin que les filets soient légèrement espacés.

- Beurrer la plaque. À l'aide d'un pinceau, enduire les filets de miel, verser autour 200 ml (7 oz) d'eau et le jus de citron, puis ajouter le clou de girofle et la cannelle. Cuire au four à 200°C (400°F), puis quelques minutes à *broil*, pour que le miel caramélise. Ajouter la sauce soya autour.
- Avec l'huile de sésame grillé, faire fondre l'oignon émincé, puis faire sauter le chou chinois jusqu'à ce qu'il soit croquant. Saler, poivrer et réserver.
- Verser le jus de cuisson dans une casserole et le lier avec la fécule de maïs délayée dans un peu d'eau. Rectifier l'assaisonnement.

Service: Au fond de l'assiette, faire un lit de chou chinois croquant, puis y déposer les filets de loup et verser autour la sauce au miel et au soya.

Préparation: 20 à 30 min **Cuisson:** 10 à 12 min
Rendement: 4 portions **Prix de revient:** $$

Loup de l'Atlantique, sauce homardine

60 g (²/₃ tasse)	Blanc de poireau
60 ml (¹/₄ tasse)	Huile d'olive
100 g (²/₃ tasse)	Beurre doux
60 g (¹/₂ tasse)	Oignons blancs, hachés
4 X 160 g (env. 5 oz)	Filets de loup de l'Atlantique
quantité suffisante	Sel et poivre
120 ml (¹/₂ tasse)	Vin blanc sec
160 ml (env. ²/₃ tasse)	Sauce homardine (voir recettes de base)

- Émincer le blanc de poireau finement.
- Chauffer doucement l'huile d'olive et la moitié du beurre.

- Faire étuver tout doucement les oignons hachés et les poireaux émincés. Lorsqu'ils auront bien accepté les gras, déposer les filets de loup préalablement assaisonnés. Verser le vin blanc et réduire celui-ci de moitié afin de lui enlever son acidité, puis verser la sauce homardine.
- Cuire à couvert de 5 à 8 min, selon l'épaisseur des filets de loup. Enlever et égoutter les filets. Réduire la sauce jusqu'à consistance voulue et finir par le reste du beurre.
- Déposer les filets au centre de l'assiette et napper chaque filet de sauce, servir avec un riz blanc.

Préparation: 10 à 15 min **Cuisson:** 8 à 12 min
Rendement: 4 portions **Prix de revient:** $$$

VIVANEAU

Lutjanus campechanus/Red snapper

Appellations erronées: dorade, rouget et sébaste

CARACTÉRISTIQUES: poisson d'une belle couleur rouge, d'une longueur moyenne de 25 cm (10 po) et d'un poids variant de 800 g à 1,2 kg (1 ³/₄ à 4 ¹/₂ lb).

TYPE DE CHAIR: semi-grasse.

PROVENANCE: Atlantique Sud et Caraïbes.

OÙ ET QUAND LE TROUVER: poisson d'importation, mais généralement toute l'année.

TRAITEMENT ET COMMERCIALISATION: entier et en filets.

CUISSON: braisé, meunière, grillé ou poché.

APPRÉCIATION: d'une grande délicatesse, ce poisson est cependant très fragile.

$$$

Vivaneaux farcis aux avelines et aux raisins de Corinthe

3	Échalotes vertes, émincées
40 ml (3 c. à soupe)	Huile de pistache
150 g (env. ³/₄ tasse)	Beurre doux
30 g (3 ¹/₂ c. à soupe)	Avelines hachées (noisettes)
30 g (4 c. à soupe)	Amandes grillées, hachées
30 g (3 c. à soupe)	Pistaches hachées
30 g (3 ¹/₂ c. à soupe)	Raisins de Corinthe
¹/₂	Gousse d'ail hachée
2 X 1 à 1,2 kg (2 ¹/₄ à 2 ³/₄ lb)	Vivaneaux
quantité suffisante	Sel et poivre
100 ml (3 ¹/₂ oz)	Huile d'arachide
120 ml (¹/₂ tasse)	Fond brun de veau (voir recettes de base)

- Émincer les échalotes vertes.
- Chauffer l'huile de pistache et 50 g (4 1/2 c. à soupe) de beurre, incorporer les noisettes, les amandes grillées, les pistaches, les échalotes vertes et les raisins. Laisser étuver une dizaine de minutes. Ajouter l'ail haché et réserver.
- Enlever les arêtes des vivaneaux par le ventre, saler, poivrer et farcir avec l'appareil précédent. Refermer les poissons.
- Dans une poêle à fond épais, chauffer l'huile d'arachide et le reste du beurre. Saisir les vivaneaux, puis les arroser souvent du gras de cuisson. Selon l'épaisseur, cuire au four pendant 12 à 15 min.
- Servir aussitôt avec le jus de veau chaud dans une saucière séparée.

Préparation: 30 min   **Cuisson:** 12 à 15 min
Rendement: 4 portions   **Prix de revient:** $$$

Photo page 210

Filets de vivaneau en risotto de champignons au fumet parfumé au curry

1	Échalote ciselée
1	Gousse d'ail hachée finement
140 g ($^3/_4$ tasse)	Beurre doux
300 g (3 $^1/_2$ tasses)	Champignons blancs et fermes en dés
400 g (2 tasses)	Riz pour risotto
600 ml (2 $^1/_2$ tasses)	Fond blanc de volaille (voir recettes de base)
200 ml (7 oz)	Fumet de poisson (voir recettes de base)
1	Branche de thym frais
$^1/_2$	Feuille de laurier
75 ml (env. $^1/_3$ tasse)	Crème à 35 %
quantité suffisante	Sel et poivre
25 g (3 c. à thé)	Curry
50 ml (3 c. à soupe)	Huile d'olive
4 X 150 à 170 g (5 à 6 oz)	Filets de vivaneau
150 g (1 $^2/_3$ tasse)	Parmesan râpé
150 g ($^3/_4$ tasse)	Tomates émondées, épépinées et en dés

- Faire fondre l'échalote et l'ail dans 50 g (4 1/2 c. à soupe) de beurre doux, ajouter les champignons et le riz. Bien mélanger et faire cuire en y ajoutant le fond de volaille petit à petit. Ce riz cuit généralement en 20 min.
- Parallèlement, faire chauffer le fumet avec le thym et le laurier. Ajouter la crème, assaisonner et incorporer le curry. Réserver.
- Dans une poêle en fonte, avec l'huile d'olive, faire sauter vivement les filets de vivaneau déjà assaisonnés; puis les laisser reposer dans la poêle afin que les chairs se détendent.
- Juste avant de servir, mélanger le parmesan au riz et rectifier l'assaisonnement.
- Incorporer le reste du beurre au fond liquide de curry. Il y aura une légère liaison.

Service: Au fond de l'assiette, avec un cercle, mouler le risotto, déposer dessus ou autour les filets de vivaneau et verser autour le fond de curry. Parsemer des dés de tomate.

Préparation: 30 min	**Cuisson:** 30 min
Rendement: 4 portions	**Prix de revient:** $$$

ESPADON

Xiphias gladius (Linné) 1758/*Swordfish*
Appellation erronée: poisson sabre et poisson épée

PROVENANCE: du côté américain de l'Atlantique, du Cap Breton jusqu'en Argentine.

CARACTÉRISTIQUES: l'espadon nage habituellement près de la surface dans une eau dont la température est d'au moins 15°C (60°F). Le dessus est dans les tons de violet métallique et le dessous noirâtre. L'espadon peut atteindre une très grande taille.

TYPE DE CHAIR: grasse et très ferme.

OÙ ET QUAND LE TROUVER: en été et au début de l'automne, en abondance.

TRAITEMENT ET COMMERCIALISATION: en filets ou en morceaux.

CUISSON: grillé.

APPRÉCIATION: possède beaucoup de saveur.

$$$$

Espadon en croustilles d'arachide et de sésame, vinaigrette aux champignons

400 g (14 oz)	Navets blancs (ravioles)
100 g (env. 3 oz)	Pomme de terre
100 g (²/₃ tasse)	Beurre
quantité suffisante	Sel et poivre
300 g (env. 4 tasses)	Champignons blancs et fermes
300 ml (1 ¼ tasse)	Fond brun de veau (voir recettes de base)
50 ml (3 c. à soupe)	Huile d'arachide
130 ml (env. ¹/₂ tasse)	Huile d'olive
60 ml (¹/₄ tasse)	Vinaigre de xérès
100 g (²/₃ tasse)	Arachides concassées
100 g (³/₄ tasse)	Graines de sésame
50 g (¹/₃ tasse)	Poivron rouge en brunoise
50 g (¹/₃ tasse)	Poivron vert en brunoise
1	Blanc d'œuf
4 X 180 g (6 oz)	Tranches d'espadon

- Pour en faire une purée, cuire à l'eau salée les navets (ravioles) avec la pomme de terre. Passer à la moulinette, ajouter le beurre, rectifier l'assaisonnement et garder au chaud.
- Bien laver les champignons et les pocher dans le fond brun de veau. À l'aide d'une écumoire, enlever la moitié des champignons et les garder au chaud.
- Au mélangeur, bien mélanger le fond brun avec le reste des champignons, l'huile d'arachide, l'huile d'olive et le vinaigre de xérès. Rectifier l'assaisonnement au besoin (sel et poivre) et conserver au chaud.

- Faire une pâte avec les arachides, les graines de sésame ainsi que le poivron rouge et le poivron vert en y ajoutant le blanc d'œuf.
- Saler et poivrer les tranches d'espadon, les enduire du mélange précédent d'un seul côté, les «plaquer» côté chair dans une plaque, et cuire au four à 200°C (400°F) de 5 à 6 min avec la chaleur en dessous, puis de 6 à 8 min avec la chaleur au-dessus (gril).

Service: Dans le haut de l'assiette, déposer des quenelles de purée de navets et pommes de terre. Déposer plus bas la vinaigrette aux champignons, disposer les tranches d'espadon, puis parsemer des champignons qui restent.

Préparation: 1 h	**Cuisson:** 10 à 15 min
Rendement: 4 portions	**Prix de revient:** $$$$

Pavé d'espadon aux trois sauces

4 X 180 g (6 oz)	Morceaux d'espadon
quantité suffisante	Sel et poivre
40 ml (3 c. à soupe)	Huile d'arachide
100 ml (3 ½ oz)	Sauce Choron (voir recettes de base)
100 ml (3 ½ oz)	Sauce homardine (voir recettes de base)
100 ml (3 ½ oz)	Beurre de citron (voir recettes de base)

- La meilleure méthode pour cuisiner ce poisson est de le faire griller.
- Saler et poivrer chaque pavé d'espadon, badigeonner d'huile d'arachide et commencer à griller du côté le plus chaud du gril. Quand le poisson est «quadrillé», finir la cuisson du côté le moins chaud. Laisser toujours un temps de repos après la cuisson.
- Les sauces seront servies chaudes en saucière à part. Accompagner de pommes de terre vapeur.

Préparation: 10 min + 30 min pour les sauces	
Cuisson: selon l'épaisseur	
Rendement: 4 portions	**Prix de revient:** $$$$

Photo page 211

Les poissons d'eau douce

Les eaux douces du Canada comptent 24 familles et 177 espèces de poissons, 181 si on inclut les espèces exotiques qui y ont été introduites et qui s'y sont maintenues — truite brune, carpe, poisson doré et tanche-tautogue.

Du point de vue du pêcheur, la qualité remplace la quantité. Nous avons déjà accordé un chapitre aux *Salmonidés*, ces poissons d'une grande qualité, dont nous avons d'énormes ressources. Les autres poissons d'eau douce ont aussi une grande importance et c'est de ceux-là que nous parlons dans ce chapitre, tout en sachant que nous pourrions élaborer encore beaucoup plus.

FAMILLE DES ESTURGEONS

Ces poissons existent depuis le crétacé supérieur. Ils peuvent vivre de 50 à 80 ans selon leur sexe, les femelles vivant plus longtemps que les mâles.

Au Québec, ces magnifiques poissons sont surtout utilisés fumés, mais la plupart des gens connaissent aussi les caviars d'esturgeon de Russie ou d'Iran. Les esturgeons craignent la pollution, mais au Québec nous pouvons déguster ceux qui ne sont pas encore atteints. Quelques producteurs de caviar d'esturgeon vivent en Abitibi et leur production est d'excellente qualité. Quant à la chair de ce poisson, il serait important que l'on puisse la revaloriser.

FAMILLE DES PERCHES (*Percidés*)

Cette grande famille est bien représentée au Québec. La perchaude fait partie de la même famille que le doré jaune ou noir. Ces poissons ont la même structure de base et se cuisinent généralement de la même façon.

Du point de vue culinaire, les poissons les plus connus de cette famille sont le doré et la perchaude, mais elle compte aussi plusieurs espèces de dards, qui ont peu d'importance en cuisine.

Esturgeon noir

Perchaude

Doré jaune

Doré noir

Brochet

Anguille

Barbotte

Barbue de rivière

Achigan à petite bouche

Crapet-soleil

Carpe

Laquaiche aux yeux d'or

Lotte

ESTURGEON NOIR

Acipenser oxyrhynchus (Mitchill) 1815/*Atlantic sturgeon*
Appellations erronées: camus, esturgeon de lac et écaillé

CARACTÉRISTIQUES: dessous du corps dans les tons de bleu et face inférieure du corps dans les tons de blanc. Poisson de même taille et de même grosseur que l'esturgeon jaune.

TYPE DE CHAIR: mi-grasse et jaunâtre.

PROVENANCE: lacs et rivières du Québec.

OÙ ET QUAND LE TROUVER: de mai à octobre, en abondance; toute l'année s'il s'agit d'un poisson d'élevage.

TRAITEMENT ET COMMERCIALISATION: entier, en filets et fumé.

CUISSON: rôti, meunière, poché ou vapeur.

APPRÉCIATION: au 19e siècle, c'était un poisson de très grande qualité. Aujourd'hui, il devrait être utilisé davantage.

REMARQUES: l'ordre (*Acipensériformes*) comprend une famille fossile et deux familles que l'on trouve encore aujourd'hui. Le Canada est fort riche de ce poisson, dont les œufs sont les seuls qui peuvent vraiment s'appeler «caviar» et dont la fabrication est peu exploitée chez nous. Les espèces du Canada sont les suivantes: l'esturgeon noir (*Acipenser oxyrhynchus*), l'esturgeon vert (*Acipenser medirestris*), l'esturgeon de lac (*Acipenser fluvescens*) et l'esturgeon à museau court (*Acipenser brevirostrum*). L'esturgeon noir est le plus courant retrouvé au Québec. Un esturgeon noir de 60 ans peut mesurer 2,7 m (8 3/4 pi) et peser 160 kg (352 lb).

$$

Esturgeon et saumon marinés, salade d'épinards et d'endives

180 ml (3/4 tasse)	Huile d'olive
200 g (1 1/3 tasse)	Oignons émincés
85 g (3/4 tasse)	Carottes émincées
1	Gousse d'ail hachée
200 ml (7 oz)	Vin blanc
2	Citrons (jus)
100 ml (3 1/2 oz)	Vinaigre blanc
quantité suffisante	Thym
1/2	Feuille de laurier
200 ml (7 oz)	Eau
quantité suffisante	Sel et poivre
300 g (10 oz)	Saumon frais

300 g (10 oz)	Esturgeon frais
250 g (env. 1/2 lb)	Épinards
250 g (env. 1/2 lb)	Endives

- Faire revenir dans 100 ml (3 1/2 oz) d'huile d'olive les oignons, les carottes et l'ail. Déglacer la poêle au vin blanc. Ajouter le jus d'un citron, le vinaigre, le thym, le laurier et l'eau. Saler et poivrer, puis laisser cuire pendant 12 à 15 min.
- Rectifier l'assaisonnement et laisser refroidir cette marinade. Faire tremper le saumon et l'esturgeon dans la marinade pendant au moins 36 h. Laver les épinards et bien les égoutter. Couper les endives en lamelles sans les laver. Mélanger ces deux légumes et

Préparation: 15 min   **Marinade:** 36 h
Rendement: 4 portions **Prix de revient:** $$$

les arroser du jus de l'autre citron et du reste de l'huile. Saler, poivrer et réserver.

- Découper en très fines lamelles le saumon et l'esturgeon. Dresser de la salade au centre des assiettes de service. Déposer alternati-vement des tranches d'esturgeon et de sau-mon autour de la salade, de façon à former une couronne.

- Servir très frais.

Rôti d'esturgeon de la tourelle *

200 g (7 oz)	Plie canadienne
quantité suffisante	Sel et poivre
1	Blanc d'œuf
100 ml (3 1/2 oz)	Crème à 35 %
20 g (1/3 tasse)	Persil haché
1,4 kg (env. 3 lb)	Esturgeon
150 g (5 oz)	Lard gras en lanières (bardes)
10 ml (2 c. à thé)	Huile
40 g (1/3 tasse)	Céleri en mirepoix
85 g (3/4 tasse)	Carottes en mirepoix
200 g (1 1/3 tasse)	Oignons en mirepoix
100 ml (3 1/2 oz)	Vin blanc
70 g (6 c. à soupe)	Beurre

- Hacher les filets de plie au robot de cuisine. Saler, poivrer et ajouter le blanc d'œuf. Bien mélanger au robot afin de former une émul-sion et incorporer la crème, en mélangeant bien. Réserver cette farce au réfrigérateur et ajouter le persil juste avant de l'utiliser.

- Choisir un esturgeon de petite taille afin qu'il ait la grosseur d'un rôti; le désosser par l'intérieur, puis le saler et le poivrer. Garnir l'intérieur du poisson avec la farce.

- Bien refermer l'esturgeon et le rouler en déposant des bardes à la surface; le ficeler. Faire revenir le rôti d'esturgeon à l'huile. Cuire au four à 200°C (400°F) pendant 20 min. Ajouter le céleri, les carottes, les oignons en mirepoix et cuire de nouveau de 20 à 25 min. Dégraisser la plaque de cuisson et la mouiller avec le vin blanc; laisser cuire pendant 5 min. Retirer le rôti de la plaque et passer le fond de cuisson au chinois étamine ou passoire à mailles fines. Monter ce li-quide au beurre.

- Servir une tranche de rôti farci avec la sauce et des pommes de terre cocotte, rôties.

* Je dédie cette recette à mon ami et chef Renaud Cyr.

Préparation: 45 min	**Cuisson:** 1 h
Rendement: 8 portions	**Prix de revient:** $$$

Photo page suivante →

PERCHAUDE

Perca flavescens/Yellow perch
Appellation erronée: perche

PROVENANCE: partout au Québec.

OÙ ET QUAND LA TROUVER: pendant la saison de la pêche, généralement pêche sportive.

TRAITEMENT ET COMMERCIALISATION: en filets et entière.

CUISSON: meunière, au four entière ou vapeur.

APPRÉCIATION: excellent poisson, surtout au printemps.

CARACTÉRISTIQUES: corps dans les tons de vert et de brun doré avec sept bandes de largeur décroissante sur le ventre. Longueur moyenne de 20 cm (8 po) et poids moyen de 100 g (env. 3 oz).

REMARQUES: tous les poissons de la famille des *Percidés* se cuisinent de la même façon.

TYPE DE CHAIR: maigre et blanche.

$

Perchaude à la provençale (pour les grosses pièces)

100 ml (3 ½ oz)	Huile d'olive
80 g (²/₃ tasse)	Blanc de poireau ciselé
80 g (½ tasse)	Oignons espagnols hachés
200 g (1 tasse)	Tomates émondées et épépinées en dés
quantité suffisante	Sel et poivre
2	Gousses d'ail
1 pincée	Marjolaine hachée
1 pincée	Romarin haché
60 g (²/₃ tasse)	Feuilles de fenouil hachées
80 g (1 ⅓ tasse)	Persil frais, haché grossièrement
2	Grosses perchaudes
200 ml (7 oz)	Vin blanc sec
100 ml (3 ½ oz)	Fumet de poisson

- Chauffer l'huile d'olive, faire fondre le blanc de poireau ciselé et les oignons hachés, puis ajouter les tomates. Cuire 10 min. Saler, poivrer et ajouter l'ail, la marjolaine, le romarin, le fenouil et le persil haché. Bien mélanger. Laisser refroidir et réserver.
- Enlever les arêtes des perchaudes par le ventre, saler, poivrer et farcir avec l'appareil précédent.
- Dans un plat allant au four, déposer les perchaudes farcies, verser le vin blanc et le fumet de poisson. Recouvrir d'un papier d'aluminium et cuire au four de 10 à 20 min à 200°C (400°F). Extraire le jus de cuisson du plat et réduire de moitié. Verser sur les perchaudes et servir immédiatement.

Accompagnement: Riz blanc ou pommes de terre cuites à l'eau.

Préparation: 40 min	**Cuisson:** 20 à 30 min
Rendement: 4 portions	**Prix de revient:** $

Filets de perchaude de printemps poêlés, beurre d'agrumes

4 X 120 g (4 oz)	Filets de perchaude
quantité suffisante	Sel et poivre
quantité suffisante	Farine
quantité suffisante	Huile
80 g (1/2 tasse)	Beurre doux
120 g (3/4 tasse)	Beurre d'agrumes

BEURRE D'AGRUMES:

1	Lime (jus)
1	Citron (jus)
1/2	Orange (jus)
20 g (1/3 tasse)	Persil haché
200 g (env. 1 1/4 tasse)	Beurre doux en pommade
quantité suffisante	Sel et poivre

- Bien éponger les filets de perchaude, saler, poivrer et fariner.
- Chauffer l'huile et le beurre, puis cuire les filets de perchaude jusqu'à ce qu'ils prennent une belle couleur dorée de chaque côté. Servir immédiatement tout en déposant des noisettes de beurre d'agrumes sur chaque filet.
- **Beurre d'agrumes:** Bien mélanger les jus de lime, de citron et d'orange avec le persil haché et le beurre doux en pommade. Assaisonner de sel et de poivre et conserver à température de la pièce.

Accompagnement: Petites pommes de terre sautées au beurre.

Préparation: 30 min	**Cuisson:** 5 à 9 min
Rendement: 4 portions	**Prix de revient:** $

DORÉ JAUNE

Stizostedion vitreum/Pickerel, walleye et *yellow walleye*
Appellations erronées: doré blanc et sandre (Europe)

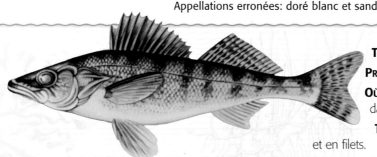

TYPE DE CHAIR: blanche et maigre.

PROVENANCE: partout au Québec.

OÙ ET QUAND LE TROUVER: toute l'année, dans les poissonneries.

TRAITEMENT ET COMMERCIALISATION: entier et en filets.

CUISSON: meunière, grillé, braisé, entier, rôti, poché ou vapeur.

CARACTÉRISTIQUES: corps dans les tons de brun et de jaune, et ventre blanc. Poisson pouvant atteindre 4,5 à 5,5 kg (10 à 12 lb).

APPRÉCIATION: c'est l'une des vedettes de nos tables.

$$$

Filets de doré jaune en feuillantine

600 g (env. 1 ¼ lb)	Pâte feuilletée
1	Œuf entier battu (dorure)
160 g (env. 1 tasse)	Beurre doux
80 g (½ tasse)	Échalotes hachées
120 g (1 tasse)	Champignons blancs, hachés
120 g (4 oz)	Parures de doré (partie du ventre et bout de la queue)
120 ml (½ tasse)	Vin de pomme*
160 ml (env. ⅔ tasse)	Crème à 35 %
120 g (4 oz)	Crevettes nordiques
quantité suffisante	Sel et poivre
4 X 150 g (5 oz)	Filets de doré jaune
80 ml (env. ⅓ tasse)	Huile d'arachide
quantité suffisante	Pluches de cerfeuil

Préparation: 40 min **Cuisson:** 25 min
Rendement: 4 portions **Prix de revient:** $$$

- Étendre la pâte feuilletée; avec la pointe d'un couteau, former avec la pâte 8 petits poissons de taille qui puisse aller au centre d'une assiette. Les placer sur une plaque et les laisser au réfrigérateur une dizaine de minutes. Les badigeonner de dorure et cuire au four à 200°C (400°F). Réserver.
- **Sauces:** Avec la moitié du beurre, faire sauter les échalotes hachées et les champignons hachés, puis ajouter les parures de doré, laisser mijoter 1 min, verser le vin de pomme et faire mijoter 3 à 5 min. Dans une autre casserole, extraire le jus avec un chinois étamine ou passoire à mailles fines, ajouter la crème et réduire jusqu'à consistance de sauce. Ajouter les crevettes. Assaisonner et réserver au chaud.
- Saler et poivrer les filets de doré. Chauffer avec le reste du beurre et avec l'huile d'arachide. Saisir les filets de doré afin qu'ils prennent une belle couleur dorée. Réserver.
- Servir avec des pommes de terre cuites à l'eau et ajouter des pluches de cerfeuil.

Service: Déposer un poisson en feuilletage, puis un filet de doré, puis la sauce et les crevettes. Recouvrir avec un autre poisson en feuilletage.

* On peut se le procurer directement chez les producteurs (comme un vin blanc).

Filets de doré grillés, sauce mousseline

240 g (2 tasses)	Pommes de terre en dés
100 g (²/₃ tasse)	Beurre
quantité suffisante	Huile d'arachide
quantité suffisante	Sel et poivre
100 ml (3 ¹/₂ oz)	Sirop d'érable
4 X 150 à 180 g (5 à 6 oz)	Filets de doré avec la peau
200 ml (7 oz)	Sauce mousseline (voir recettes de base)

- Faire blanchir les pommes de terre, les faire sauter dans l'huile d'arachide et dans 40 ml (3 c. à soupe) de beurre. Saler et poivrer. Cuire au four et finir par le sirop d'érable.
- Badigeonner les filets de doré d'un peu d'huile d'arachide. Saler, poivrer, puis faire griller en commençant par une chaleur intense, pour finir plus lentement.
- Déposer la sauce mousseline dans de petits bols à part.

Service: Dresser les pommes de terre à l'érable en haut de l'assiette, puis les filets de doré vers le bas.

Préparation: 15 min   **Cuisson:** 8 à 12 min
Rendement: 4 portions   **Prix de revient:** $$$

Filets de doré jaune en feuillantine

DORÉ NOIR

Stizostedion canadense/Sand pickerel et *sauger*
Appellation erronée: sandre (Europe)

Où et quand le trouver: toute l'année, dans les poissonneries.

Caractéristiques: corps dans les tons de sable ou de brun avec des marques brunes plus foncées et ventre blanc laiteux. Poisson pouvant atteindre 5,8 kg (13 lb).

Traitement et commercialisation: entier et en filets.

Cuisson: meunière, grillé, braisé entier, rôti, poché ou vapeur.

Type de chair: blanche et maigre.

Appréciation: comme le doré jaune, c'est également l'une des vedettes de nos tables.

Provenance: partout au Québec.

$$$

Dorés farcis aux boutons d'asclépiade, braisés au jus de plaquebière

2 X 900 g à 1,2 kg (2 à 2 ¾ lb)	Dorés
quantité suffisante	Sel et poivre
200 g (7 oz)	Filets de plie
1	Œuf
100 ml (3 ½ oz)	Crème à 35 %
160 g (env. 5 oz)	Boutons d'asclépiade
120 g (¾ tasse)	Beurre
200 ml (7 oz)	Jus de plaquebière
150 ml (env. ⅔ tasse)	Vin blanc
100 g (¾ tasse)	Brunoise de carottes
100 g (¾ tasse)	Brunoise de céleri

- Bien écailler les dorés, couper les nageoires et enlever les arêtes par le ventre (voir photos des techniques). Saler, poivrer et réserver.
- Au robot culinaire, émulsionner les filets de plie, saler, poivrer, puis ajouter l'œuf et la crème très froide. Passer au tamis et réserver au réfrigérateur pendant environ 30 min. Après ce temps, mélanger délicatement les boutons d'asclépiade et farcir les dorés.
- Avec 60 g (⅓ tasse) de beurre, badigeonner un plat allant au four et y déposer les dorés, verser le jus de plaquebière, le vin blanc, la brunoise de carottes et de céleri, couvrir avec un papier d'aluminium et cuire à 180°C (350°F) pendant 30 à 40 min.
- Récupérer le fond de cuisson dans une casserole et le faire réduire doucement.
- Enlever à chaud la peau des dorés et répartir les poissons à parts égales dans les assiettes; monter la sauce avec le beurre qui reste et en napper le poisson.

Accompagnement: Riz blanc, cuit à l'eau.
Note: Si le poisson a été bien écaillé, on peut conserver la peau.

Préparation: 1 h	**Cuisson:** 1 h
Rendement: 4 portions	**Prix de revient:** $$$

Filets de doré, purée de maïs citronnée

480 g (1 lb)	Maïs frais, égrené ou maïs en conserve
120 ml (4 oz)	Crème à 35 %
140 g (3/4 tasse)	Beurre
quantité suffisante	Sel et poivre
720 g (1 1/2 lb)	Filets de doré
120 g (env. 1 tasse)	Échalotes hachées, cuites
150 ml (env. 2/3 tasse)	Noilly Prat blanc
240 ml (1 tasse)	Sauce homardine (voir recettes de base)
160 g (1 1/4 tasse)	Champignons hachés
80 g (1 1/3 tasse)	Persil haché

- Si le maïs est frais, le cuire à l'eau salée. Puis le passer à la moulinette ou au hachoir pour en faire une purée, ajouter la crème chaude et 60 g (1/3 tasse) de beurre. Assaisonner et réserver au chaud.

- Badigeonner un plat allant au four de 40 g (3 1/2 c. à soupe) de beurre, y déposer les filets de doré, parsemer des échalotes et verser le Noilly Prat. Couvrir avec un papier d'aluminium et cuire au four à 180°C (350°F) pendant 8 à 10 min, selon l'épaisseur des filets. Après la cuisson, enlever les filets et les garder au chaud. Faire réduire des 9/10 le jus de cuisson, ajouter la sauce homardine et finir par le reste du beurre. Juste avant de servir, on ajoutera les champignons hachés, cuits.

Service: À l'aide d'un emporte-pièce (cercle pour pâtisserie), faire un rond de purée de maïs. Déposer les filets de doré dessus et verser autour la sauce au Noilly Prat. Parsemer de persil haché.

Préparation: 25 min	**Cuisson:** 8 à 12 min
Rendement: 4 portions	**Prix de revient:** $$$

Photo page suivante →

BROCHET

Esox lucius, Esox niger/Northern pike, chain pickerel et *lake pickerel*
Appellation erronée: maskinongé

Caractéristiques: partie supérieure de la tête dans les tons de vert et de brun; corps parsemé de taches pâles. Poisson pouvant atteindre une longueur de 70 à 100 cm (27 à 39 po) et un poids de 2 à 7,5 kg (4 1/2 à 16 1/2 lb) à sept ans.

Type de chair: pâle et grasse.

Provenance: partout au Québec.

Où et quand le trouver: dans les poissonneries, toute l'année.

Traitement et commercialisation: entier et en filets.

Cuisson: en quenelle, en mousseline, poché, braisé ou meunière.

Appréciation: ce poisson contient de nombreuses arêtes; il est méconnu, mais il constitue une belle aventure gastronomique.

Remarques: famille des brochets *(Esocidés)*:
• maskinongé *(Esox masquinongy)*;
• grand brochet *(Esox lucius)*;
• brochet maillé *(Esox niger)*;
• brochet d'Amérique *(Esox americanus)*;
• brochet vermiculé *(Esox vermiculatus)*.

Toutes ces espèces se cuisinent de la même façon.

$$

Dos de brochet au chablis

4 X 600 g (1 1/4 lb)	Petits brochets
quantité suffisante	Sel et poivre
120 g (3/4 tasse)	Beurre non salé
120 g (env. 1 tasse)	Échalotes hachées
400 ml (14 oz)	Vin de Chablis
250 ml (1 tasse)	Velouté de poisson (voir recettes de base)
60 g (1 tasse)	Pluches de cerfeuil

• Bien écailler les petits brochets, couper la tête et la queue, puis enlever les arêtes par le ventre. Saler, poivrer et réserver.
• Badigeonner un plat allant au four de 60 g (1/3 tasse) de beurre. Y répartir les échalotes hachées, déposer les dos de brochet, verser le vin de Chablis, couvrir avec un papier d'aluminium et cuire au four à 180°C (350°F) pendant 8 à 10 min.
• Enlever les dos de brochet et les garder au chaud. Faire réduire le jus de cuisson des 8/10, puis ajouter le velouté de poisson. Laisser mijoter quelques minutes et monter la sauce au beurre. Rectifier l'assaisonnement.

Service: Déposer au fond de chaque assiette un dos de brochet, napper de sauce, parsemer de pluches de cerfeuil et servir avec des pommes de terre cuites à l'eau.

Préparation: 25 min	**Cuisson:** 8 à 15 min
Rendement: 4 portions	**Prix de revient:** $$$

Photo page 227

Quenelles de brochet ou de maskinongé

1 kg (2 ¼ lb)	Chair de brochet ou de maskinongé, dénervée
quantité suffisante	Sel et poivre blanc moulu
5	Blancs d'œufs
400 g (14 oz)	Panade pour poissons (voir recettes de base)
1,5 litre (6 tasses)	Crème à 35 %
quantité suffisante	Muscade
quantité suffisante	Fumet de poisson ou eau salée
320 ml (1 ⅓ tasse)	Sauce homardine (voir recettes de base)

- Hacher la chair de brochet au robot culinaire. Saler, poivrer et incorporer petit à petit les blancs d'œufs. Avec une spatule en plastique, ajouter un peu de panade à la fois. Passer cet appareil au tamis et le conserver dans un récipient. Lisser avec une spatule en bois, puis mettre au réfrigérateur au moins 1 h. Mélanger fréquemment. Ajouter le tiers de la crème et un peu de muscade, puis incorporer les deux autres tiers de crème, fouettés à demi. Après cette addition, la farce doit être très blanche, lisse et moelleuse. Bien refroidir au réfrigérateur, au moins 1 h.
- Dans un fumet de poisson ou dans de l'eau salée bouillante, à l'aide de deux grosses cuillères de service, former des quenelles et les pocher environ 7 à 10 min selon la grosseur. Rafraîchir dans l'eau glacée, égoutter et conserver au réfrigérateur.
- Étant donné la grande quantité de farce, on peut congeler des quenelles. Elles se conservent quelques jours au réfrigérateur.

Service: Réchauffer (sans faire bouillir) les quenelles. Dans un plat allant au four, déposer les quenelles, les napper de sauce homardine chaude et mettre au four à 200°C (400°F). Les quenelles devraient doubler de volume. Servir immédiatement avec du riz ou des pommes de terre cuites à l'eau.

NOTE: Nous avons choisi deux recettes où l'on élimine complètement les arêtes du brochet. C'est pour mieux apprécier la saveur de ce poisson. Par contre, il existe de nombreuses façons d'apprêter ce poisson en le laissant entier.

Préparation: 80 min   **Cuisson:** 10 à 20 min
Rendement: 30 quenelles **Prix de revient:** $$$

ANGUILLE

Anguilla rostrata (Le Sueur) 1817/*American eel* et *common eel*
Appellation erronée: anguille commune

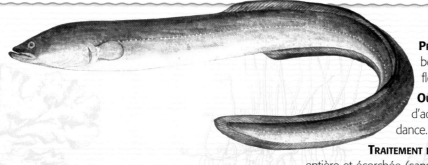

PROVENANCE: rivières du Québec se déversant dans le fleuve Saint-Laurent.

OÙ ET QUAND LA TROUVER: d'août à novembre, en abondance.

TRAITEMENT ET COMMERCIALISATION: entière et écorchée (sans la peau).

CUISSON: meunière, braisée, sautée ou vapeur.

APPRÉCIATION: ce poisson n'est pas estimé à sa juste valeur, surtout en raison de son apparence.

$

CARACTÉRISTIQUES: dos dans les tons de noir ou de brun, flancs jaunes et ventre blanc jaunâtre. Longueur moyenne de 70 à 100 cm (27 à 39 po) et poids moyen de 1,1 à 1,6 kg (2 ¹/₂ à 3 ¹/₂ lb).

TYPE DE CHAIR: grasse et foncée.

Anguille au vert

100 g (²/₃ tasse)	Beurre
150 g (5 oz)	Feuilles d'oseille épluchées
75 g (2 ¹/₂ oz)	Feuilles d'orties nouvelles
25 g (6 c. à soupe)	Persil frisé
10 g (1 c. à thé)	Pimprenelle
5 g (2 c. à thé)	Sauge verte
5 g (2 c. à soupe)	Sarriette
10 g (¹/₃ tasse)	Estragon
5 g (4 c. à thé)	Cerfeuil
1 pincée	Thym
8 X 5 cm (2 po)	Tronçons d'anguille
500 ml (2 tasses)	Vin blanc
quantité suffisante	Sel et poivre
4	Jaunes d'œufs
1	Citron (jus)

Photo page 219

- Chauffer le beurre et y faire fondre les feuilles d'oseille et d'orties, le persil, la pimprenelle, la sauge, la sarriette, l'estragon et le cerfeuil. Ajouter la pincée de thym, puis faire raidir les tronçons d'anguille dans ce mélange. Mouiller avec le vin blanc, saler, poivrer et laisser cuire environ 10 min. Enlever les morceaux d'anguille et réserver.
- Battre les jaunes d'œufs, puis lier le fond de cuisson avec les jaunes. Finir par le jus de citron. Remettre les morceaux d'anguille dans la sauce. Réserver en terrine.
- Ces anguilles se servent généralement froides.

NOTE: Cette recette est une spécialité de la Belgique. Elle se mange aussi chaude. La liaison aux jaunes d'œufs est difficile, il faut être très prudent. Ne jamais faire bouillir.

Préparation: 30 min		**Cuisson:** 10 à 12 min	
Rendement: 4 portions		**Prix de revient:** $$	

Ballottine d'anguille farcie à la chair de lapin, purée de pommes de terre au chèvre et au persil plat

1 kg (2 1/4 lb)	Anguille écorchée (sans la peau)
quantité suffisante	Sel et poivre
quantité suffisante	Crépinette
200 g (7 oz)	Pommes de terre
240 g (4 tasses)	Persil plat, équeuté

FARCE:

150 g (env. 3/4 tasse)	Beurre
100 g (3/4 tasse)	Échalotes hachées
1	Gousse d'ail hachée
200 g (7 oz)	Chair de lapin (cuisses)
quantité suffisante	Sel et poivre
2	Œufs
120 ml (3/4 tasse)	Crème à 35 %
100 ml (3 1/2 oz)	Vin rouge
300 ml (1/2 tasse)	Fond brun de veau (voir recettes de base)
50 ml (3 c. à soupe)	Lait
100 g (env. 3 oz)	Fromage de chèvre frais

- Enlever les arêtes de l'anguille par le ventre (voir photos des techniques). Saler et poivrer. Étendre la crépinette, étendre l'anguille dessus et réserver.
- Cuire les pommes de terre en robe des champs à l'eau salée.
- Faire blanchir le persil plat, le réfrigérer immédiatement à l'eau glacée, égoutter et éponger.
- **Farce:** Avec un peu de beurre, faire fondre les échalotes et l'ail haché dans une casserole. Émincer en languettes les cuisses de lapin et les raidir à la poêle Téfal. Cette opération terminée, passer au robot culinaire les languettes de lapin, les échalotes et l'ail. Saler, poivrer et incorporer les jaunes d'œufs. Réserver au réfrigérateur.
- Battre les blancs d'œufs en neige. Mélanger délicatement les blancs d'œufs à la farce de lapin, puis ajouter 100 ml (3 1/2 oz) de crème. Rectifier l'assaisonnement.
- Avec cette farce, garnir l'anguille, puis la refermer avec la crépinette.
- Dans un sautoir avec la moitié du beurre, faire revenir doucement l'anguille jusqu'à ce qu'elle soit dorée. Déglacer au vin rouge, réduire, mouiller avec le fond brun de veau et braiser doucement 20 à 25 min. Arroser fréquemment pendant la cuisson.
- Pendant la cuisson de l'anguille, peler les pommes de terre, les passer au presse-purée, puis ajouter le reste du beurre doux. Ajouter ensuite le lait et le reste de la crème, chauds. Incorporer le fromage de chèvre et rectifier l'assaisonnement.
- Avec une noix de beurre, faire sauter le persil plat. Assaisonner au goût.

Service: Dresser la purée de pommes de terre au fromage de chèvre dans le haut de l'assiette, puis parsemer de persil plat. Couper l'anguille farcie en grosses rondelles, puis déposer ces rondelles dans le bas de l'assiette. Napper de sauce.

Préparation: 1 h	**Cuisson:** 20 à 35 min
Rendement: 4 portions	**Prix de revient:** $$$

BARBOTTE

Ictalurus nebulosus/Brown bullhead, catfish et *common catfish*
Appellation erronée: barbotte brune

PROVENANCE: lacs et rivières du Québec.

OÙ ET QUAND LA TROUVER: de mai à octobre, en abondance.

TRAITEMENT ET COMMERCIALISATION: ce poisson est rarement commercialisé.

CUISSON: meunière ou frite.

APPRÉCIATION: possède ses adeptes.

$

CARACTÉRISTIQUES: corps dans les tons de vert et de brun. Longueur moyenne de 20 à 30 cm (8 à 12 po) et poids moyen de 350 g (12 oz).

TYPE DE CHAIR: grasse et foncée.

Barbottes au jus de curry et au couscous jaune

15 g (1 ³/4 c. à soupe)	Curcuma
750 ml (3 tasses)	Bouillon de légumes ou court-bouillon (voir recettes de base)
250 g (1 ¹/2 tasse)	Couscous
quantité suffisante	Sel et poivre
120 g (env. ²/3 tasse)	Courgettes en olivettes
120 g (env. 1 tasse)	Carottes en olivettes
1	Poivron rouge en dés
15 g (1 c. à soupe)	Curry
quantité suffisante	Roux blanc (voir recettes de base)
140 g (³/4 tasse)	Beurre
800 g (1 ³/4 lb)	Barbottes de petite taille, écorchées (sans la peau)
quantité suffisante	Farine
70 ml (env. ¹/3 tasse)	Huile d'arachide
16	Feuilles de coriandre

- Hacher très finement le curcuma. Faire chauffer la moitié du bouillon de légumes ou du court-bouillon, mélanger le couscous, le curcuma, saler, poivrer, couvrir et cuire doucement.
- Dans le reste du bouillon de légumes ou du court-bouillon, cuire les courgettes, les carottes et le poivron. Égoutter les légumes et réserver au chaud.
- Faire réduire le bouillon en incorporant le curry, puis lier légèrement avec un peu de roux blanc.
- Passer au chinois étamine ou passoire à mailles fines, monter avec la moitié du beurre et réserver.
- Saler et poivrer les barbottes, les fariner et les cuire à la meunière avec le reste du beurre et l'huile d'arachide.
- Dans une assiette creuse, déposer le couscous, puis les légumes, ranger les barbottes dessus et verser la sauce au curry autour. Parsemer de feuilles de coriandre.

Préparation: 35 min   **Cuisson:** 12 à 15 min
Rendement: 4 portions   **Prix de revient:** $$

Barbottes frites à la semoule de maïs

FRITOTS:

quantité suffisante	Huile de maïs
150 g (1 tasse)	Farine de blé entier
350 g (1 3/4 tasse)	Semoule de maïs jaune moulue sur pierre
20 g (4 c. à thé)	Levure chimique
10 g (2 1/4 c. à thé)	Bicarbonate de soude
quantité suffisante	Sel et poivre
1	Œuf battu
120 ml (4 oz)	Bière
120 ml (4 oz)	Beurre doux, fondu
1	Oignon en brunoise

BARBOTTES:

16	Petites barbottes entières, écorchées (sans la peau)
quantité suffisante	Sel et poivre
250 g (1 1/4 tasse)	Semoule de maïs jaune cuite, moulue sur pierre
quantité suffisante	Huile de maïs pour frire

Préparation: 40 min **Cuisson:** 20 min
Rendement: 4 portions **Prix de revient:** $$

- Fritots: Chauffer l'huile de friture (huile de maïs).
- Tamiser la farine de blé entier, ajouter la semoule de maïs, la levure chimique, le bicarbonate de soude, saler et poivrer.
- Battre l'œuf, incorporer la bière et le beurre doux fondu. Dans un cul-de-poule, déposer les matières sèches. Faire une fontaine et mélanger doucement avec le mélange œuf-bière-beurre afin d'avoir une pâte onctueuse. Passer au chinois ou dans une passoire. Incorporer l'oignon en brunoise et laisser reposer au moins 30 min au réfrigérateur.
- Verser la pâte dans l'huile avec une cuillère à soupe et frire 4 à 5 fritots à la fois afin de maintenir la température de l'huile toujours chaude. Ils flotteront à la surface lorsqu'ils seront dorés et cuits. Égoutter sur du papier absorbant et garder au chaud au four.
- Barbottes: Bien essuyer les barbottes, saler, poivrer et enrober de semoule de maïs. Garder au réfrigérateur une trentaine de minutes.
- Chauffer l'huile de maïs pour frire les poissons. Frire les barbottes quatre par quatre afin de garder l'huile bien chaude. Servir aussitôt avec les fritots.

Photo page suivante →

BARBUE DE RIVIÈRE

Ictalurus punctatus/Catfish et *channel catfish*
Appellations erronées: barbue d'Amérique, barbue du Nord et poisson-chat

CARACTÉRISTIQUES: coloration du corps variant beaucoup en fonction de l'âge. Taille pouvant atteindre 50 cm (20 po) et poids pouvant aller jusqu'à 1,5 kg (3 1/4 lb) à 20 ans.

TYPE DE CHAIR: foncée et grasse.

PROVENANCE: lacs et rivières du Québec.

OÙ ET QUAND LA TROUVER: de mars à octobre.

TRAITEMENT ET COMMERCIALISATION: pêche sportive.

CUISSON: frite, pochée ou braisée.

APPRÉCIATION: fort prisée par certains adeptes.

Filets de barbue de rivière pochés aux saveurs d'essence de légumes

500 ml (2 tasses)	Essence de légumes (voir recettes de base)
2 g (1 c. à thé)	Brindilles de thym
1/2	Feuille de laurier
4 X 70 g (2 1/2 oz)	Blancs de poireau
160 g (env. 1 1/2 tasse)	Carottes en bâtonnets
160 g (env. 1 1/4 tasse)	Céleri en bâtonnets
200 g (1 1/3 tasse)	Pommes de terre en bâtonnets
4 X 160 g (env. 5 oz)	Filets de barbue de rivière
1	Citron (jus)
60 ml (1/4 tasse)	Vin blanc
quantité suffisante	Sel et poivre
quantité suffisante	Gros sel
16	Feuilles d'estragon fraîches

• Faire chauffer l'essence de légumes, ajouter le thym et le laurier, mettre à cuire par ordre de cuisson les poireaux, les carottes, puis le céleri et, à mi-cuisson de tous ces éléments, les pommes de terre. Aux 3/4 de la cuisson, on ajoutera les filets de barbue, le jus de citron et le vin blanc. Rectifier l'assaisonnement et garder au chaud.

• Dans une assiette creuse, déposer tous les légumes, puis les filets de barbue. Parsemer de gros sel et de feuilles d'estragon fraîches.

• On peut servir le fond de cuisson comme consommé de poisson.

NOTE: Cette recette pourrait aussi s'appeler un pot-au-feu de poissons, mais nous préférons conserver ce terme pour notre «bouilli de bœuf».

Préparation: 30 min	**Cuisson:** 40 min
Rendement: 4 portions	**Prix de revient:** $

Filets de barbue de rivière au vin rouge

120 g (4 oz)	Lard fumé
120 g (³/4 tasse)	Petits oignons blancs
150 g (2 tasses)	Champignons blancs et fermes en dés
350 ml (1 ¹/2 tasse)	Vin rouge corsé
100 ml (3 ¹/2 oz)	Fumet de poisson
quantité suffisante	Roux blanc (voir recettes de base)
quantité suffisante	Sel et poivre
4 X 160 g (env. 5 oz)	Filets de barbue
80 g (¹/2 tasse)	Beurre doux
240 g (8 oz)	Pommes de terre cocotte

- Faire revenir le lard fumé coupé en petits cubes avec les petits oignons et les champignons en dés, jusqu'à complète évaporation des liquides, puis ajouter le vin rouge et le fumet de poisson. Cuire une quinzaine de minutes, passer au chinois étamine ou passoire à mailles fines et réserver la garniture d'oignons, de lard et de champignons. Lier le jus avec un peu de roux blanc jusqu'à consistance voulue, saler et poivrer au goût, passer au chinois et ajouter la garniture. Laisser mijoter quelques minutes.
- Déposer dans un plat allant au four les filets de barbue, puis verser la sauce au vin rouge dessus. Parsemer du beurre en noisettes, couvrir avec un papier d'aluminium et cuire au four à 200°C (400°F) de 10 à 15 min.
- Cuire les pommes cocotte à l'eau salée. Servir les filets de barbue sitôt sortis du four et garnir avec les pommes cocotte.

Préparation: 25 min	**Cuisson:** 15 à 20 min
Rendement: 4 portions	**Prix de revient:** $$

ACHIGAN À PETITE BOUCHE

Micropterus dolomievi/Smallmouth bass
Appellation erronée: achigan à grande bouche

TRAITEMENT ET COMMERCIALISATION: entier.

CUISSON: meunière, frit ou vapeur.

APPRÉCIATION: d'une chair très délicate, ce poisson demande à être connu.

CARACTÉRISTIQUES: la plupart de ces poissons au Canada mesurent de 20 à 38 cm (8 à 15 po) et pèsent en général de 240 à 560 g (8 à 20 oz). Le dos est dans les tons de brun ou est vert avec de petites taches dorées. Le ventre va du crème au blanc laiteux.

TYPE DE CHAIR: blanche et floconneuse.

PROVENANCE: lacs et rivières du Québec.

OÙ ET QUAND LE TROUVER: uniquement en pêche sportive.

REMARQUES: ce poisson, très prisé par les pêcheurs sportifs, n'est actuellement pas vendu dans le commerce au Canada. Famille des crapets (*Centrarchidés*):
- crapet de roche (*Ambloplites rupestris*);
- achigan à grande bouche (*Micropterus salmoides*);
- crapet-soleil (*Lepomis gibbosus*);
- crapet arlequin (*Lepomis macrochirus*);
- crapet rouge (*Lepomis auritus*);
- crapet vert (*Lepomis cyanellus*);
- crapet à longues oreilles (*Lepomis megalotis*).

Filets d'achigan à petite bouche, cuits à la vapeur, jus de mélisse ou citronnelle

12	Petites carottes nouvelles (en saison) ou petites carottes tournées
250 g (1 ¼ tasse)	Riz blanc cru
400 ml (14 oz)	Court-bouillon (voir recettes de base)
100 g (3 ½ oz)	Mélisse ou citronnelle
800 g (1 ¾ lb)	Filets d'achigan à petite bouche
quantité suffisante	Roux blanc (recettes de base)
200 ml (7 oz)	Crème à 15 %
75 g (⅓ tasse)	Fromage blanc frais
quantité suffisante	Sel et poivre
10 g (1 c. à thé)	Sel de Guérande

- Cuire les carottes et le riz blanc à l'eau salée, égoutter et réserver au chaud.
- Dans une marmite à vapeur à trois étages, verser le court-bouillon à l'étage inférieur, puis au deuxième, déposer 80 g (2 ¾ oz) de mélisse ou de citronnelle. Couvrir et faire bouillir quelques minutes afin d'attendrir et faire sortir les arômes de la mélisse ou de la citronnelle. Ensuite, ajouter le troisième étage de la marmite à vapeur, y déposer les filets d'achigan, puis les cuire à la vapeur. Ils doivent rester moelleux. Les garder au chaud.

- Faire réduire des ⁸/₁₀ le court-bouillon. Laisser infuser une dizaine de minutes. Passer au chinois étamine ou passoire à mailles fines. Lier très légèrement avec un peu de roux blanc, finir la sauce en ajoutant la crème et le fromage blanc frais. Rectifier l'assaisonnement et garder au chaud.

Service: Mouler le riz chaud dans un ramequin, le déposer dans le haut de l'assiette, verser un petit peu de sauce de mélisse ou de citronnelle et déposer les filets d'achigan dessus. Parsemer du reste de la mélisse ou de la citronnelle, dresser autour les carottes nouvelles et parsemer du sel de Guérande.

Préparation: 30 min	**Cuisson:** 10 min
Rendement: 4 portions	**Prix de revient:** $$

Filets d'achigan en croûte de riz sauvage

150 g (1 tasse)	**Riz sauvage**
80 g (1 tasse)	**Chapelure blanche**
3 g (1 ¼ c. à thé)	**Origan en poudre**
1 g (½ c. à thé)	**Thym en poudre**
quantité suffisante	**Sel et poivre**
200 g (env. 1 tasse)	**Têtes de violon**
1	**Œuf**
quantité suffisante	**Farine**
600 g (env. 1 ¼ lb)	**Filets d'achigan à petite bouche**
120 g (¾ tasse)	**Beurre doux**
200 ml (7 oz)	**Fond brun de veau lié (voir recettes de base)**

- Dans un moulin à café, pulvériser le riz sauvage. Mélanger le riz sauvage en poudre, la chapelure blanche, l'origan et le thym en poudre. Saler, poivrer et réserver.
- Cuire les têtes de violon à l'eau salée et égoutter.
- Battre l'œuf. Fariner les filets d'achigan, les passer dans l'œuf battu, puis dans la chapelure de riz sauvage et cuire à la meunière avec le beurre doux pas trop chaud afin que la chapelure absorbe le beurre et fasse une croûte. Saler et poivrer.
- Déposer au fond de l'assiette le fond brun de veau chaud, puis les filets d'achigan en croûte de riz sauvage et disposer autour les têtes de violon chaudes.

Préparation: 15 min	**Cuisson:** 7 à 8 min
Rendement: 4 portions	**Prix de revient:** $$

Photo page 235

CRAPET-SOLEIL

Lepomis gibbosus/Pumpkinseed
Appellations erronées: achigan noir et crapet noir

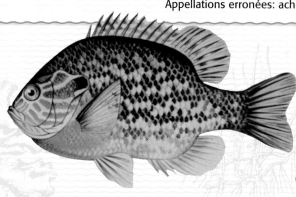

Type de chair: blanche et ferme.

Provenance: lacs et rivières du Québec.

Où et quand le trouver: de mars à octobre, en abondance, pêche sportive.

Traitement et commercialisation: pas vendu dans le commerce.

Cuisson: meunière, frit ou grillé.

Appréciation: demande à être connu.

Remarques: les souvenirs d'enfance remontent à la surface… qui n'a pas pêché un crapet-soleil dans sa jeunesse?

Caractéristiques: corps brun doré tirant sur le vert olive. Longueur moyenne de 15 à 20 cm (6 à 8 po) et poids d'environ 200 g (7 oz).

Petits crapets-soleil frits aux épices, sauce citronnée

300 g (3 ½ tasses)	Chapelure blanche
5 g (1 c. à thé)	Cumin en poudre
5 g (1 c. à thé)	Sésame en poudre
5 g (1 c. à thé)	Fenouil en poudre
480 g (env. 1 lb)	Petits crapets-soleil
2	Œufs
60 ml (¼ tasse)	Huile
80 g (½ tasse)	Beurre doux
quantité suffisante	Sel et poivre
200 ml (7 oz)	Velouté de poisson (voir recettes de base)
2	Citrons (jus)
10 g (2 ½ c. à soupe)	Cerfeuil haché

- Pour préparer la chapelure blanche, utiliser un pain blanc tranché, enlever la croûte et le passer au robot culinaire. Ajouter le cumin, le sésame et le fenouil en poudre et réserver.
- Bien nettoyer, écailler, étêter les crapets-soleil et bien les essuyer.
- Battre les œufs.
- Chauffer l'huile et le beurre dans une poêle épaisse.
- Saler et poivrer les poissons, les tremper dans les œufs battus, puis dans la chapelure assaisonnée. Cuire les crapets-soleil à la poêle.
- Chauffer le velouté de poisson et, au dernier moment, ajouter le jus de citron.
- Dresser les crapets-soleil en buisson au milieu de l'assiette et les parsemer de pluches de cerfeuil. Servir la sauce à part en petits bols individuels.

Préparation: 10 à 15 min **Cuisson:** 5 à 7 min
Rendement: 4 portions **Prix de revient:** $

Filets de crapet-soleil sautés, crème d'ail

480 g (env. 1 lb)	Petits filets de crapet-soleil
quantité suffisante	Sel et poivre
300 ml (1 ¼ tasse)	Huile d'arachide
200 ml (7 oz)	Crème d'ail (voir recettes de base)

- Bien éponger les filets de crapet-soleil, puis saler et poivrer. Chauffer l'huile d'arachide dans une casserole assez haute.
- Saisir les filets de crapet-soleil dans l'huile très chaude. Pour cela, il faut les cuire par petites quantités. Les filets doivent être croustillants autour et moelleux à l'intérieur. Les garder au chaud sur un papier essuie-tout à l'entrée du four jusqu'à complète cuisson de tous les filets.
- Chauffer la crème d'ail et faire des trempettes avec les petits filets de crapet-soleil.

NOTE: Il n'est pas recommandé d'utiliser l'ail avec les poissons, car il dissimule la véritable saveur des poissons. Par contre, certains poissons à prix modeste peuvent être relevés avec de l'ail.

Préparation: 15 min   **Cuisson:** 5 à 8 min
Rendement: 4 portions   **Prix de revient:** $

Petits crapets-soleil frits aux épices, sauce citronnée

CARPE

Cyprinus carpio/Carp
Appellations erronées: carpe allemande, carpe cuir et carpe miroir

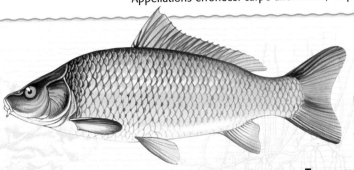

PROVENANCE: lacs et rivières du Québec.

OÙ ET QUAND LA TROUVER: de mars à septembre, en abondance; s'il s'agit d'un poisson d'élevage, toute l'année.

TRAITEMENT ET COMMERCIALISATION: entière, souvent vivante.

CARACTÉRISTIQUES: dos vert olive et ventre jaunâtre. Poisson pouvant mesurer jusqu'à 20 cm (8 po) et pouvant peser de 4,5 à 6,8 kg (10 à 15 lb).

CUISSON: braisée entière, meunière ou frite.

APPRÉCIATION: fait le délice de certaines personnes.

TYPE DE CHAIR: très grasse et brune.

$

Carpe à la mangue, sur lit d'épinard

2	Mangues
80 g (¹/₂ tasse)	Beurre
4 X 180 g (6 oz)	Filets de carpe
100 ml (3 ¹/₂ oz)	Vin blanc sec
200 ml (7 oz)	Fumet de poisson (voir recettes de base)
quantité suffisante	Sel et poivre
50 g (¹/₃ tasse)	Échalotes ciselées
800 g (1 ³/₄ lb)	Épinards frais en feuilles
100 g (env. 3 oz)	Tomates séchées, émincées
1	Lime (jus)
100 ml (3 ¹/₂ oz)	Crème à 35 %

- Éplucher les mangues et en faire de belles tranches.
- Badigeonner un plat allant au four de 30 g (2 ¹/₂ c. à soupe) de beurre, y ranger les filets de carpe que l'on aura pris soin d'inciser (c'est-à-dire donner de petits coups de couteau dans les filets pour que les sucs de mangue rentrent mieux dans les chairs).
- Disposer les tranches de mangue sur les filets. Verser le vin blanc et le fumet de poisson autour, saler et poivrer. Couvrir d'un papier d'aluminium et cuire au four à 200°C (400°F) pendant 12 à 15 min en prenant bien soin d'arroser de temps à autre.
- Pendant la cuisson du poisson, faire suer les échalotes dans le reste du beurre, ajouter les épinards et les tomates, saler, poivrer et cuire doucement. Une fois cuits, égoutter les légumes dans une passoire et garder au chaud.
- La cuisson du poisson terminée, enlever la moitié des tranches de mangue et les déposer dans un mélangeur avec le jus de cuisson et le jus de lime. Émulsionner rapidement, puis incorporer la crème. Conserver ce mélange au chaud.

Service: Au fond de chaque assiette, faire un lit d'épinard, déposer le filet de carpe avec les tranches de mangue cuites dessus et napper de sauce. On peut accompagner ce plat de topinambour ou de pâtes tagliatelles.

Préparation: 25 min	**Cuisson:** 15 à 30 min
Rendement: 4 portions	**Prix de revient:** $$

Carpe à la bière

160 g (env. 1 tasse)	Beurre doux
150 g (1 tasse)	Oignons blancs, émincés
70 g (2/3 tasse)	Céleri émincé
4 X 180 g (6 oz)	Darnes de carpe, arêtes enlevées
quantité suffisante	Sel et poivre
60 g (2 oz)	Pain d'épices coupé en dés
400 ml (14 oz)	Bière
1	Bouquet garni

Préparation: 20 min	**Cuisson:** 20 à 25 min
Rendement: 4 portions	**Prix de revient:** $$

- Étuver au beurre (50 g ou 4 1/2 c. à soupe) les oignons et le céleri émincé. Mettre dans un plat allant au four. Y ranger les darnes de carpe, assaisonner, puis recouvrir avec les dés de pain d'épices, la bière et le bouquet garni. Braiser à couvert au four à 200°C (400°F).
- Selon l'épaisseur des darnes, le temps de cuisson devrait être de 15 à 20 min.
- À la sortie du four, extraire le fond de cuisson et le monter avec 110 g (2/3 tasse) de beurre. Verser sur les darnes avec la garniture de pain d'épices.

Accompagnement: Chayotes en boules parisiennes cuites à l'eau.

243

LAQUAICHE AUX YEUX D'OR

Hiodon alosoides/Goldeye

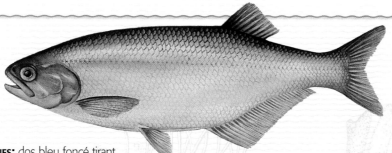

Caractéristiques: dos bleu foncé tirant sur le vert-bleu et ventre blanc. Poisson mesurant généralement de 30 à 38 cm (12 à 15 po).

Type de chair: molle et grise.

Provenance: Ouest canadien, mais il n'y en a pas dans les eaux du Québec.

Où et quand la trouver: d'avril à octobre, en abondance.

Traitement et commercialisation: entière, en filets et fumée.

Cuisson: meunière, pochée ou vapeur.

Appréciation: dans les années 1930, ce poisson était un mets de luxe.

$

Filets de laquaiche aux yeux d'or grillés, sauce à l'orange safranée sur orge perlé

200 g (1 tasse)	Orge perlé
4 X 180 g (6 oz) ou 8 X 90 g (3 oz)	Filets de laquaiche aux yeux d'or
3	Oranges (jus)
1	Citron (jus)
2 g (1/2 c. à thé)	Pistils de safran
100 ml (3 1/2 oz)	Huile d'olive extra-vierge
200 ml (7 oz)	Velouté de poisson (voir recettes de base)
quantité suffisante	Sel et poivre
quantité suffisante	Huile de sésame grillé

- Cuire l'orge perlé à l'eau salée. Garder au chaud dans l'eau après cuisson.
- Dans un plat, déposer les filets de laquaiche aux yeux d'or. Verser dessus le jus d'orange et le jus de citron, les pistils de safran et l'huile d'olive. Laisser mariner 2 à 3 h. Après ce temps, égoutter les filets sur du papier essuie-tout. Récupérer le jus de marinade et chauffer avec le velouté de poisson. Rectifier l'assaisonnement, passer au chinois étamine ou passoire à mailles fines et réserver au chaud.
- Égoutter l'orge et faire sauter avec un peu d'huile de sésame. Assaisonner.
- Faire griller les filets de laquaiche en deux temps sur le gril (très chaud pour commencer, puis finir à feu moyen).

Service: Faire un cercle avec l'orge, déposer les filets de laquaiche grillés dessus, puis verser la sauce autour.

Préparation: 30 min	**Cuisson:** 12 min
Rendement: 4 portions	**Prix de revient:** $$

Laquaiche aux yeux d'or en filets à la meunière et ses quenouilles

160 g (env. 5 oz)	**Cœurs de quenouille**
quantité suffisante	**Sel et poivre**
4 X 160 g (env. 5 oz)	**Filets de laquaiche**
150 ml (env. ⅔ tasse)	**Huile de sésame grillé**
120 ml (½ tasse)	**Noilly Prat sec**
4	**Feuilles d'ail des bois ciselées**

Préparation: 5 à 8 min   **Cuisson:** 5 à 7 min
Rendement: 4 portions   **Prix de revient:** $$

- Cuire les cœurs de quenouille à l'eau salée. Refroidir, égoutter et réserver.
- Saler, poivrer les filets de laquaiche et les cuire vivement dans une poêle épaisse avec l'huile de sésame grillé. Après cuisson, enlever le gras de cuisson et déglacer au Noilly Prat. Réchauffer dans la même poêle les cœurs de quenouille.
- Dresser au milieu de l'assiette les filets de laquaiche, disposer les cœurs de quenouille autour et parsemer des feuilles d'ail des bois.

LOTTE

Lota lota (Linné)/*Burbot*
Appellation erronée: loche

CARACTÉRISTIQUES: couleur variant du jaune au brun; longueur moyenne de 55 cm (22 po) et poids moyen de 950 g à 1,3 kg (2 à 3 lb).

TYPE DE CHAIR: blanche et floconneuse.

PROVENANCE: toutes les eaux douces du Canada.

OÙ ET QUAND LA TROUVER: poisson de pêche sportive seulement; pas vendue dans le commerce.

TRAITEMENT ET COMMERCIALISATION: entière et en filets.

CUISSON: vapeur, meunière ou pochée.

APPRÉCIATION: poisson qui se cuisine comme la morue.

REMARQUES: la baudroie que nous appelons lotte n'est pas vraiment de la lotte. La véritable lotte fait partie de la famille des *Gadidés* (morue, goberge, etc.) et vit en eau douce.

Braisé de lotte de rivière, sur socle de lentilles vertes, sauce au vin rouge

300 g (env. 2 tasses)	Lentilles vertes du Puy
200 g (env. 1 ¼ tasse)	Beurre
50 g (env. 2 oz)	Lard entrelardé, non salé, en dés
25 g (½ tasse)	Échalote ciselée
500 ml (2 tasses)	Fond blanc de volaille (voir recettes de base)
1	Bouquet garni
quantité suffisante	Sel et poivre
100 g (⅔ tasse)	Brunoise de carottes
800 g à 1 kg (1 ¾ à 2 ¼ lb)	Lotte de rivière assez grosse
12	Tranches de bacon
300 ml (1 ¼ tasse)	Vin rouge tannique
200 ml (7 oz)	Fond brun de veau (voir recettes de base)

- Bien laver les lentilles.
- Dans une casserole, dans 50 g (4 ½ c. à soupe) de beurre, faire revenir le lard, ajouter l'échalote, puis laisser mijoter quelques minutes. Ajouter les lentilles, le fond de volaille et le bouquet garni. Assaisonner et cuire doucement à petit feu. Dix minutes avant la fin de cuisson, ajouter la brunoise de carottes. Réserver.
- Désosser la lotte par le ventre, saler et poivrer. Entourer le poisson de tranches de bacon et ficeler comme un rôti. Faire revenir pour obtenir une belle coloration, verser le vin rouge et réduire de moitié avec le braisé, ajouter le fond brun et cuire au four à 180°C (350°F), en arrosant souvent.
- Après vérification de la cuisson avec un thermomètre (72°C ou 160°F à cœur), retirer le braisé. Réduire le fond de cuisson, rectifier l'assaisonnement et monter avec le reste du beurre. Retirer les ficelles du braisé.

Service: Dans un cercle rond, presser les lentilles, couper le rôti en tranches et napper de sauce au vin rouge.

Préparation: 20 min	**Cuisson:** 15 à 20 min
Rendement: 4 portions	**Prix de revient:** $$

Blancs de lotte aux chanterelles et au cresson sauvage

140 g (³/4 tasse)	Beurre doux
40 g (1 c. à soupe)	Échalotes hachées
200 ml (7 oz)	Pineau des Charentes
¹/2	Gousse d'ail hachée finement
20 g (¹/3 tasse)	Persil frisé, émincé
150 ml (env. ²/3 tasse)	Huile d'arachide
160 g (5 oz)	Chanterelles
quantité suffisante	Sel et poivre
300 g (10 oz)	Cresson sauvage
200 ml (7 oz)	Crème à 35 %
180 ml (³/4 tasse)	Velouté de poisson (voir recettes de base)
4 X 180 g (6 oz)	Blancs de lotte
quantité suffisante	Farine

- Avec 100 g (²/3 tasse) de beurre chaud, faire fondre les échalotes, puis ajouter le pineau des Charentes et réduire des ⁹/10. Incorporer l'ail haché et le persil, puis réserver.

- Avec 50 ml (3 c. à soupe) d'huile d'arachide bien chaude, faire sauter les chanterelles, saler et poivrer, puis égoutter sur du papier absorbant. Réserver.
- Au mélangeur, réduire en purée le cresson sauvage et ajouter la crème. Saler, poivrer, ajouter le velouté de poisson et chauffer doucement sans laisser atteindre 100°C (200°F) — si l'on chauffe trop fort, les acides feront tourner la sauce. Garder au chaud.
- Chauffer l'huile d'arachide et le beurre qui restent dans une poêle à fond épais. Saler et poivrer les blancs de lotte, les fariner et les cuire à la meunière.
- Mélanger et réchauffer les chanterelles et l'appareil au pineau des Charentes. Assaisonner au goût.
- Déposer au fond de l'assiette la sauce au cresson sauvage, puis disposer le blanc de lotte au centre et recouvrir des chanterelles.

Accompagnement: Pommes noisettes au beurre.

Préparation: 25 min	**Cuisson:** 10 min
Rendement: 4 portions	**Prix de revient:** $$$

Classification des fruits de mer et des algues

Les mollusques et les crustacés sont parmi les produits de la mer les plus recherchés et, bien qu'on ne les capture qu'en quantité limitée, ils assurent une bonne partie des revenus des pêcheurs.

Les mollusques et les crustacés sont des animaux aquatiques invertébrés, dont les corps mous sont habituellement enfermés dans des coquilles protectrices. Certains, comme le homard et le crabe, sont pourvus d'une carapace dure, mais articulée et flexible, et ils appartiennent à la classe des crustacés. D'autres, comme les huîtres et les palourdes, s'inscrivent dans la classe des mollusques. Le terme «mollusque», provenant du latin, signifie «corps mou». Certains mollusques, tels que la poulpe et le calmar, ne présentent pas de coquille externe, mais ils ont toutefois une petite carapace interne.

ACHAT, FRAÎCHEUR ET CONSERVATION

1. Les crustacés

Le homard d'Amérique

Très réputé pour sa chair savoureuse, le homard d'Amérique est vraiment le roi des crustacés canadiens. Sa couleur varie du bleu-vert au brun-rouge. La taille des homards commercialisés se situe généralement entre 18 et 30 cm (7 et 12 po) et ils pèsent entre 230 et 900 g ($^1/_2$ à 2 lb), mais certains homards peuvent peser plus de 20 kg (44 lb). Pour s'assurer de la meilleure qualité possible, les homards doivent être achetés vivants. Dans ce cas, ils sont évidemment assez lourds. Un homard non cuit, qui est mort, perd énormément de sa chair, puisque celle-ci fond comme du beurre à sa mort. Les homards peuvent aussi être achetés cuits. Généralement, ils sont cuits à l'eau de mer directement sur les bateaux. L'avantage de cet achat provient de la certitude d'avoir un produit frais. En revanche, l'eau de mer, qui présente une forte salinité, durcit légèrement les chairs. Soulignons que l'écrevisse, la langouste et le crabe sont soumis aux mêmes normes d'achat que le homard.

La crevette nordique

Les crevettes nordiques se vendent souvent cuites, la cuisson ayant été faite dans l'eau de mer à bord des bateaux. On reconnaît que les crevettes sont fraîches quand elles ont la queue bien repliée, ce qui signifie qu'elles n'étaient pas déjà mortes ou mourantes lorsqu'elles ont été traitées. Il faut en outre vérifier leur fermeté, car plus elles vieillissent, plus les crevettes deviennent molles. Si elles sont congelées ou lorsqu'elles l'ont été et qu'elles sont vendues décongelées, cette indication doit figurer clairement sur l'emballage. Il faut savoir qu'une crevette congelée avec sa carapace est plus difficile à décortiquer. Les crevettes crues, congelées en bloc sans les têtes, doivent être décongelées lentement.

Le crabe

Lorsqu'on saisit les gros crabes par l'arrière, afin d'éviter les pinces, ils doivent replier leurs pattes avec vigueur. Si elles pendent en remuant mollement, c'est que la mort est imminente. Par ailleurs, plus ils sont lourds, plus les crabes comportent de chair. Les crabes femelles sont quelquefois plus recherchés pour leur chair que les mâles, sauf lorsque la femelle porte ses œufs. On reconnaît les femelles par la largeur de la languette qui se replie sur l'abdomen. Celle-ci est plus large chez les femelles et sert alors à protéger les œufs. Lorsqu'il s'agit d'acheter des crabes cuits, il faut se fier à la parole du poissonnier.

2. Les coquillages

Aucun coquillage ne peut être consommé, même cuit, s'il n'a pas été préparé vivant. Lorsqu'il s'agit d'un coquillage bivalve, il est vivant s'il reste fermé ou si, lorsqu'il s'est légèrement ouvert en milieu ambiant, il se referme au moindre toucher. Quelle que soit sa nature, il faut le considérer impropre à la consommation si sa coquille est cassée ou seulement percée. Si le mollusque sort légèrement de sa coquille ou si la coquille bouge (dans le cas d'un coquillage univalve), c'est la preuve qu'il remue à l'intérieur. Un peu de mousse peut apparaître à l'ouverture.

3. Les invertébrés

Les invertébrés, tels que les encornets, les poulpes et les seiches, ne sont jamais vendus vivants. L'absence d'odeur constitue un critère de fraîcheur, de même que leur fermeté et leur bel aspect sain. Ils se vendent souvent déjà nettoyés, prêts à être utilisés.

4. Les algues

Le littoral atlantique se révèle très riche en algues, un produit de plus en plus consommé au Québec sous l'influence de la cuisine asiatique. Il importe d'user de prudence dans le choix des algues, qui ne sont pas toutes comestibles. Toutefois, qu'elles soient cuites à la vapeur ou par immersion, les algues provenant des eaux canadiennes peuvent rivaliser avec toutes les algues séchées d'importation.

MÉTHODES ET TEMPS DE CUISSON DES CRUSTACÉS

1. Les crustacés vivants

Cuisson à la vapeur

La cuisson à la vapeur convient très bien aux crustacés vivants. On peut utiliser une marguerite ou, comme on en utilise dans certains restaurants, des appareils à vapeur commerciaux. Pour faire cuire les produits à la vapeur, il importe de préparer un excellent court-bouillon (voir recettes de base). Quand on se sert d'une marguerite, il faut utiliser assez de court-bouillon pour que le crustacé puisse être saisi par la vapeur, afin d'éviter qu'il perde sa chair. Dans le cas des petites pièces, par exemple un petit homard, il est recommandé de l'endormir en lui mettant la tête vers le bas pendant quelques minutes. Cela l'empêchera de réagir au contact de la marguerite et de la vapeur et cela diminuera beaucoup le risque qu'il perde sa chair.

Il faut signaler qu'un crustacé qui aurait été acheté vivant et qui serait mort au réfrigérateur ne présenterait plus aucun intérêt pour la consommation, la chair se transformant en liquide après la mort. C'est pourquoi on ne trouve sur le marché que des crustacés vivants (homards, langoustes, langoustines, crevettes ou crabes) ou des produits vendus crus ou cuits, à l'état surgelé.

Cuisson au court-bouillon

Comme pour la cuisson à la vapeur, il est important de préparer un excellent court-bouillon (voir recettes de base) pour cuire les crustacés. Pour éviter que les crustacés ne se vident, il faut encore utiliser un volume important de court-bouillon pour faire cuire un minimum de crustacés à la fois. En faisant cuire, par exemple, trois ou quatre homards dans une petite quantité de liquide, le liquide se refroidira lorsqu'on y plongera les homards crus vivants. Les homards auront eu le temps de se vider avant que le court-bouillon reprenne son ébullition.

Les écrevisses sont encore plus fragiles que les homards lorsqu'il s'agit de les faire cuire vivantes. Dès qu'elles sont mortes, elles dégagent une odeur désagréable. Les écrevisses à la nage, cuites au court-bouillon, constituent un plat délicieux, recherché par les gourmets.

2. Les crustacés surgelés

Les problèmes inhérents à la cuisson des crustacés vivants et les précautions à prendre ne s'appliquent évidemment pas aux crustacés surgelés, qu'ils soient à l'état cru ou à l'état cuit. Soulignons que la cuisson des crevettes, qui se vendent surgelées, cuites ou crues, est très délicate. Il faut d'abord préparer un bon court-bouillon (voir recettes de base) et y plonger peu de crevettes à la fois. Il faut retirer les crevettes du liquide dès la première ébullition et les plonger dans l'eau glacée. Il s'agit ensuite de laisser refroidir le court-bouillon et d'y remettre les crevettes, puis de les laisser reposer ainsi pendant quelques heures afin qu'elles prennent bien les parfums du court-bouillon.

3. Temps de cuisson

Les temps de cuisson des crustacés sont approximatifs et varient selon qu'il s'agit d'une cuisson à la vapeur ou au court-bouillon. Il faut prendre soin de ne pas trop faire cuire les crustacés, car une cuisson prolongée risque de provoquer un durcissement de la chair. Signalons par ailleurs que les homards, les langoustes et les langoustines peuvent être grillés et qu'on peut faire frire les crevettes. Dans de tels cas, le temps de cuisson dépend de la grosseur des produits.

D'autre part, soulignons que tous les crustacés peuvent se manger froids, après une cuisson à la vapeur ou au court-bouillon. Ils peuvent aussi se manger avec une sauce d'accompagnement.

- **Homard vivant:** 5 min par lb + 1 min pour chaque $1/4$ lb de plus.
- **Homard cru surgelé, mais décongelé avant la cuisson:** 7 min par lb + 1 min pour chaque $1/4$ lb de plus.
- **Homard cru surgelé, mais cuit surgelé:** 11 min par lb + 2 min pour chaque $1/4$ lb de plus.
- **Crabe vivant:** 15 à 20 min, à petit bouillon, selon la grosseur.
- **Écrevisse vivante:** 2 à 3 min, au court-bouillon.

Les crustacés

LES UNS MARCHENT, LES AUTRES NAGENT

Saviez-vous qu'un homard de 725 g (1 ½ lb) pouvait être âgé de sept ans et, qu'au cours de cette période, il avait changé 22 fois de carapace? Le homard est un mets royal et là où l'on trouve le plus de saveur, c'est à la naissance des pattes. Bien souvent, nous ne savons pas déguster un homard, car pour bien en extraire les chairs, nous devons utiliser nos mains et «aspirer» la chair qui se trouve dans les petites pattes.

Comme le homard, la langoustine fait partie de la famille des marcheurs, ce sont des marcheurs avec pinces; la langouste et les cigales de mer sont des marcheurs sans pinces. Les crevettes sont des nageurs, tandis que les crabes sont des marcheurs à la queue atrophiée.

Les crustacés sont des animaux recouverts d'une substance cornée, la chitine, qui se durcit plus ou moins selon les espèces et qui forme la carapace. Comme la carapace n'est pas extensible, les crustacés doivent s'en séparer périodiquement. C'est ce qu'on appelle la mue: ils se dénudent alors totalement et apparaissent avec une nouvelle couche de chitine, qui s'était déjà formée sous l'ancienne carapace, mais qui était encore molle. Il est à noter que tous les crustacés, quelle que soit leur coloration naturelle, possèdent un pigment rouge insoluble, alors que les autres disparaissent à la cuisson. C'est ce qui explique pourquoi ils rougissent.

Crabe commun

Crabe dormeur

Crabe des neiges

Crevette blanche

Crevette de roche

Crevette grise

Crevette nordique

Crevette verte

Écrevisse

Homard

Langouste

Langoustine

CRABE COMMUN

Cancer irroratus/Rock crab

Appellations erronées: crabe tourteau et chancre

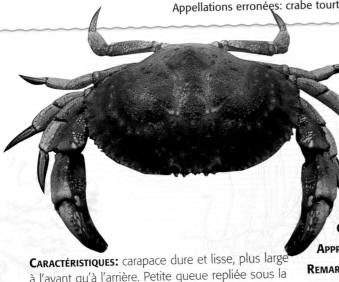

PROVENANCE: Atlantique Nord.

OÙ ET QUAND LE TROUVER: de juin à octobre, en abondance; quelque-fois vivant, en poissonnerie.

TRAITEMENT ET COMMERCIALISATION: tou-jours vivant avec sa carapace; ou décor-tiqué et surgelé.

CUISSON: court-bouillon ou vapeur.

APPRÉCIATION: excellente chair au goût délicat.

REMARQUES: ce crabe de grande qualité possède cependant un défaut: il est difficile d'en extraire la chair.

CARACTÉRISTIQUES: carapace dure et lisse, plus large à l'avant qu'à l'arrière. Petite queue repliée sous la carapace. Cinq paires de pattes aplaties, toutes plus longues que la largeur de la carapace, la pre-mière paire possédant de fortes pinces.

$$$$

Sauté de crabe commun

quantité suffisante	Court-bouillon (voir recettes de base)
4 X 800 à 900 g (1 3/4 à 2 lb)	Crabes communs
60 g (1/3 tasse)	Beurre doux
1	Oignon espagnol blanc, haché
60 g (1/2 tasse)	Échalotes hachées
250 g (3 tasses)	Champignons blancs, coupés en dés
4	Tomates émondées, épépinées et en gros dés
200 ml (7 oz)	Crème à 35 %
quantité suffisante	Sel et poivre
Une pincée	Poivre de Cayenne
40 ml (3 c. à soupe)	Calvados
30 g (1/2 tasse)	Fines herbes coupées finement (persil plat, ciboulette et estragon)

- Dans un court-bouillon corsé (voir recettes de base), cuire les crabes une vingtaine de minutes.
- Les laisser refroidir dans le court-bouillon. On peut exécuter cette opération la veille. Les égoutter, les décortiquer et enlever les parties crémeuses et le corail récupéré dans la carapace.
- Dans le beurre, à la poêle, faire fondre les oignons et les échalotes sans laisser colorer. Ajouter les champignons coupés en dés et les tomates en dés et laisser cuire jusqu'à ce que le liquide soit complètement évaporé. Ajouter le crabe décortiqué ainsi que le

corail et les parties crémeuses. Verser la crème et mélanger délicatement. Assaisonner de sel, de poivre et de poivre de Cayenne. Ajouter le calvados et les fines herbes, puis servir très chaud.

Accompagnement: Salicornes sautées et riz blanc cuit à l'eau.

Préparation: 45 min	**Cuisson:** 30 min
Rendement: 4 portions	**Prix de revient:** $$$$

Crabe commun sur une salade de pommes de terre aux algues (laitue de mer)

30 g (1/3 tasse)	Laitue de mer (ulses) séchée
4 X 800 à 900 g (1 3/4 à 2 lb)	Crabes communs
quantité suffisante	Court-bouillon (voir recettes de base)
4	Pommes de terre moyennes
quantité suffisante	Sel et poivre
quantité suffisante	Vinaigre de vin
2	Citrons (jus)
140 ml (env. 2/3 tasse)	Huile de tournesol

- Réhydrater la laitue de mer avec de l'eau.
- Cuire les crabes communs 20 min au court-bouillon, puis les laisser refroidir au réfrigérateur dans ce bouillon.
- Cuire les pommes de terre en robe des champs à l'eau salée. Égoutter et laisser refroidir au réfrigérateur. On peut faire ces trois opérations la veille de l'utilisation.
- Décortiquer et enlever la chair des crabes, y compris le corail. Assaisonner de vinaigre, du jus d'un citron et de 60 ml (1/4 tasse) d'huile de tournesol. Saler et poivrer au goût.
- Éplucher les pommes de terre et les couper en rondelles assez épaisses. Saler, poivrer et aromatiser de vinaigre de vin, du jus de l'autre citron et du reste de l'huile de tournesol.
- Déposer les pommes de terre à plat dans les assiettes en forme de couronne, les parsemer de laitue de mer égouttée et disposer le crabe commun au centre.

NOTE: On peut servir une sauce mayonnaise à part si on le désire.

Préparation: 45 min	**Cuisson:** 30 à 40 min
Rendement: 4 portions	**Prix de revient:** $$$$

Photo page suivante →

CRABE DORMEUR
Cancer magister/Dungeness crab
Appellation erronée: tourteau-crabe commun

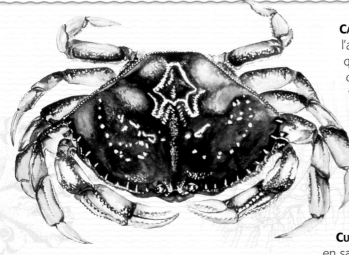

Caractéristiques: carapace dure, plus large à l'avant qu'à l'arrière, munie d'épines. Petite queue repliée sous la carapace. Cinq paires de pattes courtes, la première étant munie de fortes pinces.

Provenance: océan Pacifique.

Où et quand le trouver: de juillet à novembre, en abondance. Comme le crabe commun, on le trouve rarement entier au Québec.

Traitement et commercialisation: surgelé et en conserve.

Cuisson: vapeur, poché au court-bouillon ou en sauce.

Appréciation: excellente chair au goût délicat.

$$$$

Crabe dormeur farci et gratiné

250 ml (1 tasse)	Vin blanc sec
quantité suffisante	Court-bouillon (voir recettes de base)
4 X 600 à 950 g (1 1/4 à 2 lb)	Crabes dormeurs
180 g (1 tasse)	Beurre doux
300 g (3 1/2 tasses)	Champignons en dés, blancs et fermes
180 g (1 1/2 tasse)	Pommes de terre en dés
quantité suffisante	Roux blanc
quantité suffisante	Sel et poivre
200 ml (7 oz)	Crème à 35 %
80 g (2/3 tasse)	Chapelure blanche

- Ajouter le vin blanc au court-bouillon assaisonné, ajouter les crabes et cuire de 20 à 25 min.
- Laisser refroidir, égoutter et extraire toutes les chairs, y compris le corail. Garder les coquilles de crabe, bien les laver et les conserver au sec.
- Avec le tiers du beurre, cuire les champignons, jusqu'à ce que l'humidité soit complètement évaporée. Réserver au chaud.
- **Sauce:** Passer au chinois étamine ou dans une passoire à mailles fines 1 litre (4 tasses) de court-bouillon, y cuire les dés de pommes de terre, puis à l'aide d'une araignée les enlever et réserver au chaud.
- Ajouter du roux blanc au court-bouillon jusqu'à consistance voulue, assaisonner au goût, ajouter la crème, finir par le deuxième

tiers du beurre et passer au chinois ou passoire à mailles fines.

- Mélanger délicatement le crabe, les champignons et les pommes de terre avec la sauce. Rectifier l'assaisonnement et déposer dans les carapaces de crabe vides. Parsemer les carapaces de chapelure blanche ainsi que de quelques noix de beurre.
- Mettre au four à 200°C (400°F) de 18 à 20 min afin que la chapelure soit bien colorée.
- Servir immédiatement.

Préparation: 50 min	**Cuisson:** 40 min
Rendement: 4 portions	**Prix de revient:** $$$$

Photo page 257

Crabe dormeur à l'américaine

100 g (²/₃ tasse)	Beurre doux
60 g (¹/₂ tasse)	Échalotes hachées
60 g (env. ¹/₂ tasse)	Brunoise de céleri
60 g (env. ¹/₂ tasse)	Brunoise de carottes
1 pincée	Thym
¹/₂	Feuille de laurier
4 X 600 à 900 g (1 ¹/₄ à 2 lb)	Crabes dormeurs vivants
quantité suffisante	Huile d'arachide
50 ml (3 c. à soupe)	Cognac
50 g (¹/₄ tasse)	Pâte de tomate cuite
200 ml (7 oz)	Vin blanc sec
300 ml (1 ¹/₄ tasse)	Fumet de poisson
quantité suffisante	Sel et poivre

- Dans une casserole assez grande, chauffer le beurre et faire fondre les échalotes, le céleri et les carottes, le thym et le laurier.

- Couper les crabes rapidement (enlever les pinces, couper en quatre le corps et enlever le corail et la partie crémeuse).
- Pendant que vous faites cette opération, chauffer dans une grande poêle l'huile d'arachide, puis faire sauter le crabe.
- Quand les morceaux de crabe ont bien sauté, les déposer sur les légumes et flamber avec le cognac, puis ajouter la pâte de tomate, le vin blanc et le fumet de poisson. Assaisonner et cuire de 12 à 15 min. Enlever les morceaux de crabe et réduire la sauce jusqu'à consistance voulue. Remettre le crabe et réchauffer. Servir tel quel.

Accompagnement: Pommes de terre cuites à l'eau.

NOTE: Cette recette doit être servie avec rince-doigts et bavette, car il faut aller chercher les saveurs au fond des carapaces.

Préparation: 40 min	**Cuisson:** 25 à 35 min
Rendement: 4 portions	**Prix de revient:** $$$$

CRABE DES NEIGES

Chionoecetes opilio/Snow crab et *queen crab*
Appellation erronée: crabe araignée

CARACTÉRISTIQUES: carapace dure et lisse. Petite queue repliée sous la carapace. Cinq paires de pattes aplaties, toutes plus longues que la largeur de la carapace, la première paire possédant de fortes pinces.

PROVENANCE: Atlantique Nord.

OÙ ET QUAND LE TROUVER: de juin à octobre, en abondance, rarement entier et frais dans les poissonneries.

TRAITEMENT ET COMMERCIALISATION: surgelé en paquets de 454 g (1 lb). On trouve aussi des pattes avec leurs carapaces.

CUISSON: vapeur, poché au court-bouillon, grillé ou au four.

APPRÉCIATION: crabe d'une grande finesse de goût.

$$$$

Pinces de crabe des neiges au lait d'amande sur un lit de salicornes aux herbes salées

350 g (3 1/2 tasses)	Salicornes (haricots de la mer)
60 g (1/3 tasse)	Herbes salées
200 ml (7 oz)	Crème à 35 %
70 ml (env. 1/3 tasse)	Lait d'amande
quantité suffisante	Sel et poivre
60 g (1/3 tasse)	Beurre de homard
1	Lime (jus)
600 g (1 1/4 lb)	Pinces de crabe des neiges cuites, décortiquées
80 g (1/2 tasse)	Beurre doux

- Faire blanchir les salicornes et les herbes salées séparément pour les dessaler, si nécessaire.
- **Sauce:** Faire chauffer la crème, ajouter le lait d'amande, saler et poivrer. Réduire légèrement et monter au beurre de homard. Ajouter le jus de lime et chauffer les pinces de crabe des neiges doucement dans la sauce. Réserver au chaud.
- Chauffer dans une poêle le beurre doux et sauter les salicornes et les herbes salées ensemble. Saler et poivrer.
- Déposer en buisson les salicornes et disposer autour les pinces de crabe avec la sauce.

Préparation: 30 min	**Cuisson:** 10 min
Rendement: 4 portions	**Prix de revient:** $$$$

Avocats farcis au crabe des neiges

4	Avocats mûrs et frais
2	Citrons (jus)
320 g (env. ³/4 lb)	Chair de crabe des neiges
80 g (¹/3 tasse)	Mayonnaise (voir recettes de base)
20 g (1 c. à thé)	Échalotes hachées finement
quantité suffisante	Sel et poivre
4 brins	Aneth

- Les avocats doivent être bien mûrs, mais conservés au réfrigérateur afin qu'ils soient bien froids.

- Les ouvrir, enlever le noyau et, à l'aide d'une cuillère parisienne, faire de belles boules aussi rondes que possible. Arroser immédiatement de jus de citron.
- Mélanger la chair de crabe avec la mayonnaise et les échalotes, puis avec les boules d'avocat, assaisonner et regarnir les coquilles d'avocat avec l'appareil. Décorer avec les brins d'aneth.

NOTE: Cette recette est très simple, mais on peut faire ses propres créations, comme sur la photo.

Préparation: 30 min
Rendement: 4 portions   **Prix de revient:** $$$$

CREVETTE BLANCHE

Pasiphaea multidentata/White shrimp et glass shrimp

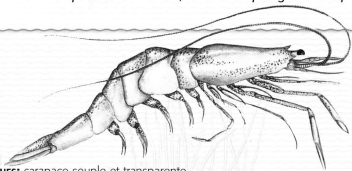

Caractéristiques: carapace souple et transparente, à l'état frais. Carapace et abdomen comprimés latéralement.

Provenance: Atlantique Nord.

Où et quand la trouver: arrivages très irréguliers sur le marché.

Traitement et commercialisation: surgelée, rarement fraîche.

Cuisson: pochée au court-bouillon, à la vapeur, sautée ou grillée.

Appréciation: c'est un crustacé de qualité.

Remarques: comme toutes les crevettes, la crevette blanche ne doit jamais être trop cuite.

$$$$

Fricassée de crevettes blanches aux parfums d'anis

300 g (3 1/2 tasses)	Champignons blancs et fermes
150 g (env. 3/4 tasse)	Beurre doux
quantité suffisante	Sel et poivre
480 g (env. 1 lb)	Crevettes décortiquées et déveinées
75 ml (env. 1/3 tasse)	Ricard ou Pernod
60 g (4 c. à soupe)	Échalotes hachées
100 ml (3 1/2 oz)	Vin blanc
160 ml (env. 2/3 tasse)	Bisque de crevettes (voir bisque de homard dans les recettes de base)
40 g (env. 1 tasse)	Ciboulette ciselée

Préparation: 30 min **Cuisson:** 10 min
Rendement: 4 portions **Prix de revient:** $$$$

- Couper les champignons en quartiers. Bien les laver et les cuire sans eau avec 50 g (4 1/2 c. à soupe) de beurre. Il est important que les champignons soient très frais, c'est-à-dire très fermes, pour qu'après la cuisson, ils restent blancs et fermes. Après cuisson, saler, poivrer et réserver.

- Chauffer le reste du beurre et faire sauter vivement les crevettes afin de les raidir sans coloration. Verser le Ricard ou le Pernod, puis flamber. À l'aide d'une écumoire, enlever les crevettes, puis ajouter les échalotes et les fondre tout doucement. Verser le vin blanc et réduire des 9/10. Incorporer la bisque de crevettes et laisser mijoter quelques minutes.

- Dans une autre casserole, ajouter champignons et crevettes. Passer la sauce au chinois étamine ou passoire à mailles fines et laisser mijoter (surtout sans laisser bouillir). Assaisonner et juste avant de servir, parsemer de ciboulette ciselée.

Accompagnement: Riz blanc à l'eau ou pilaf.

NOTE: Lorsqu'on achète des crevettes non décortiquées, après les avoir épluchées, on peut conserver les carapaces au congélateur. Quand on en a suffisamment, elles servent à préparer une bisque.

Photo page suivante →

Crevettes sautées au lait de noix de coco sur un lit de haricots de la mer

300 g (3 tasses)	Salicornes (haricots de la mer)
120 ml (1/2 tasse)	Huile d'arachide
480 g (env. 1 lb)	Crevettes (de 15 à 18 à la lb)
80 g (env. 2/3 tasse)	Raisins de Corinthe
120 ml (1/2 tasse)	Lait de noix de coco
150 g (env. 3/4 tasse)	Beurre doux
1	Oignon blanc, haché finement
200 g (env. 1 tasse)	Chair de noix de coco en dés
quantité suffisante	Sel et poivre
40 g (2/3 tasse)	Persil frais, haché

- Goûter à cru les salicornes. Si elles sont trop salées, les blanchir, c'est-à-dire leur donner une première ébullition et les rafraîchir à l'eau froide immédiatement. Égoutter et réserver.
- Faire chauffer l'huile d'arachide et saisir vivement les crevettes jusqu'à ce qu'elles prennent une coloration. Les égoutter et réserver sur du papier absorbant.

- Faire tremper quelques minutes les raisins de Corinthe avec le lait de noix de coco.
- Avec 60 g (1/3 tasse) de beurre, étuver l'oignon haché, ajouter les dés de noix de coco et laisser mijoter jusqu'à ce que les dés soient cuits, puis ajouter le mélange de lait de noix de coco et de raisins ainsi que les salicornes. Laisser à basse température afin que l'ensemble du mélange soit chaud, tout en restant croquant. Saler et poivrer au goût.
- Avec le reste du beurre, réchauffer les crevettes, saler et poivrer au goût.
- Dans le fond de chaque assiette, faire un lit de haricots de la mer (salicornes). Bien ranger en couronne les crevettes et parsemer de persil haché.

NOTE: Il faut éviter l'ail qui masque la finesse du goût des crustacés. Si l'on est vraiment amateur d'ail, alors il est préférable d'utiliser les «fausses crevettes» (surimi) qui sont beaucoup moins chères.

Préparation: 25 min	**Cuisson:** 10 à 15 min
Rendement: 4 portions	**Prix de revient:** $$$$

CREVETTE DE ROCHE

Sclerocrangon boreas/Red sand shrimp et *sculptures shrimp*

Appellation erronée: cigale de mer

CARACTÉRISTIQUES: à l'état frais, carapace et abdomen plutôt durs, rugueux et tachetés de blanc et de brun; carapace cinq fois plus longue que large. Corps comprimé d'une longueur maximale de 12,5 cm (5 po).

PROVENANCE: Atlantique Nord.

OÙ ET QUAND LA TROUVER: arrivage irrégulier dans les poissonneries.

TRAITEMENT ET COMMERCIALISATION: entière, fraîche et surgelée.

CUISSON: pochée au court-bouillon, à la vapeur, sautée ou grillée.

APPRÉCIATION: très savoureuse.

REMARQUES: comme toutes les crevettes, elles doivent être consommées très fraîches, sinon elles doivent être bien surgelées.

$$$$

Crevettes à la vanille accompagnées de pâtissons

12	Pâtissons jaunes (petits)
200 ml (7 oz)	Sauce homardine (voir recettes de base)
quantité suffisante	Gousse de vanille ou extrait de vanille
quantité suffisante	Huile d'arachide
4	Pleurotes
quantité suffisante	Sel et poivre
100 g (²/₃ tasse)	Beurre
480 g (env. 1 lb)	Crevettes écaillées et dénervées
2	Échalotes vertes, ciselées
20 ml (4 c. à thé)	Cognac
120 ml (¹/₂ tasse)	Vin blanc
80 g (env. ¹/₂ tasse)	Dés de tomates fraîches, émondées et épépinées

- À l'eau bouillante salée, cuire les pâtissons. Une fois les pâtissons cuits, les réserver au chaud.
- **Sauce:** Chauffer la sauce homardine, ajouter l'intérieur d'une gousse de vanille ou l'extrait de vanille naturel et laisser mijoter. Attention, le goût de vanille ne doit pas être prononcé, il doit rester subtil. Réserver.
- À la grille ou dans une poêle épaisse, avec un peu d'huile d'arachide, cuire les pleurotes salés et poivrés. Égoutter et réserver.
- Chauffer le beurre et faire sauter les crevettes salées et poivrées. Les enlever et

garder au chaud. Ajouter les échalotes vertes, puis verser le cognac, flamber, verser le vin blanc ainsi que la sauce homardine. Laisser mijoter quelques minutes, puis ajouter les crevettes.

- Au fond de chaque assiette, disposer un pleurote, puis les crevettes et, de chaque côté, les pâtissons et les dés de tomates.

NOTE: Pourquoi jaunes? C'est simplement une question de présentation, sinon on peut utiliser ceux que l'on trouve sur le marché. On utilise les pâtissons pour la neutralité du goût qui ne masquera pas la saveur des crevettes.

Préparation: 40 min	**Cuisson:** 6 à 8 min
Rendement: 4 portions	**Prix de revient:** $$$$

Photo page 265

Crevettes à la vapeur d'algues, beurre citronné

300 ml (1 ¼ tasse)	Court-bouillon (voir recettes de base)
150 g (5 oz)	Mousse d'Irlande* fraîche (algues)
480 g (env. 1 lb)	Crevettes décortiquées et dénervées
160 g (1 tasse)	Beurre de citron aux herbes (voir recettes de base)

Préparation: 15 min	**Cuisson:** 8 à 12 min
Rendement: 4 portions	**Prix de revient:** $$$$

- Pour réaliser cette recette, il faut une casserole à trois étages. Au premier étage, verser le court-bouillon, puis au deuxième, déposer les algues et enfin au dernier, mettre les crevettes.
- Faire chauffer le court-bouillon. Ajouter le deuxième étage, celui où il y a les algues. Couvrir et laisser bouillir 4 à 5 min afin que les algues développent leur saveur, puis déposer le dernier étage où sont les crevettes. Cuire à la vapeur jusqu'à ce que les crevettes soient moelleuses.
- Servir immédiatement avec le beurre de citron aux herbes chaud.

* On trouve la mousse d'Irlande à la poissonnerie pendant la saison du homard.

CREVETTE GRISE

Crangon septemspinosus/Brown shrimp et *sand shrimp*

Où et quand la trouver: arrivage irrégulier dans les poissonneries.

Traitement et commercialisation: entière avec carapace et surgelée.

Cuisson: pochée au court-bouillon ou à la vapeur.

Appréciation: beaucoup plus petite que la crevette de roche, on peut la déguster entièrement.

Caractéristiques: carapace souple et lisse. Épine au centre de la carapace et une autre de chaque côté. Corps comprimé.

Remarques: en Europe, la crevette grise est l'espèce *Crangon vulgaris.*

Provenance: Atlantique Nord et Europe.

$$$$

Consommé de crevette en cachette

600 ml (2 ½ tasses)	Fumet de poisson léger clarifié (voir recettes de base)
120 ml (½ tasse)	Vin blanc
500 g (env. 1 lb)	Carapaces de crevette
quantité suffisante	Sel et poivre
250 g (½ lb)	Pâte feuilletée
1	Œuf
120 g (4 oz)	Crevettes décortiquées, cuites
120 g (1 ⅓ tasse)	Champignons blancs en petits dés, cuits
90 g (1 ½ tasse)	Pluches de cerfeuil

• Chauffer le fumet de poisson léger, ajouter le vin blanc et les carapaces de crevette. Laisser cuire doucement une vingtaine de minutes et passer au chinois étamine ou passoire à mailles fines. Laisser refroidir après avoir vérifié l'assaisonnement. Pour faire la recette de consommé de crevette, il faut nécessairement que le consommé soit bien froid.

• Utiliser quatre bols munis d'un léger rebord.

• Étendre la pâte feuilletée, battre l'œuf avec un peu d'eau pour faire de la dorure.

• Au fond de chaque bol, déposer crevettes et champignons en quantités égales, puis les pluches de cerfeuil et remplir le bol aux trois quarts de consommé froid. Badigeonner le rebord externe du bol de dorure. Découper des ronds de feuilletage qui dépasseront de 2 cm (¾ po) le diamètre du bol et déposer un rond de pâte sur chaque bol en collant bien la pâte sur la dorure. Badigeonner le dessus de la pâte et laisser au froid une quinzaine de minutes.

- Déposer dans un four à 260°C (500°F) pour saisir le feuilletage, puis baisser le feu, couvrir avec un papier d'aluminium. Après 20 à 25 min, le consommé devrait être prêt à déguster.

NOTE: Chaque fois que l'on achète des crevettes, on peut garder les carapaces et les congeler. Quand on en a suffisamment, on peut réaliser un consommé de crevettes.

Préparation: 1 h	**Cuisson:** 20 à 30 min
Rendement: 4 portions	**Prix de revient:** $$$

Photo page suivante →

Bouquet de crevettes grises aux trois sauces

400 g (14 oz)	Crevettes grises
quantité suffisante	Vin blanc (facultatif)
250 ml (1 tasse)	Mayonnaise (voir recettes de base)
15 à 20 ml (3 à 4 c. à thé)	Jus d'orange réduit
15 à 20 ml (3 à 4 c. à thé)	Jus d'huître réduit
80 ml (env. 1/3 tasse)	Sauce maltaise
quantité suffisante	Zestes d'orange blanchis
quantité suffisante	Sel et poivre
80 ml (env. 1/3 tasse)	Mayonnaise citronnée
20 g (1/2 tasse)	Ciboulette ciselée
80 ml (env. 1/3 tasse)	Mayonnaise au jus d'huître
2	Citrons (jus)

- À l'aide d'une marguerite ou d'une casserole à étages, faire cuire les crevettes à la vapeur. On peut ajouter un peu de vin blanc dans l'eau de cuisson. Attention: les crevettes doivent rester moelleuses, c'est-à-dire pas trop cuites. Ne jamais mettre les crevettes dans l'eau, arrêter la cuisson en les déposant sur de la glace concassée et lorsqu'elles sont froides les envelopper dans un linge et les conserver au réfrigérateur.
- **Mayonnaise:** Faire 250 ml (1 tasse) de mayonnaise selon la recette de base, puis la diviser en trois parts égales. La veille de la confection des sauces, réduire le jus d'orange et le jus d'huître afin d'obtenir des concentrés.
- **Sauce maltaise:** Ajouter du jus d'orange réduit ainsi que des zestes d'orange blanchis. Assaisonner au goût.
- **Mayonnaise citronnée:** Ajouter le jus de citron et la ciboulette ciselée. Assaisonner au goût.
- **Mayonnaise au jus d'huître:** Ajouter le concentré de jus d'huître. Assaisonner au goût.

NOTES: Ces petites crevettes d'une grande saveur peuvent se manger intégralement.

Toutes les sauces qui accompagnent les crevettes, qu'elles soient chaudes ou froides, doivent relever les saveurs de ce magnifique crustacé et non les masquer.

Préparation: 30 min	**Cuisson:** 2 à 4 min
Rendement: 4 portions	**Prix de revient:** $$$$

CREVETTE NORDIQUE

Pandalus borealis/Pink shrimp et *deep water prawn (G.B.)*
Appellations erronées: crevette de Matane, crevette de Sept-Îles et crevette rose

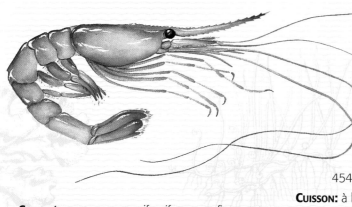

PROVENANCE: Atlantique Nord.

OÙ ET QUAND LA TROUVER: toute l'année, surgelée dans les poissonneries.

TRAITEMENT ET COMMERCIALISATION: rarement fraîche, surgelée en paquets de 454 g (1 lb) ou 2 kg (4 ½ lb).

CUISSON: à la vapeur ou pochée au court-bouillon.

CARACTÉRISTIQUES: rouge vif uniforme ou finement mouchetée, bandes diagonales rouges sur la carapace et l'abdomen. Carapace souple. Abdomen et carapace comprimés latéralement.

APPRÉCIATION: crevette de grande qualité.

REMARQUES: c'est «notre» crevette la plus populaire.

$$$$

Salade de crevettes nordiques accompagnée de haricots de soya

400 g (14 oz)	Crevettes nordiques crues ou cuites
240 g (8 oz)	Haricots de soya secs
1	Oignon en rondelles
1	Carotte en rondelles
2	Citrons (jus)
120 ml (½ tasse)	Huile de tournesol
quantité suffisante	Sel et poivre
40 g (1 tasse)	Ciboulette ciselée

• Si les crevettes nordiques sont crues, les pocher au court-bouillon (voir recettes de base). Attention: au premier frémissement du court-bouillon, on doit arrêter la cuisson (en ajoutant des glaçons), sinon elles seraient trop cuites. Réserver.

• Faire tremper les haricots de soya quelques heures à l'eau froide. Les cuire ensuite avec l'oignon et la carotte en rondelles. Laisser dans le fond de cuisson jusqu'à complet refroidissement.

• Égoutter les haricots et les crevettes dans une passoire, tout en faisant une légère pression sur les crevettes pour en extraire le maximum de liquide. Mettre les deux éléments au réfrigérateur quelques heures.

• Mélanger le jus de citron et l'huile de tournesol avec un peu de sel et de poivre, puis ajouter les crevettes et les haricots de soya. Rectifier l'assaisonnement et servir dans des petites coupes. Parsemer de ciboulette ciselée.

Préparation: 30 min	**Cuisson:** 35 min
Rendement: 4 portions	**Prix de revient:** $$$$

Timbale de crevettes nordiques aux légumes d'Asie

400 g (14 oz)	Crevettes nordiques décortiquées et dénervées
60 ml (1/4 tasse)	Huile de sésame grillé
2	Échalotes vertes, ciselées
1/2	Gousse d'ail hachée finement
100 g (env. 3 oz)	Champignons shiitake réhydratés
160 g (env. 5 oz)	Pois mange-tout
quantité suffisante	Sel et poivre
160 g (1 1/2 tasse)	Chou chinois
100 g (3 1/2 oz)	Pousses de bambou (en conserve)
100 ml (3 1/2 oz)	Fond blanc de volaille (voir recettes de base)
60 ml (1/4 tasse)	Sauce aux huîtres (commerciale)
60 ml (1/4 tasse)	Sauce soya (commerciale)

- Bien égoutter les crevettes nordiques afin d'en extraire le maximum de liquide. Réserver.
- Chauffer l'huile de sésame grillé et faire fondre les échalotes ciselées avec l'ail.
- Émincer les champignons shiitake en les pressant pour en extraire l'eau de trempage. Blanchir les pois mange-tout à l'eau salée, égoutter et réserver. Émincer le chou chinois et réserver. Couper les pousses de bambou en bâtonnets et réserver.
- Une fois les échalotes et l'ail ciselé bien fondus, ajouter en premier les champignons shiitake émincés et étuver quelques minutes. Puis, l'un après l'autre, ajouter le chou chinois, les pois mange-tout et les pousses de bambou. Bien mélanger, puis verser le fond blanc de volaille et laisser mijoter quelques minutes tout en surveillant pour que les légumes restent croquants.
- Verser la sauce aux huîtres et la sauce soya. Rectifier l'assaisonnement, puis, quelques minutes avant de servir, mélanger les légumes avec les crevettes nordiques. Servir immédiatement.

Préparation: 20 min	**Cuisson:** 15 min
Rendement: 4 portions	**Prix de revient:** $$$$

Photo page 271

CREVETTE VERTE

Argis dentata/Arctic argid

CARACTÉRISTIQUES: carapace souple, comportant deux épines au milieu et une épine de chaque côté. Corps comprimé et petits yeux très rapprochés, dirigés vers le haut.

PROVENANCE: Atlantique Nord.

OÙ ET QUAND LA TROUVER: arrivages irréguliers dans les poissonneries.

TRAITEMENT ET COMMERCIALISATION: surgelée au poids ou en paquets de 454 g (1 lb).

CUISSON: à la vapeur ou pochée au court-bouillon.

APPRÉCIATION: plus délicate et plus fragile que les autres crevettes, mais excellente au goût.

$$$$

Crevettes grillées aux pistils de safran avec une sauce rouille

480 g (env. 1 lb)	Crevettes (de 15 à 18 à la lb avec écailles)
6 à 8 g (1 1/2 à 2 c. à thé)	Pistils de safran hachés
1/2	Gousse d'ail hachée très finement
300 ml (1 1/4 tasse)	Huile d'olive

SAUCE ROUILLE:

4	Jaunes d'œufs
40 ml (3 c. à soupe)	Moutarde de Dijon
quantité suffisante	Sel et poivre
1	Citron (jus)

Préparation: 20 min   **Cuisson:** 10 min
Rendement: 4 portions   **Prix de revient:** $$$$

- Mettre en brochette les crevettes, parsemer légèrement de pistils de safran hachés ainsi que d'ail haché. Badigeonner avec 50 ml (3 c. à soupe) de l'huile d'olive et réserver.
- **Sauce rouille:** Mélanger les jaunes d'œufs, la moutarde de Dijon, le sel, le poivre et le jus de citron. Bien fouetter, ajouter les pistils de safran et l'ail haché. Laisser reposer une quinzaine de minutes. Cette opération aura pour effet de bien diluer le safran, grâce aux acides. Puis émulsionner avec le reste de l'huile d'olive. Réserver.
- Faire griller les brochettes de crevettes assaisonnées tout en faisant bien attention qu'elles ne colorent pas trop, ce qui donnerait un goût amer.

Accompagnement: Purée de pommes de terre ou riz cuit à l'eau.

NOTE: On peut laisser ou enlever les carapaces des crevettes, les deux façons de faire ont leur avantage. En les laissant, on garde le moelleux des crevettes, en revanche, on élimine le fait de griller directement sur la chair. En enlevant les carapaces, on obtient l'inverse.

Mousse de crevettes et pousses de canne à sucre sur un riz sauvage cuit aux cinq-épices, sauce à l'anis étoilé

500 g (env. 1 lb)	Crevettes pour mousse (petites ou mélangées)
100 g (env. 3 oz)	Filets de plie
quantité suffisante	Sel et poivre
2	Œufs
150 ml (env. 2/3 tasse)	Crème à 35 %
4 à 6	Pousses de canne à sucre
160 ml (env. 2/3 tasse)	Sauce aux huîtres ou jus de palourde
180 ml (3/4 tasse)	Bisque de crevette (voir bisque de homard, dans les recettes de base)
5 à 6 unités	Anis étoilé (badiane)
150 g (env. 1 tasse)	Riz sauvage
12 g (4 c. à thé)	Cinq-épices

- Passer les crevettes et les filets de plie au robot culinaire, saler et poivrer. Ajouter les œufs, puis la crème bien froide. Passer au tamis et réserver. Autour des bâtons de canne à sucre, former une grosse quenelle de mousse de crevettes. Laisser au réfrigérateur 30 min, puis, dans une casserole avec une marguerite, pocher à couvert quelques minutes avant de servir.

- Sauce: Faire bouillir la sauce aux huîtres ou le jus de palourde avec l'anis étoilé pendant 10 min, puis couvrir et laisser infuser. Faire chauffer la bisque de crevette et, par petites quantités, ajouter l'infusion de badiane jusqu'au goût désiré. Réserver au chaud.

- Riz sauvage: Faire bouillir assez d'eau pour que le riz sauvage soit «libre». Ajouter le cinq-épices, le sel et le poivre. Cuire le riz sauvage jusqu'à ce qu'il «éclate». Le laisser dans l'eau de cuisson en arrêtant celle-ci avec des glaçons.

- Service: Bien égoutter le riz, le chauffer au four à micro-ondes, déposer la mousse de crevettes dessus et servir la sauce à part.

NOTE: Qu'est-ce que le cinq-épices? C'est un mélange de badiane, de fenouil, de clous de girofle, de cannelle et de poivre du Sichuan.

Préparation: 1 h	**Cuisson:** 35 min
Rendement: 4 portions	**Prix de revient:** $$$$

Photo page suivante →

ÉCREVISSE

Orconectes sp./Crayfish
Appellation erronée: petit homard

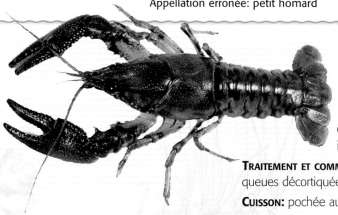

Où et quand la trouver: arrivage irrégulier dans les poissonneries.

Traitement et commercialisation: entière vivante et queues décortiquées.

Cuisson: pochée au court-bouillon, sautée ou en sauce.

Appréciation: très grande qualité culinaire.

Caractéristiques: carapace dure. Grande queue bien développée. Cinq paires de pattes, la première munie de pinces se terminant par des doigts allongés.

Remarques: ce crustacé d'eau douce est remarquable par son goût d'une grande finesse, ses saveurs éclatent en bouche.

Provenance: lacs du Québec.

$$$

Gratin de queues d'écrevisse *

quantité suffisante	Court-bouillon (voir recettes de base)
1 kg (2 ¹/₄ lb)	Écrevisses de rivière ou de lac, vivantes
100 g (²/₃ tasse)	Beurre
100 g (1 tasse)	Échalotes hachées finement
50 ml (3 c. à soupe)	Cognac
120 ml (¹/₂ tasse)	Vin blanc sec de qualité
320 ml (1 ¹/₃ tasse)	Coulis d'écrevisse (voir recettes de base)
200 ml (7 oz)	Crème à 35 %
quantité suffisante	Sel et poivre

- Faire bouillir le court-bouillon. Châtrer les écrevisses et les pocher 1 à 2 min, les égoutter et décortiquer les queues. Garder les carcasses au congélateur pour utilisation future (bisque d'écrevisse ou sauce aux écrevisses).
- Faire fondre au beurre les échalotes, ajouter les queues d'écrevisse et flamber au cognac. Enlever les écrevisses et la sauce, et les réserver au chaud. Ajouter le vin blanc, réduire de moitié pour enlever l'acidité et verser le coulis d'écrevisse.
- Laisser mijoter quelques minutes sans ébullition.
- Monter la crème en crème fouettée. Puis, juste avant de servir, mélanger délicatement la crème fouettée avec les écrevisses et la sauce. Rectifier l'assaisonnement. Choisir quatre petits plats ronds en céramique ou en

cuivre (portion individuelle), puis y verser à parts égales l'appareil de gratin d'écrevisse.
- Mettre au four à 160° à 190°C (325° à 375°F), de 5 à 8 min pour réchauffer l'ensemble, puis juste avant de servir, mettre 2 min à *broil* ou à la salamandre pour gratiner.

Service: directement dans les plats avec du riz comme garniture.

* Recette dédiée au chef Carlo Dell'Ollio.

Préparation: 1 h	**Cuisson:** 15 à 20 min
Rendement: 4 portions	**Prix de revient:** $$$$

HOMARD

Homarus americanus/Lobster

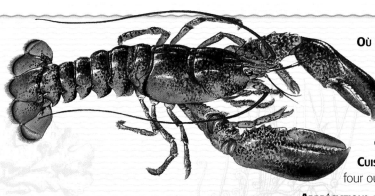

Où et quand le trouver: on le trouve toute l'année. En abondance de mai à juillet (en provenance des Îles-de-la-Madeleine).

Traitement et commercialisation: entier vivant, queues surgelées, chair en paquets et chair en conserve.

Cuisson: grillé, rôti, poché, vapeur, au four ou en ragoût.

Appréciation: c'est notre fierté nationale.

Remarques: nous avons la chance de déguster ce plat de roi chez nous extrêmement frais, en saison. C'est le homard des Îles-de-la-Madeleine qui a la meilleure réputation.

$$$+ (selon la saison)

Caractéristiques: carapace très dure. Grande queue bien développée. Cinq paires de pattes, la première munie de pinces aplaties et larges, l'une étant beaucoup plus robuste que l'autre.

Provenance: différentes régions des côtes de l'Atlantique (Canada et États-Unis).

Homard à l'étouffée*

2,25 litres (9 tasses)	Court-bouillon
4 X 675 g (1 1/2 lb)	Homards vivants
1/2	Tranche de pain
quantité suffisante	Thym
2	Échalotes en brunoise
quantité suffisante	Sel et poivre
40 ml (3 c. à soupe)	Vin blanc
10 ml (2 c. à thé)	Cognac
120 g (3/4 tasse)	Beurre ramolli
175 g (1 tasse)	Beurre
1	Citron (jus)
1/2	Paquet de ciboulette hachée

Préparation: 40 min **Cuisson:** 15 à 20 min
Rendement: 4 portions **Prix de revient:** $$$+

- Amener le court-bouillon à ébullition, y plonger les homards vivants, un à la fois, pour qu'ils ne perdent pas leur chair, et les laisser cuire pendant 2 à 3 min; les laisser refroidir. Couper les homards en deux et retirer la chair du corps et des pinces. Réserver le corail. Couper la chair des homards en gros dés.
- Enlever la croûte de pain et passer la mie au robot de cuisine. Ajouter le thym, les échalotes et les assaisonnements. Déposer cette chapelure dans un bol et y ajouter graduellement le vin blanc, le corail des homards, le cognac et le beurre en pommade.
- Bien laver les carapaces des homards et les faire sécher. Répartir la chair de homard sur ces demi-homards. Couvrir chaque demi-homard avec l'appareil au corail.

Faire cuire au four à 180°C (350°F) pendant 15 à 18 min. Déposer deux demi-homards dans chaque assiette et servir immédiatement.

- Accompagner de beurre clarifié et citronné, puis garnir de ciboulette.

* Recette dédiée au chef Marcel Beaulieu.

Ragoût de homard au whisky et aux petits légumes

4 X 675 g (1 ½ lb)	Homards vivants
2	Échalotes hachées
170 g (env. 1 tasse)	Beurre
quantité suffisante	Sel et poivre
45 ml (3 c. à soupe)	Whisky
200 ml (7 oz)	Vin blanc
280 ml (10 oz)	Sauce homardine (voir recettes de base)
200 g (7 oz)	Carotte
150 g (5 oz)	Courgette
200 g (7 oz)	Pomme de terre
quantité suffisante	Jus de citron

- Faire cuire les homards à la vapeur pendant 3 à 4 min, à l'aide d'une marguerite; les décortiquer et couper la chair en gros dés. Faire suer les échalotes dans 50 g (4 ½ c. à soupe) de beurre. Ajouter la chair de homard et assaisonner.

- Flamber au whisky. Ajouter le vin blanc et laisser réduire complètement. Mouiller avec la sauce au homard et laisser mijoter pendant 4 à 5 min. Retirer la chair de homard de la sauce et la réserver.
- Tailler la carotte, la courgette et la pomme de terre en forme d'olives. Faire cuire séparément les différents légumes dans le liquide de cuisson à la vapeur des homards, dans l'ordre suivant: carotte, courgette et pomme de terre. Réserver les légumes cuits.
- Monter le liquide de cuisson avec le reste du beurre, puis lui ajouter du jus de citron au goût. Ajouter les légumes et la chair de homard, puis réserver ce ragoût. Bien nettoyer les carcasses de homard et les faire chauffer au four. Répartir le ragoût bien chaud dans les carcasses et servir immédiatement.

Préparation: 40 min	**Cuisson:** 40 min
Rendement: 4 portions	**Prix de revient:** $$$+

Photo page 277

LANGOUSTE

Palinuridae/Crawfish, rock lobster et *spiny lobster*
Appellation erronée: homard

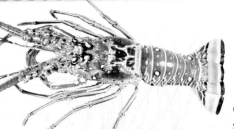

OÙ ET QUAND LA TROUVER: arrivage saisonnier selon la provenance; toute l'année, surgelée.

TRAITEMENT ET COMMERCIALISATION: entière et queues avec carapace, surgelées.

CUISSON: grillée, vapeur, au court-bouillon ou au four.

APPRÉCIATION: crustacé de luxe au Canada.

$$$$$

CARACTÉRISTIQUES: carapace dure, très épineuse. Longues antennes, très robustes à leur base. Cinq paires de pattes. Absence de pinces.

PROVENANCE: Atlantique Sud (Caraïbes).

Queues de langouste aux aromates d'Asie

60 ml (¼ tasse)	Huile de sésame grillé
60 g (½ tasse)	Échalotes hachées
150 ml (env. ⅔ tasse)	Vin blanc
1 litre (4 tasses)	Lait de coco
40 g (2 c. à soupe)	Citronnelle émincée
2	Feuilles de lime ciselées
3 g (1 ¼ c. à thé)	Poudre de gingembre
3 g (1 c. à thé)	Poudre de curcuma
12	Graines de coriandre
400 ml (14 oz)	Sauce homardine* (voir recettes de base)
quantité suffisante	Sel et poivre
4 X 200 g (7 oz)	Queues de langouste

- Chauffer l'huile de sésame, puis étuver les échalotes. Ajouter le vin blanc, le lait de coco ainsi que la citronnelle, les feuilles de limes ciselées, la poudre de gingembre, la poudre de curcuma et les graines de coriandre. Cuire jusqu'à une réduction de 50 %. Ajouter la sauce homardine et réduire la sauce jusqu'à consistance voulue. Passer au chinois étamine ou passoire à mailles fines et rectifier l'assaisonnement.

- Dépouiller les queues de langouste de leurs carapaces et les cuire dans la sauce à basse température, soit à 80°C (175°F) de 5 à 8 min.

- Servir avec un mélange de riz sauvage et de riz blanc.

* On peut aussi faire la sauce avec des carapaces de langouste.

Préparation: 40 min	**Cuisson:** 20 min
Rendement: 4 portions	**Prix de revient:** $$$$

Queues de langouste au vin rouge

4	Branches de céleri
2	Blancs de poireau
200 g (7 oz)	Champignons blancs
200 g (7 oz)	Carotte
200 g (env. 1 1/4 tasse)	Beurre
45 g (env. 1/2 tasse)	Échalotes hachées
500 ml (2 tasses)	Vin rouge tannique
300 ml (1 1/4 tasse)	Fumet de poisson
quantité suffisante	Huile
1,2 kg (2 3/4 lb)	Queues de langouste
20 ml (4 c. à thé)	Marc de Bourgogne
quantité suffisante	Sel et poivre

- Couper les légumes en fine julienne et les faire suer dans 100 g (2/3 tasse) de beurre, puis les réserver. Faire suer les échalotes dans 45 g (1/4 tasse) de beurre. Ajouter le vin rouge et laisser réduire de moitié, puis ajouter le fumet de poisson et le laisser réduire de moitié.

- Faire sauter à l'huile les queues de langouste préalablement coupées. Déglacer la casserole au marc de Bourgogne. Ajouter le tout à la réduction de vin rouge et de fumet de poisson. Laisser cuire pendant 6 à 7 min. Retirer les queues de langouste du liquide de cuisson. Décoller la chair des carcasses, à l'aide d'une cuillère, puis la réserver.

- Lier la sauce avec le reste du beurre, puis la saler et la poivrer. Dresser la julienne de légumes sur les assiettes de façon à former deux demi-cercles se rejoignant au centre de l'assiette. Disposer les queues de langouste sur les côtés. Napper de sauce au vin rouge et servir.

Préparation: 40 min **Cuisson:** 20 min
Rendement: 4 portions **Prix de revient:** $$$$$

LANGOUSTINE

Nephrops norvegicus/Norway lobster et *scampi*
Appellation erronée: scampi

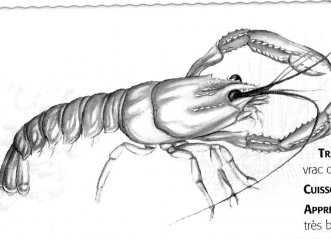

CARACTÉRISTIQUES: carapace rouge jaunâtre. Taille variant de 15 à 25 cm (6 à 10 po). Cinq paires de pattes.

PROVENANCE: Atlantique Nord.

OÙ ET QUAND LA TROUVER: congelée, toute l'année, dans les poissonneries.

TRAITEMENT ET COMMERCIALISATION: congelée en vrac ou en boîtes de 2,2 kg (4 ³/4 lb).

CUISSON: grillée, pochée, vapeur ou au four.

APPRÉCIATION: très à la mode chez nous, crustacé de très bonne qualité.

$$$$$

Fricassée de langoustines à la purée de lentilles

400 g (14 oz)	Lentilles vertes ou blondes
1	Oignon
1	Clou de girofle
1	Branche de thym
1	Feuille de laurier
quantité suffisante	Sel et poivre
120 g (³/4 tasse)	Beurre
1	Blanc de poireau en julienne
2	Échalotes en brunoise
450 g (1 lb)	Langoustines décortiquées
60 ml (¹/4 tasse)	Sherry
120 ml (¹/2 tasse)	Vin blanc
200 ml (7 oz)	Fumet de poisson
200 ml (7 oz)	Jus de homard
100 ml (3 ¹/2 oz)	Crème à 35 %

- Faire tremper les lentilles dans un peu d'eau pendant au moins 12 h; certaines lentilles n'ont pas besoin de trempage. Les déposer dans une casserole et les couvrir d'eau froide. Faire chauffer, ajouter l'oignon entier piqué d'un clou de girofle, le thym, le laurier, le sel et le poivre. Amener à ébullition et laisser cuire les lentilles (le temps de cuisson dépend de la qualité des lentilles). Passer les lentilles cuites au robot de cuisine, puis au tamis. Réserver cette purée.

- Faire suer dans 50 g (4 ¹/2 c. à soupe) de beurre, dans une casserole, le poireau et les échalotes. Ajouter les langoustines. Verser le sherry et le laisser réduire complètement. Ajouter le vin et le laisser réduire complètement. Enlever les langoustines de la casserole et les réserver.

- Ajouter le fumet de poisson et le jus de homard dans la casserole, puis laisser réduire de moitié. Incorporer la crème et monter la sauce dans le reste du beurre. Remettre les langoustines dans la sauce juste avant de servir.

- Dresser la purée de lentilles en couronne dans les assiettes et déposer la fricassée de langoustines au centre. Servir immédiatement.

Préparation: 40 min   **Cuisson:** 20 min
Rendement: 4 portions   **Prix de revient:** $$$$

Queues de langoustine au Pernod

120 g (3/4 tasse)	Beurre doux
20	Queues de langoustine (de 9 à 12 à la lb)
100 ml (3 1/2 oz)	Pernod ou Ricard
120 ml (1/2 tasse)	Vin blanc sec
60 g (1/2 tasse)	Échalotes hachées très finement
150 ml (env. 2/3 tasse)	Crème à 35 %
200 ml (7 oz)	Sauce de langoustine*
quantité suffisante	Sel et poivre

- Chauffer vivement le beurre et saisir les queues de langoustine, flamber au Pernod ou au Ricard, puis enlever les queues de langoustine et les réserver au chaud. Déglacer au vin blanc et ajouter les échalotes. Cuire quelques minutes, ajouter la crème et réduire de moitié, puis verser la sauce de langoustine. Laisser mijoter quelques minutes et chauffer doucement les queues de langoustine dans la sauce. Rectifier l'assaisonnement et servir très chaud.

Accompagnement: Riz blanc.

* On fabrique la sauce de langoustine en conservant les carapaces au congélateur. Voir sauce homardine (recettes de base).

Préparation: 20 min   **Cuisson:** 15 min
Rendement: 4 portions   **Prix de revient:** $$$$

Les coquillages

COQUILLAGES ET INVERTÉBRÉS

Contrairement aux crustacés, les mollusques sont des animaux qui n'ont pas d'appendices articulés. Ils ont un corps mou, habituellement protégé par une coquille sécrétée par un repli cutané du corps.

Ce sont les Italiens qui, les premiers, ont baptisé les coquillages «crustacés» et les autres animaux marins comme les encornets et les oursins, «fruits de mer», à cause de leur saveur fraîche et parfumée.

Il y a trois groupes importants de mollusques:

- Les *Lamellibranches* ont des branchies en forme de lamelles. Leur corps mou est protégé par une coquille à deux valves s'articulant autour d'une charnière.
- Les *Gastéropodes* sont des univalves qui possèdent des morphologies inhabituelles, car c'est une classe qui comprend de nombreuses espèces.

C'est de ces deux groupes dont il est question dans ce chapitre

- Les *Céphalopodes* sont des invertébrés. Ce groupe représente les mollusques les plus actifs et les plus évolués. Ils sont caractérisés par huit bras ou plus autour de la bouche. Comme les *Céphalopodes* représentent un groupe important, ils font l'objet du chapitre suivant.

Dans ce chapitre, nous traitons des coquillages univalves et bivalves des côtes de l'Atlantique. Nous pouvons cependant trouver, à l'occasion, des coquillages du Pacifique comme les ormeaux ou les mactres du Pacifique.

Bigorneau

Buccin

Coque

Couteau

Huître

Mactre d'Amérique

Moule

Mye

Ormeau

Palourde américaine

Pétoncle

Quahog nordique/
Cyprine d'Islande

BIGORNEAU

Littorina littorea/Common periwinkle

Appellations erronées: bourgot

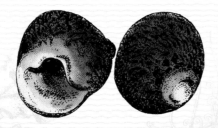

Où et quand le trouver: arrivages irréguliers dans les poissonneries.

Traitement et commercialisation: avec la coquille.

Cuisson: au court-bouillon à l'eau de mer (attention au sel).

Appréciation: d'un goût très délicat, on l'aime ou on ne l'aime pas.

Caractéristiques: petite coquille globuleuse en forme de spirale. Ouverture bordée d'une petite lunule blanche.

Provenance: Atlantique Nord (du Labrador au Maryland).

Remarques: en Amérique du Nord, on trouve environ 20 espèces de littorines (bigorneaux). Le petit coquillage aux saveurs exclusives que l'on utilise le plus est la littorine commune d'Europe.

$

Salade de bigorneaux en coquille de buccin

800 g (1 ¾ lb)	Bigorneaux dans leurs coquilles
100 g (1 tasse)	Carottes en julienne
100 g (½ tasse)	Céleri-rave en julienne
100 g (env. 1 tasse)	Blanc de poireau en julienne
40 g (¼ tasse)	Câpres hachées
85 g (⅔ tasse)	Oignons en brunoise
40 g (⅔ tasse)	Persil haché
60 ml (¼ tasse)	Mayonnaise
1	Citron (jus)
quantité suffisante	Sel et poivre
4	Coquilles de buccin

Préparation: 1 h   **Cuisson:** 10 à 30 min
Rendement: 4 portions   **Prix de revient:** $$

- Bien laver les bigorneaux dans plusieurs eaux afin d'enlever le maximum de sable ou de terre. Faire cuire ces coquillages dans beaucoup d'eau non salée. Vérifier la cuisson en tentant de retirer les bigorneaux des coquilles à l'aide d'une épingle; le temps de cuisson peut varier en fonction de la grosseur et de la provenance des bigorneaux. Laisser refroidir les coquillages cuits dans leur liquide de cuisson. Extraire les bigorneaux de leurs coquilles à l'aide d'une épingle.

- Faire blanchir les légumes en julienne séparément, rafraîchir, puis égoutter. Mélanger ces légumes, les câpres, les oignons, le persil et la mayonnaise, puis ajouter la chair des bigorneaux.

- Ajouter le jus de citron. Rectifier l'assaisonnement et dresser cette salade dans une coquille de buccin disposée de façon à imiter une corne d'abondance.

Soupe aux palourdes et aux bigorneaux

600 g (env. 1/4 lb)	Bigorneaux dans leurs coquilles
2 kg (4 1/2 lb)	Palourdes
100 ml (3 1/2 oz)	Vin blanc
2,25 litres (9 tasses)	Court-bouillon
1	Échalote hachée
60 g (1/3 tasse)	Beurre
80 ml (env. 1/3 tasse)	Vin blanc sec
2	Tomates fraîches
400 ml (14 oz)	Crème à 35 %
quantité suffisante	Roux blanc (voir recettes de base)
quantité suffisante	Sel et poivre
quantité suffisante	Persil haché
quantité suffisante	Croûtons au beurre (facultatif)

Préparation: 1 h   **Cuisson:** 45 min
Rendement: 8 portions   **Prix de revient:** $$

- Bien laver les bigorneaux et les faire bouillir pendant 2 à 3 min. Retirer les bigorneaux de leurs coquilles à l'aide d'une épingle; les réserver.
- Faire cuire les palourdes dans une casserole avec le vin blanc jusqu'à ce qu'elles s'ouvrent; les retirer de leurs coquilles. Faire chauffer le court-bouillon et le passer au chinois étamine ou passoire à mailles fines. Continuer la cuisson des palourdes dans ce court-bouillon. Retirer les palourdes cuites de la casserole et laisser réduire le court-bouillon de moitié. Passer les palourdes au mélangeur avec ce court-bouillon.
- Faire suer l'échalote au beurre. Ajouter le vin blanc et le laisser réduire complètement. Mouiller avec l'appareil aux palourdes et laisser mijoter pendant 30 min. Émonder et épépiner les tomates, puis les hacher.
- Faire réduire la crème de moitié et ajouter l'appareil aux palourdes. Lier cet appareil avec un peu de roux, si nécessaire, puis le passer au chinois. Rectifier l'assaisonnement, si nécessaire.
- Ajouter les bigorneaux à la soupe au moment de la servir, puis ajouter le persil et les tomates. Servir cette soupe chaude avec des petits croûtons sautés au beurre, si désiré.

Photo page suivante →

BUCCIN

Buccinidae/Common whelk, waved whelk et *whelk*
Appellations erronées: berlicocco, bourgot, bigorneau, bouricoco et escargot de mer

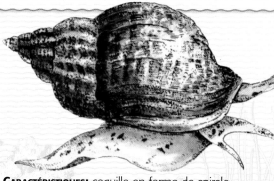

CUISSON: à la vapeur sous pression ou bouilli.

APPRÉCIATION: ce coquillage est méconnu et il est pourtant excellent.

REMARQUES: au Québec, nous connaissons ce coquillage sous le nom de «bourgot», ce qui est une appellation erronée. Malgré sa longue cuisson, le buccin reste un coquillage de choix. Il faut aussi savoir que le buccin est un coquillage à chair ferme, qui demande à être consommé cru ou bien cuit. Il fait partie d'une famille qui est sans doute une des plus considérables et des plus diversifiées des *Gastéropodes*. La famille compte plus de 2000 espèces. Nous trouvons principalement au Québec le Buccin commun du Nord (*Buccinum undatum* — Linné) et le Buccin glacial (*Buccinum glaciale* — Linné).

$$

CARACTÉRISTIQUES: coquille en forme de spirale. Ouverture bordée de blanc.

PROVENANCE: Atlantique Nord.

OÙ ET QUAND LE TROUVER: à l'état frais, arrivages très irréguliers dans les poissonneries; toute l'année, surgelé ou en conserve.

TRAITEMENT ET COMMERCIALISATION: en conserve; ou avec la coquille, frais ou surgelé.

Buccins aux laminaires et au jus de mye

8	Buccins de grosseur moyenne
250 ml (1 tasse)	Court-bouillon
12 g (1 c. à soupe)	Laminaires séchées ou 200 g (7 oz) laminaires fraîches (algues)
100 ml (3 1/2 oz)	Vin blanc
200 g (2 1/3 tasses)	Champignons en cubes
quantité suffisante	Beurre
30 g (4 c. à soupe)	Échalote française, hachée
250 ml (1 tasse)	Jus de mye
quantité suffisante	Beurre manié ou roux blanc (voir recettes de base)
300 ml (1 1/4 tasse)	Crème à 35 %
1	Citron (jus)
quantité suffisante	Sel et poivre

- Bien laver les buccins dans plusieurs eaux et, si nécessaire, les faire dégorger à l'eau salée. Faire cuire les buccins au court-bouillon, à feu moyen, pendant au moins 4 à 5 h ou plus longtemps, selon les mollusques. Laisser refroidir les buccins cuits dans leur liquide de cuisson. Retirer les mollusques cuits de leurs coquilles.

- Faire tremper les laminaires dans le vin blanc pendant quelques minutes s'il s'agit de laminaires séchées. Faire blanchir les champignons. Faire suer dans 80 g (1/2 tasse) de beurre l'échalote, les champignons et les buccins coupés en dés. Ajouter les algues et le vin blanc, puis laisser réduire pour enlever l'acidité du vin. Ajouter le jus de mye et le liquide de cuisson des buccins. Laisser mijoter pendant 10 min, puis passer au chinois étamine ou passoire à mailles fines. Réserver les éléments solides du chinois au chaud.

- Lier la sauce avec le beurre manié ou le roux. Ajouter la crème préalablement réduite de moitié, puis le jus de citron. Vérifier l'assaisonnement. Passer la sauce au chinois et la verser sur les éléments solides. Monter au beurre et servir ce mélange très chaud.

Préparation: 40 min   **Cuisson:** 4 à 5 min
Rendement: 4 portions   **Prix de revient:** $$

Salade de buccins en coquille aux noisettes et aux pistaches

320 g (env. 3/4 lb)	Buccins sans coquille cuits, surgelés ou en conserve
240 g (1/2 lb)	Champignons blancs, fermes
3	Citrons (jus)
80 g (1/2 tasse)	Pistaches écaillées
80 g (2/3 tasse)	Noisettes écaillées
120 g (1/2 tasse)	Mayonnaise
quantité suffisante	Sel et poivre
4	Coquilles vides de buccin
4	Feuilles de laitue
40 g (env. 1/3 tasse)	Livèche hachée

- Couper en petits dés les champignons bien blancs et bien fermes. Normalement, un champignon ne se lave jamais, il s'épluche. Les champignons blancs n'aiment pas l'eau.

- Couper en petits dés les buccins. Mettre dans un récipient buccins et champignons, les arroser du jus de deux citrons et réserver au réfrigérateur*. Émincer les pistaches et les noisettes finement. Quelques minutes avant de servir, mélanger à la mayonnaise les buccins, les champignons, les noisettes et les pistaches émincées. Rajouter au besoin le jus du citron qui reste. Rectifier l'assaisonnement.
- Mettre debout dans l'assiette la coquille de buccin vide. Déposer dans l'orifice d'entrée la feuille de laitue et, comme dans une corne d'abondance, y disposer la salade de buccin. Parsemer de la livèche hachée.
* L'acide du citron permettra d'attendrir le buccin et de garder les champignons blancs.

Préparation: 20 min
Rendement: 4 portions   **Prix de revient:** $$$

Photo page 291

293

COQUE

Clinocardium ciliatum/Cockle

Appellation erronée: mye

TRAITEMENT ET COMMERCIALISATION: entière, surgelée ou en conserve.

CUISSON: en crème, en potage, servie dans sa coquille ou en sauce.

REMARQUES: les coques ou bucardes font partie d'un groupe de plus de 200 espèces. Celles que l'on rencontre le plus fréquemment dans nos eaux canadiennes sont la coque d'Islande *(Clinocardium ciliatum)*, la coque naine du Nord *(Cerastoderma pinnulatum)* et la coque du Groenland *(Serripes groenlandicus)*. Les coques sont excellentes crues.

$$$

CARACTÉRISTIQUES: coquillage bivalve, comportant plusieurs rainures.

PROVENANCE: Atlantique Nord et Pacifique.

OÙ ET QUAND LA TROUVER: toute l'année, car, comme les moules, les coques sont des coquillages d'élevage.

Coussins de coque à la citronnelle

1,5 kg (3 1/4 lb)	Coques vivantes avec leurs coquilles
200 ml (7 oz)	Jus de coque ou de mye ou de moule que l'on trouve dans le commerce
quantité suffisante	Roux blanc (voir recettes de base)
240 g (1/2 lb)	Champignons blancs et fermes
quantité suffisante	Beurre
160 g (1 1/2 tasse)	Salicornes fraîches
150 ml (env. 2/3 tasse)	Crème à 35 %
2	Limes (jus)
quantité suffisante	Sel et poivre
120 g (env. 1 tasse)	Citronnelle hachée
4	Coussins de feuilletage cuits, achetés à la pâtisserie

- Dans une casserole assez grande, déposer les coques et ajouter 200 ml (7 oz) d'eau. Couvrir et cuire quelques minutes pour que les coquillages s'ouvrent. Extraire les chairs et passer le jus en prenant soin qu'il n'y ait pas de sable. Réserver les chairs.
- Ajouter au jus de cuisson des coques 200 ml (7 oz) de jus de coque, de mye ou de moule. Lier au roux blanc. Cuire une dizaine de minutes. Passer au chinois étamine ou passoire à mailles fines et réserver.
- Couper les champignons en petits dés et faire sauter au beurre jusqu'à complète évaporation des liquides. Réserver.
- Blanchir les salicornes et rafraîchir. Égoutter et réserver.

- Réchauffer la sauce, ajouter la crème, réduire jusqu'à consistance voulue, incorporer le jus de lime et rectifier l'assaisonnement. Ajouter les champignons, les salicornes, la citronnelle et les coques en dernier. Laisser mijoter doucement (sans ébullition).
- Chauffer les coussins de feuilletage. Les garnir et servir bien chaud.

Préparation: 40 min	**Cuisson:** 15 à 20 min
Rendement: 4 portions	**Prix de revient:** $$$

Photo page suivante →

Coques en coquilles, sauce aux herbes du jardin

120 ml (¹/₂ tasse)	Vin blanc sec
30 g (4 c. à soupe)	Échalotes hachées
48	Petites coques
160 ml (env. ²/₃ tasse)	Coulis ou sauce de crustacés (voir Coulis de homard dans recettes de base)
150 g (env. ³/₄ tasse)	Beurre
quantité suffisante	Gros sel
100 g (env. 3 oz)	Épinards
60 g (2 oz)	Oseille
6	Feuilles de laitue verte
30 g (¹/₂ tasse)	Persil frisé
30 g (¹/₂ tasse)	Cerfeuil
quantité suffisante	Sel et poivre
quantité suffisante	Chapelure blanche

- Dans une casserole assez grande, avec le vin blanc et les échalotes, déposer les coques et 100 ml (3 ¹/₂ oz) d'eau. Couvrir la casserole et faire ouvrir les coques. Laisser refroidir, enlever la chair des coquilles et réserver cette chair.
- Faire réduire le jus de cuisson des ⁹/₁₀, puis ajouter le coulis ou la sauce de crustacés. Laisser mijoter une dizaine de minutes. Passer au chinois étamine ou passoire à mailles fines. Déposer 100 g (²/₃ tasse) de beurre en noisettes dessus et réserver au chaud.
- Bien nettoyer les coquilles et les déposer sur un plat allant au four, que l'on aura parsemé de gros sel. Celui-ci aura pour effet de garder les coquilles bien droites.
- Bien laver épinards, oseille, laitue, persil frisé et cerfeuil, puis les hacher grossièrement au robot culinaire. Avec le beurre qui reste, faire cuire dans une casserole jusqu'à complète évaporation des liquides. Assaisonner.
- Déposer dans le fond de chaque coquille une cuillère du mélange d'herbes, puis les coquillages. Napper de sauce. Parsemer de chapelure et mettre au four chaud. Servir dans la coquille.

Préparation: 30 min	**Cuisson:** 10 à 12 min
Rendement: 4 portions	**Prix de revient:** $$$

COUTEAU

Ensis directus/Razor clam
Appellation erronée: rasoir

CARACTÉRISTIQUES: mollusque bivalve. Coquille vert pâle, arquée et mince, plus longue que large et couverte de vernis.

PROVENANCE: Atlantique Nord.

OÙ ET QUAND LE TROUVER: frais ou surgelé dans les poissonneries.

TRAITEMENT ET COMMERCIALISATION: entier avec la coquille, frais, surgelé, cru ou en conserve.

CUISSON: à la vapeur, en crème-potage ou en sauce.

APPRÉCIATION: goût surprenant, délicat et subtil (entre le pétoncle et l'huître).

REMARQUES: les couteaux et rasoirs *(Solenidés)* sont des animaux à coquilles allongées, dans les tons de brun-vert. Les plus connus chez nous sont les couteaux de l'Atlantique *(Ensis directus)* et le rasoir de l'Atlantique *(Siliqua costata Say)*.

$$

Couteaux à la concassée de tomates et d'oignons*

120 g (env. 1 tasse)	Oignons espagnols ou échalotes, hachés
2	Gousses d'ail hachées
50 ml (3 c. à soupe)	Huile d'olive vierge
320 g (3 tasses)	Tomates concassées
250 ml (1 tasse)	Vin blanc
quantité suffisante	Sel et poivre
320 g (env. ¾ lb)	Chair de couteau de 1er choix
4	Feuilles de laitue
20 g (¹/₂ tasse)	Ciboulette ciselée

- Faire tomber doucement les oignons et l'ail dans l'huile d'olive. Y ajouter la tomate concassée.
- Ajouter le vin, puis saler et poivrer. Laisser mijoter pendant 15 min.
- Ajouter les couteaux lorsque le mélange précédent est bouillant et fermer le feu immédiatement. Laisser refroidir.
- Au fond de l'assiette, mettre les feuilles de laitue. Y déposer le mélange couteaux-tomates-oignons, puis parsemer de ciboulette ciselée.

* Je dédie cette recette au chef gaspésien Claude Cyr.

Préparation: 10 min	**Cuisson:** 8 à 10 min
Rendement: 4 portions	**Prix de revient:** $$$

Couteaux à la crème d'ail

200 ml (7 oz)	Crème à 35 %
120 g (1/2 lb)	Beurre à l'ail (voir Crème d'ail dans recettes de base)
quantité suffisante	Sel et poivre
1	Citron (jus)
320 g (env. 3/4 lb)	Chair de couteau de 1er choix*

- Faire chauffer la crème, puis laisser réduire de 25 %. Incorporer le beurre à l'ail sans laisser atteindre 100°C (200°F). Cette opération aura pour effet de lier la crème.

- Assaisonner au goût. Ajouter le jus de citron.
- Juste avant de servir, incorporer à cette sauce les couteaux et réserver.
- Ce mélange de couteaux à la crème d'ail s'accorde très bien avec des pâtes (spaghettis, coquillettes ou macaronis).

* La chair des couteaux se divise très bien à l'intérieur de la coquille. La partie noble est dite de 1er choix, et la seconde partie du tube digestif est dite de 2e choix.

Préparation: 10 min	**Cuisson:** 5 à 8 min
Rendement: 4 portions	**Prix de revient:** $$$

299

HUÎTRE

Crassostrea virginica/American oyster

Appellations erronées: huître Malpèque et huître de Caraquet

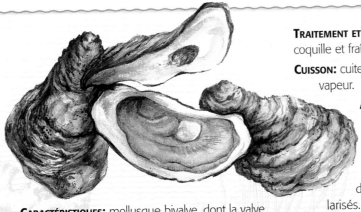

TRAITEMENT ET COMMERCIALISATION: entière avec la coquille et fraîche sans coquille.

CUISSON: cuite avec la coquille, en crème-potage ou vapeur.

APPRÉCIATION: crue, chaude ou froide, on aime ou on n'aime pas.

REMARQUES: les plus connues chez nous sont les huîtres appelées huîtres de Malpèque et les huîtres de Caraquet, qui sont des noms popularisés. Nous commençons à trouver dans le commerce certaines autres catégories d'huîtres: les huîtres plates *(Ostrea edulis)* — marennes, belon et gravette. Les huîtres creuses *(Crassostrea gigas)* — fines de claires.

$$$$

CARACTÉRISTIQUES: mollusque bivalve, dont la valve supérieure est plus grande et plus aplatie que la valve inférieure. Coquille irrégulière et rugueuse.

PROVENANCE: Atlantique Nord.

OÙ ET QUAND LA TROUVER: maintenant toute l'année, mais les huîtres sont meilleures fraîches, à l'automne — pendant tous les mois qui finissent par «R», en anglais: *september, october,* etc.

Huîtres chaudes au vin blanc et aux champignons*

24	Huîtres creuses
200 g (env. 1 ¼ tasse)	Beurre doux
220 ml (env. 1 tasse)	Vin blanc sec
quantité suffisante	Sel et poivre
250 g (2 tasses)	Champignons blancs fermes, hachés
2	Échalotes hachées finement
quantité suffisante	Roux blanc (voir recettes de base)
3	Jaunes d'œufs
quantité suffisante	Pluches de cerfeuil

- Enlever les huîtres des coquilles à cru et filtrer leur eau en la passant dans une étamine ou passoire à mailles fines. Réserver.
- Bien nettoyer l'intérieur des valves creuses des coquillages. Réserver.
- Dans une casserole, mettre 30 g (2 ½ c. à soupe) de beurre, le jus filtré des huîtres et le vin blanc. Poivrer, mais ne pas saler. Chauffer à 80°C (175°F); à ce moment, pocher les huîtres quelques secondes juste pour les raidir. Les égoutter sur un papier essuie-tout.
- Avec 30 g (2 ½ c. à soupe) de beurre, cuire les champignons hachés jusqu'à complète évaporation du liquide. Saler légèrement et poivrer. Réserver.

- Dans un sautoir, faire fondre les échalotes hachées avec 60 g (1/3 tasse) de beurre, puis ajouter le fond de pochage des huîtres. Lier très légèrement avec un peu de roux blanc (l'ensemble doit rester sirupeux). Passer au chinois étamine ou passoire à mailles fines.
- Battre fortement les jaunes d'œufs, puis incorporer le reste du beurre et la sauce précédente. Garder à 80°C (175°F). Rectifier l'assaisonnement.

Service: Au fond de chaque coquillage, déposer 3 ml (1/2 c. à thé) de champignons, puis l'huître et napper de la sauce. Chauffer au four. Au moment de servir, parsemer de cerfeuil.

* Recette dédiée au chef Raymond Ferry.

NOTE: Pour faire tenir les coquilles d'huîtres droites, utiliser une assiette contenant du gros sel.

Préparation: 30 min	**Cuisson:** 10 min
Rendement: 4 portions	**Prix de revient:** $$$$

Crème d'huître

300 ml (1 1/4 tasse)	Crème à 35 %
200 ml (7 oz)	Fond blanc de volaille
200 ml (7 oz)	Jus de palourde, de mye ou d'huître
70 g (1/3 tasse)	Riz blanc
70 g (1/2 tasse)	Champignons blancs et fermes, hachés
36	Huîtres en coquilles (Malpèque ou de Caraquet)
quantité suffisante	Sel et poivre
1	Œuf
1	Citron (jus)
70 g (6 c. à soupe)	Beurre
20 g (1/3 tasse)	Cerfeuil ciselé

- Réduire la crème de moitié. Réserver.
- Dans une casserole, à feu moyen, faire cuire doucement le fond de volaille et le jus de palourde, de mye ou d'huître avec le riz pendant 15 à 20 min, puis ajouter les champignons coupés et cuire de nouveau de 5 à 8 min. Pendant la cuisson, ouvrir les huîtres, les déposer dans une casserole et, à feu très doux, les «réchauffer», c'est-à-dire les raidir pour qu'elles se contractent.
- Les égoutter sur un papier essuie-tout et verser le jus dans la casserole du fond.
- Dans un mélangeur, émulsionner le mélange, saler et poivrer, puis passer au chinois étamine ou passoire à mailles fines. Réchauffer, mais sans laisser atteindre le point d'ébullition. Rester environ à 80°C (170°F). Bien mélanger le jaune d'œuf, la crème et le jus de citron, puis l'incorporer progressivement au jus des huîtres. Au dernier moment, ajouter le beurre.

Service: Dans un bol ou une assiette creuse, répartir les huîtres raidies, verser la crème d'huître et parsemer de cerfeuil.

Préparation: 30 à 40 min	**Cuisson:** 25 à 35 min
Rendement: 4 portions	**Prix de revient:** $$$$

Photo page 297

MACTRE D'AMÉRIQUE

Spisula solidissima/Atlantic surf clam et *surf clam*

Appellations erronées: coque et palourde

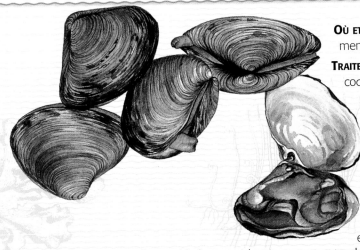

OÙ ET QUAND LA TROUVER: actuellement seulement congelée.

TRAITEMENT ET COMMERCIALISATION: fraîche avec la coquille, sans coquille, congelée et en conserve.

CUISSON: à la vapeur, sous pression.

APPRÉCIATION: excellente crue en salade, longue cuisson ou en sauce.

REMARQUES: la mactre d'Amérique ou mactre de l'Atlantique fait partie d'une famille de 24 espèces américaines. Plus de 80 % des palourdes que l'on récolte en Amérique du Nord sont des mactres. La mactre de Stimpson qui arrive sur nos marchés actuellement est d'une grande finesse.

CARACTÉRISTIQUES: mollusque bivalve possédant une grosse coquille comportant de fines rainures.

PROVENANCE: Atlantique Nord.

$$

Timbales de coquillages et de crustacés de Longue-Pointe-de-Mingan *

200 ml (7 oz)	Vin mousseux sec
250 ml (1 tasse)	Fumet de crustacés
quantité suffisante	Sel et poivre
100 g (env. 3 oz)	Petits pétoncles avec corail, crus
100 g (env. 3 oz)	Langues de mactre de Stimpson, crues
100 g (env. 3 oz)	Pinces de crabe des neiges, cuites
100 g (env. 3 oz)	Chair de buccin cuite
100 g (1/3 tasse)	Petits pois de la grève de Mingan
100 g (1 1/4 tasse)	Chanterelles des îles de Mingan
75 g (env. 1/2 tasse)	Beurre
160 g (3/4 tasse)	Riz blanc
quantité suffisante	Roux blanc
200 ml (7 oz)	Crème à 35 %

- Dans une casserole suffisamment large, verser le vin mousseux et le fumet de crustacés, puis y déposer une marguerite. Amener à ébullition. Saler et poivrer les petits pétoncles avec le corail et les langues de mactre de Stimpson. Bien étaler d'abord les langues de mactre de Stimpson sur le fond de la marguerite et, après une minute d'ébullition avec couvercle, les retirer immédiatement et les étaler sur un papier essuie-tout. Exécuter la même opération avec les petits pétoncles, mais laisser cuire seulement 30 secondes.
- Cette opération est très importante, car si ces chairs d'une grande délicatesse sont trop cuites, elles deviennent trop dures.

- Bien égoutter et étendre sur un papier essuie-tout les pinces de crabe et la chair de buccin coupée en dés afin d'absorber le maximum d'humidité.
- Dans le fumet de crustacés et le vin mousseux, pocher les petits pois de la grève croquants. Égoutter et réserver. Sauter les chanterelles avec le beurre, saler et poivrer. Égoutter et réserver. Cuire le riz blanc à l'eau salée. Il doit y avoir suffisamment d'eau pour que les grains de riz puissent bouger.
- Lier les fonds de cuisson avec le roux blanc. Finir par la crème. Rectifier l'assaisonnement et passer au chinois étamine ou passoire à mailles fines. Réunir tous les éléments dans la sauce, laisser mijoter doucement (80°C ou 175°F) et servir avec le riz blanc chaud.

* Cette recette est dédiée à M. et Mme Rail de Longue-Pointe-de-Mingan, qui transforment sans cesse les produits marins et qui font des recherches constantes pour répondre aux demandes des cuisiniers.

Préparation: 30 min	**Cuisson:** 10 à 12 min
Rendement: 4 portions	**Prix de revient:** $$$$

Languettes de mactre de Stimpson aux noisettes grillées

16	Muscles orangés de mactre de Stimpson crus
3	Citrons (jus)
100 ml (1/2 oz)	Jus de palourde ou de mye ou de mactre*
120 ml (1/2 tasse)	Huile de noisette
20 g (1/3 tasse)	Cerfeuil
20 g (1/3 tasse)	Persil plat ou frisé
20 g (1 1/4 tasse)	Oseille
60 g (2/3 tasse)	Noisettes
quantité suffisante	Sel et poivre

- Émincer très finement au couteau la languette de la mactre de Stimpson une heure avant le service. Ajouter le jus de 2 citrons, le jus de palourde, de mye ou de mactre, l'huile de noisette et laisser au réfrigérateur.
- Hacher finement au couteau les herbes aromatiques (cerfeuil, persil et oseille) ainsi que les noisettes. Juste avant de servir, ajouter celles-ci aux mactres. Après avoir goûté, assaisonner, puis ajouter, au besoin, le jus du troisième citron, saler, poivrer et servir sur un lit de papaye verte émincée ou sur une feuille de laitue.

* On trouve généralement dans les poissonneries de petites bouteilles de jus de palourde, de mye ou de mactre.

Préparation: 15 à 20 min	
Rendement: 4 portions	**Prix de revient:** $$

Photo page suivante →

MOULE

Mytilus edulis/Blue mussel et *edible mussel*
Appellations erronées: moucle et mouque

TRAITEMENT ET COMMERCIALISATION: vivante avec la coquille, sans coquille en conserve dans son jus.

CUISSON: à court mouillement, à la vapeur ou en sauce.

APPRÉCIATION: coquillage de grande qualité.

REMARQUES: en Amérique du Nord, il y a environ 40 membres de la famille des moules. Auparavant, nettoyer les moules de roche était une chose difficile, mais avec la mytiliculture où on élève les moules en pleine mer, c'est beaucoup plus facile. La moule bleue commune est la plus courante au Québec.

CARACTÉRISTIQUES: mollusque bivalve à coquille noire aux reflets bleutés.

PROVENANCE: Atlantique Nord.

OÙ ET QUAND LA TROUVER: toute l'année, dans les poissonneries, selon les provenances.

$$$

Moules marinière

200 ml (7 oz)	Vin blanc sec (style Muscadet)
80 g (³/4 tasse)	Échalotes hachées très finement
quantité suffisante	Poivre du moulin
70 g (6 c. à soupe)	Beurre doux
1 à 1,2 kg (2 ¼ à 2 ³/4 lb)	Petites moules de culture
40 g (²/3 tasse)	Persil haché finement

- Expliquons d'abord le service: Il faut posséder un réchaud de centre de table ou un guéridon afin de garder les moules toujours chaudes dans leurs coquilles. Dans l'assiette, elles refroidissent très vite. Il faut toujours prévoir un petit bol à côté de l'assiette pour y verser le fond de cuisson.
- Utiliser une casserole assez grande, car les moules doivent absolument être couvertes

d'eau. Y mettre le vin, les échalotes, le poivre et le beurre. Bien laver les moules, les égoutter dans une passoire, puis les déposer dans la casserole. Couvrir et cuire à feu élevé. De temps en temps, remuer les moules afin qu'elles puissent s'ouvrir uniformément. Les moules ne doivent pas être trop cuites. Attendre pour les cuire que les invités soient à table et ajouter le persil haché au dernier moment.

- Déposer les moules par petites quantités dans les assiettes creuses chaudes de chaque convive, puis le jus de cuisson dans les petits bols chauds. Chaque fois que vous dégusterez une moule dans sa coquille, vous pourrez, comme avec une cuillère, prendre du jus dans le bol.

Préparation: 10 à 15 min **Cuisson:** 7 à 8 min
Rendement: 4 portions   **Prix de revient:** $$$

Pithiviers de moules bleues des Îles-de-la-Madeleine, sauce légèrement safranée aux herbes salées

300 g (10 oz)	Champignons blancs et bien fermes
120 g (¾ tasse)	Beurre doux
quantité suffisante	Sel et poivre
200 ml (7 oz)	Vin blanc sec
60 g (½ tasse)	Échalotes hachées
1 à 1,2 kg (2 ¼ à 2 ¾ lb)	Moules bleues des Îles-de-la-Madeleine (ou autres)
quantité suffisante	Pistils de safran
quantité suffisante	Roux blanc (voir recettes de base)
240 ml (1 tasse)	Crème à 35 %
160 g (1 tasse)	Herbes salées
350 g (¾ lb)	Pâte feuilletée
1	Jaune d'œuf

- Émincer les champignons. Bien les laver et les faire sauter dans 60 g (⅓ tasse) de beurre doux, jusqu'à complète évaporation de l'eau. Saler et poivrer. Réserver.
- Dans une casserole assez large et grande, verser le vin blanc et les échalotes. Y déposer les moules, couvrir et faire chauffer intensément afin que les moules s'ouvrent. Aussitôt ouvertes, retirer du fourneau. Laisser refroidir, enlever les coquilles et réserver au réfrigérateur.
- **Sauce:** Passer le jus de moule au chinois étamine ou dans une passoire à mailles fines, ajouter quelques pistils de safran et faire bouillir. Lier avec le roux blanc, ajouter la crème et laisser cuire jusqu'à consistance voulue.

- Passer de nouveau au chinois et réserver.
- Ces trois opérations peuvent se faire la veille, car ces éléments doivent être bien froids pour faire les pithiviers.
- Le jour même, donner une ébullition aux herbes salées et égoutter. Mélanger celles-ci avec les moules, les champignons et 30 ml (2 c. à soupe) de sauce froide. Rectifier l'assaisonnement.
- Étendre la pâte feuilletée, former 8 cercles de 10 cm (4 po) de diamètre. Déposer sur 4 cercles de pâte deux grosses cuillerées de l'appareil précédent. Badigeonner tout le tour de la pâte du jaune d'œuf battu dans un peu d'eau et remettre par-dessus un autre cercle de pâte légèrement plus grand, presser les bords. Déposer sur une plaque allant au four et réfrigérer au moins 1 h.
- Chauffer la sauce et mélanger le reste de l'appareil champignons-moules-herbes salées. Garder au chaud.
- Chauffer le four à 260°C (500°F). À l'aide d'un pinceau, badigeonner les pithiviers de dorure. Mettre dans le four très chaud pour saisir la pâte.
- Aussitôt qu'elle aura légèrement durci et coloré, baisser le four à 150°C (300°F) et couvrir avec du papier d'aluminium.

Service: Déposer au fond de chaque assiette un peu de sauce avec la garniture, puis déposer ensuite un pithiviers bien chaud par-dessus.

Préparation: 1 h 30	**Cuisson:** 30 min
Rendement: 4 portions	**Prix de revient:** $$$

Photo page 305

MYE

Mya arenaria/Clam, soft shell clam et *steamer clam*
Appellations erronées: clam, coque, palourde et quahog

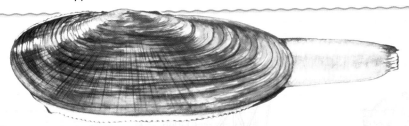

CARACTÉRISTIQUES: mollusque bivalve à coquille blanchâtre ovale, ornée de quelques plis circulaires.

PROVENANCE: Atlantique Nord.

OÙ ET QUAND LA TROUVER: rarement fraîche, souvent en conserve.

TRAITEMENT ET COMMERCIALISATION: fraîche avec la coquille; sans la coquille, congelée et en conserve.

CUISSON: à la vapeur ou en sauce.

APPRÉCIATION: excellente crue, en potage, en soupe ou en salade.

REMARQUES: la famille des *Myacidés* comprend la mye comestible (*Mya arenaria*) de l'est du Canada et des États-Unis (*Mya Brenaria*) et la mye dodue de la côte du Pacifique (*Platyodon cancellatus*).

$$

Spaghettis aux myes et à la crème

3 boîtes de 398 ml (14 oz)	Myes en conserve **ou**
1 à 1,2 kg (2 ¼ à 2 ¾ lb)	Myes fraîches
250 ml (1 tasse)	Crème à 35 %
160 ml (env. ²/3 tasse)	Jus de mye que l'on trouve dans le commerce
quantité suffisante	Roux blanc (voir recettes de base)
250 g (½ lb)	Spaghettis* au goût
quantité suffisante	Sel et poivre
60 g (1 tasse)	Persil haché

Préparation: 30 min **Cuisson:** 15 à 30 min
Rendement: 4 portions **Prix de revient:** $$$

- Si les myes sont fraîches, les faire cuire comme les moules marinière dans une grande casserole avec un petit peu d'eau. Attention: la coquille est très fragile, lorsqu'on enlève la chair, on doit vérifier qu'il n'y ait pas de petits morceaux d'écailles. Réserver les myes sur un papier essuie-tout.
- Passer le jus dans une petite passoire.
- Réduire la crème de moitié, puis ajouter les deux jus de mye. Lier comme une sauce avec le roux blanc et passer au chinois étamine ou passoire à mailles fines. Incorporer les myes et garder au chaud (80°C ou 175°F).
- Cuire les spaghettis, puis les mélanger avec la sauce aux myes. Rectifier l'assaisonnement et servir dans des assiettes creuses. Parsemer de persil haché.

* On peut utiliser des spaghettis à l'encre de calmar, aux épinards ou aux herbes.

Soupe de myes aux cheveux d'ange, crevettes nordiques

4	Champignons noirs «oreilles-de-Judas» séchés
350 g (³/4 lb)	Vermicelles de soya (cheveux d'ange)
1	Boîte de myes au jus naturel
160 g (env. 5 oz)	Crevettes nordiques cuites
quantité suffisante	Huile d'arachide
1	Oignon haché finement
1	Échalote verte, ciselée
¹/2	Gousse d'ail hachée finement
quantité suffisante	Sel et poivre
5 ml (1 c. à thé)	Nuoc-mâm
600 ml (2 ¹/2 tasses)	Bouillon de crevette ou de mye (que l'on trouve dans le commerce)
5 g (1 c. à thé)	Sucre
12	Feuilles de coriandre fraîches

Préparation: 25 min **Cuisson:** 15 min
Rendement: 4 portions **Prix de revient:** $$$$

- Faire réhydrater les oreilles-de-Judas dans un bol d'eau tiède.
- Faire tremper les vermicelles dans l'eau froide pendant 12 min, puis les faire cuire de 4 à 6 min à l'eau bouillante (attention de ne pas trop les cuire).
- Égoutter les myes et les crevettes nordiques.
- Faire fondre dans un peu d'huile d'arachide les oignons, l'échalote et l'ail haché. Saler et poivrer. Ajouter le nuoc-mâm et le bouillon de crevette ou de mye et laisser mijoter doucement.
- Tailler les oreilles-de-Judas en très fines lanières, puis les mélanger aux vermicelles de soya. Former quatre nids avec cette préparation et réchauffer au four à micro-ondes juste avant de servir.
- Également, juste avant de servir, ajouter le sucre au bouillon et y déposer les myes et les crevettes. Rectifier l'assaisonnement. Surtout ne pas laisser atteindre le point d'ébullition, les crevettes et les myes deviendraient trop dures.

Service: Au milieu de l'assiette creuse, déposer les vermicelles. Autour, verser le bouillon de crevette ou de mye, puis parsemer des feuilles de coriandre.

Photo page suivante →

ORMEAU

Haliotis sp./Abalone
Appellations erronées: abalone et oreille de mer

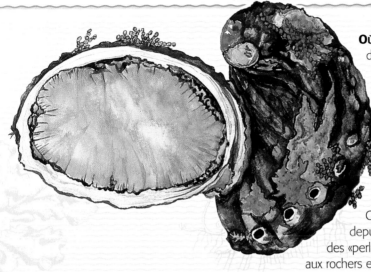

OÙ ET QUAND LE TROUVER: très rarement dans les poissonneries.

TRAITEMENT ET COMMERCIALISATION: entier ou hors coquille.

CUISSON: sauté, braisé ou en sauce.

APPRÉCIATION: coquillage de très grande qualité, excellent cru.

REMARQUES: nous n'avons pas d'ormeaux sur nos côtes de l'Atlantique. Ce coquillage, récolté par l'homme depuis les temps préhistoriques, fait partie des «perles gastronomiques». L'ormeau est fixé aux rochers et peut vivre jusqu'à 375 m (1230 pi) de profondeur. La pêche de ce succulent coquillage est très réglementée.

CARACTÉRISTIQUES: coquille plate, en forme d'oreille, comportant plusieurs trous sur la bordure.

PROVENANCE: Pacifique.

$$$$$

Escalopes d'ormeau en persillade

8 à 16	Ormeaux (selon la taille)
quantité suffisante	Vinaigre blanc
100 g (²/3 tasse)	Beurre doux
quantité suffisante	Farine
2	Gousses d'ail hachées finement
20 g (¹/3 tasse)	Persil haché
10 g (2 ¹/2 c. à soupe)	Cerfeuil haché
quantité suffisante	Sel et poivre
quantité suffisante	Citrons

- Enlever les coquilles des ormeaux. Bien les laver à l'eau vinaigrée pour en extraire le mucus. Si les ormeaux sont gros, les envelopper dans un linge ou dans du papier absorbant et les battre avec un petit maillet en bois pour les attendrir. Couper ensuite les ormeaux en escalopes.

- Chauffer le beurre, fariner les escalopes et les cuire en leur donnant une belle couleur dorée de chaque côté. Les enlever du beurre de cuisson rapidement hors du feu. Ajouter l'ail, le persil et le cerfeuil (persillade), saler et poivrer, puis napper les escalopes d'ormeau de cette persillade.

- Servir très chaud avec des quartiers de citron à part.

Accompagnement: Salicornes sautées au beurre.

Préparation: 30 min	**Cuisson:** 15 min
Rendement: 4 portions	**Prix de revient:** $$$$

Ormeaux poêlés aux artichauts

8	Ormeaux de grande taille
4	Artichauts de grosseur moyenne, coupés en dés ou en lamelles
400 g (14 oz)	Pommes de terre grelots
60 ml (¹/₄ tasse)	Huile d'arachide
120 g (env. ²/₃ tasse)	Beurre
quantité suffisante	Gros sel de mer
quantité suffisante	Farine
160 ml (env. ²/₃ tasse)	Fond brun de veau (voir recettes de base)
quantité suffisante	Pluches de cerfeuil

- Enlever les ormeaux des coquilles, bien les nettoyer et les attendrir (voir recette précédente).
- Cuire les artichauts à grande eau salée, les rafraîchir, les effeuiller et conserver le fond.
- Blanchir les pommes de terre grelots, puis les faire sauter avec l'huile d'arachide et 60 g (¹/₃ tasse) de beurre, parsemer de gros sel de mer et cuire au four à 150°C (300°F).
- Escaloper les ormeaux, les fariner et les cuire à la meunière dans 60 g (¹/₃ tasse) de beurre. Enlever les ormeaux et les conserver au chaud. Dans le même beurre, chauffer les artichauts.

Service: Déposer les fonds d'artichaut en dés ou en lamelles, puis ranger les escalopes d'ormeau dessus. Disposer autour les pommes de terre grelots. Verser le fond brun de veau lié sur les ormeaux et finir par les pluches de cerfeuil.

Préparation: 45 min **Cuisson:** 15 à 30 min
Rendement: 4 portions **Prix de revient:** $$$$

PALOURDE AMÉRICAINE

Venus mercenaria/Hard shell clam et *quahog*
Appellations erronées: clam, coque, mye et praire (Europe)

TRAITEMENT ET COMMERCIALISATION: entière avec la coquille ou sans coquille.

CUISSON: à la vapeur ou en sauce.

APPRÉCIATION: excellente crue.

REMARQUES: la palourde américaine, appelée aussi clam, fait partie de la famille des *Veneridés*, qui compte une centaine d'espèces. Le véritable nom de cette palourde est clam-quahog du Nord *(Mercenaria mercenaria)* (Canada et Floride). On a aussi le clam-quahog du Sud *(Mercenaria campechiensis)* (Virginie et Floride).

$$

CARACTÉRISTIQUES: grande coquille bivalve, présentant de fines rainures en forme de cercle.

PROVENANCE: Atlantique Nord.

OÙ ET QUAND LA TROUVER: arrivages irréguliers dans les poissonneries.

Soupe aux palourdes, aux algues kombu et aux oreilles-de-Judas

15 g (3 c. à soupe)	Algues kombu, séchées (laminaires)
300 ml (1 ¼ tasse)	Jus de palourde
160 g (1 ½ tasse)	Petits dés de pommes de terre crus
24	Palourdes américaines moyennes
398 ml (14 oz)	Champignons oreilles-de-Judas (en conserve)
1	Lime (jus)
10 ml (2 c. à thé)	Sauce soya
quantité suffisante	Sel et poivre

- Réhydrater les algues broyées dans le jus de palourde, puis cuire doucement dans ce jus les dés de pommes de terre.
- Dans une casserole avec un peu d'eau, faire ouvrir les palourdes, récupérer la chair et ajouter le jus à la préparation précédente.
- Lorsque les pommes de terre seront cuites, avec un fouet, donner une émulsion qui libérera l'excédent de fécule et liera facilement la soupe. On ajoute à cette soupe les oreilles-de-Judas bien égouttées, les palourdes, le jus de lime et la sauce soya.
- Rectifier l'assaisonnement et servir très chaud.

Préparation: 30 min	**Cuisson:** 20 min
Rendement: 4 portions	**Prix de revient:** $$$

Palourdes au bacon, sauce hollandaise

4	Tranches de bacon
24	Palourdes de grosseur moyenne
4	Tranches de pain
1	Gousse d'ail
quantité suffisante	Gros sel
120 ml (½ tasse)	Sauce hollandaise (voir recettes de base)

- Au four à micro-ondes entre quelques feuilles de papier essuie-tout, faire cuire le bacon, puis le couper en très fines lamelles.
- Faire ouvrir les palourdes dans une casserole, tout en les laissant cuire suffisamment. Enlever la chair des coquilles et conserver.
- Garder les plus belles coquilles (24), bien les laver et sécher. Conserver.
- Au grille-pain, faire rôtir les 4 tranches de pain, les couper en deux en dents de loup, puis les frotter à l'ail. Conserver au chaud.

Service: Dans des assiettes creuses, mettre du gros sel, puis déposer un papier dentelle sur le sel. Enfoncer six coquilles par assiette afin qu'elles soient bien droites. Mettre dans chaque coquille un peu de bacon en lamelles, puis déposer les palourdes et recouvrir chaque palourde de 5 ml (1 c. à thé) de sauce hollandaise chaude.

Préparation: 30 min **Cuisson:** 15 min
Rendement: 4 portions **Prix de revient:** $$$

PÉTONCLE

Pectinidae/Scallop
Appellation erronée: coquille Saint-Jacques

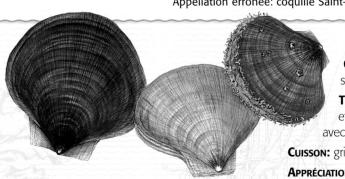

OÙ ET QUAND LE TROUVER: toute l'année, selon les cycles de la pêche.

TRAITEMENT ET COMMERCIALISATION: entier et vivant avec la coquille, sans coquille avec le corail ou le muscle seulement.

CUISSON: grillé, vapeur, en sauce ou poché.

APPRÉCIATION: en Europe, la coquille Saint-Jacques est un succès culinaire. Sur les côtes européennes, le pétoncle est tout petit. Chez nous, le pétoncle est roi et il se compare avantageusement à la Saint-Jacques. On peut aussi le manger cru.

$$$$

CARACTÉRISTIQUES: selon la variété, valves convexes ou plates, nombreuses rainures filiformes ou irrégulières et peu écailleuses.

PROVENANCE: Atlantique Nord.

*Mousseline de pétoncle à la crème de corail**

500 g (env. 1 lb)	Noix de pétoncle avec le corail
quantité suffisante	Sel et poivre
1	Blanc d'œuf
200 ml (7 oz)	Crème à 35 %
100 g (2/3 tasse)	Beurre
200 ml (7 oz)	Velouté de poisson peu lié

- Détacher le corail des muscles de pétoncle.
- Bien éponger le muscle des pétoncles. Hacher au robot culinaire le muscle de pétoncle. Saler, poivrer (poivre blanc), incorporer le blanc d'œuf, puis la crème très froide.
- Avec le beurre en pommade, bien badigeonner quatre ramequins allant au four. Remplir de l'appareil précédent et cuire doucement au bain-marie, au four à 180°C (350°F), environ 15 à 25 min.
- Passer le corail de pétoncle au mélangeur. Chauffer le velouté de poisson peu lié et incorporer petit à petit le corail de pétoncle tout en goûtant régulièrement, car le corail possède un «goût fort». Passer au chinois étamine ou passoire à mailles fines. Garder au chaud.

Service: Démouler la mousseline de pétoncle et déposer sur le fond de l'assiette. Napper de sauce.

Accompagnement: Riz pilaf ou cuit à l'eau, ou pommes de terre cuites à l'eau.

* Recette dédiée à l'équipe culinaire olympique junior du Québec, championne du monde en 1996, dirigée par Monsieur Jean-Claude Belmont.

Préparation: 30 min	**Cuisson:** 15 à 25 min
Rendement: 4 portions	**Prix de revient:** $$$$

Couronne de noix de pétoncle des mareyeurs

8	Tomates fraîches
90 g (1/2 tasse)	Beurre
1	Oignon haché
280 g (2 1/3 tasses)	Champignons blancs, émincés
au goût	Sel et poivre
450 g (1 lb)	Noix de pétoncle
quantité suffisante	Persil haché
2	Feuilles de basilic hachées
250 ml (1 tasse)	Sauce mousseline* (voir recettes de base)
quantité suffisante	Pommes de terre à la vapeur (facultatif)

- Émonder et épépiner les tomates, puis les hacher. Faire revenir dans 60 g (1/3 tasse) de beurre l'oignon, les tomates et les champignons. Saler, poivrer et laisser cuire pour enlever le maximum d'humidité, puis réserver.

- Avec le reste du beurre, beurrer le fond d'un plat allant au four et y déposer les noix de pétoncle, préalablement coupées en deux; les faire cuire à la salamandre (gril) très chaude pendant 1 à 2 min, selon l'épaisseur.

- Réchauffer l'appareil aux tomates et aux champignons; y ajouter le persil et le basilic, puis dresser cet appareil en couronne sur les assiettes. Disposer les noix de pétoncle sur les légumes.

- Napper les noix de pétoncle d'un peu de sauce mousseline. Faire glacer le tout à la salamandre et servir immédiatement avec des pommes de terre à la vapeur.

* Si la sauce n'est pas utilisée immédiatement, la réserver dans un endroit tiède, car elle ne supporte pas les trop grands écarts de température.

Préparation: 20 min	**Cuisson:** 20 à 30 min
Rendement: 4 portions	**Prix de revient:** $$$$

QUAHOG NORDIQUE/CYPRINE D'ISLANDE

Arctica islandica/Ocean quahog

Appellation erronée: palourde de mer

CARACTÉRISTIQUES: mollusque bivalve à coquille presque ronde, ornée de rainures partant du centre.

PROVENANCE: Atlantique Nord.

OÙ ET QUAND LE TROUVER: très rare sur nos marchés.

TRAITEMENT ET COMMERCIALISATION: entier, avec la coquille ou chair surgelée.

CUISSON: à la vapeur, sous pression ou en conserve, stérilisé.

APPRÉCIATION: goût délicat.

REMARQUES: ce coquillage à la chair orangée fait partie de la famille des *Articidés*. Son véritable nom est cyprine d'Islande.

$$

Cyprines d'Islande, sabayon d'oursin

24	Cyprines d'Islande ou quahogs nordiques
150 ml (env. 2/3 tasse)	Vin blanc
40 g (1/4 tasse)	Échalotes hachées
24	Gonades d'oursin
140 ml (env. 2/3 tasse)	Beurre fondu, tiède
quantité suffisante	Sel et poivre

- Dans une grande casserole avec un peu d'eau, faire ouvrir les cyprines, extraire les muscles et les garder sur du papier essuie-tout.
- Récupérer le jus de cyprine, ajouter le vin blanc et les échalotes. Réduire de moitié. Laisser tiédir. Bien fouetter avec les gonades d'oursin et émulsionner fortement. Incorporer petit à petit le beurre fondu. Passer au chinois étamine ou passoire à mailles fines. Rectifier l'assaisonnement.

Service: Dans un petit plat à gratin, déposer les cyprines et napper de sabayon d'oursin.

Accompagnement: Riz blanc cuit à l'eau.

Préparation: 20 min	**Cuisson:** 15 à 20 min
Rendement: 4 portions	**Prix de revient:** $$$

Salade de quahogs nordiques au lait d'amande et céleri émincé

500 g (env. 1 lb)	Céleri-rave
2	Citrons (jus)
120 ml (1/2 tasse)	Sauce maltaise froide (voir recettes de base)
60 ml (1/4 tasse)	Lait d'amande
quantité suffisante	Sel et poivre
4	Feuilles de laitue
32	Quahogs nordiques ou cyprines d'Islande cuites
20 g (1/3 tasse)	Persil haché

- Émincer le céleri-rave comme on le fait pour obtenir des carottes râpées. Dans un récipient, mélanger le céleri avec le jus de citron, ajouter la sauce maltaise et le lait d'amande. Assaisonner. Conserver.

Service: Au fond des assiettes, déposer les feuilles de laitue, puis faire un nid avec le céleri émincé. Déposer au centre les quahogs nordiques ou cyprines d'Islande. Parsemer de persil haché.

Préparation: 25 min
Rendement: 4 portions **Prix de revient:** $$$

Les invertébrés

LES CÉPHALOPODES

Calmars, poulpes, seiches et encornets forment une classe particulière: les *Céphalopodes*. Ce ne sont pas des poissons, mais des mollusques comme les *Gastéropodes* (bigorneaux, ormeaux et patelles) ainsi que les *Lamellibranches* (huîtres, moules, pétoncles, clams, palourdes et couteaux).

Les têtes de ces mollusques sont dotées de grands yeux et sont entourées de nombreux tentacules pourvus de ventouses. Au milieu de ces tentacules se trouve une bouche, dont les mâchoires cornées ont la forme d'un bec de perroquet. Le corps est constitué d'une enveloppe extérieure ou manteau qui contient les viscères de l'animal. C'est généralement ce manteau que l'on consomme. La tête de l'animal peut également être mangée.

Calmar
Encornet nordique
Oursin vert
Pieuvre (poulpe)
Seiche

CALMAR

Loligo Paelei/Squid

Appellation erronée: *squid,* calamar et chiperon

TRAITEMENT ET COMMERCIALISATION: entier et corps sans tête.

CUISSON: poêlé, frit, sauté ou en sauce.

APPRÉCIATION: les amateurs le trouvent succulent.

REMARQUES: parmi les nombreuses familles de calmars en Amérique, deux de ces familles comprennent les espèces communes que l'on consomme: le calmar à longues nageoires de l'Atlantique *(Loligo Paelei)* de 60 cm à 1 m (2 à 3 ¹/₄ pi) et le calmar court *(Lolliguncula brevis)* de 18 à 22 cm (7 à 8 ¹/₂ po).

$

CARACTÉRISTIQUES: corps allongé. La tête compte dix tentacules, dont deux sont beaucoup plus longs que les autres. Les nageoires en forme de triangle font la moitié de la longueur du corps.

PROVENANCE: Atlantique et Pacifique.

OÙ ET QUAND LE TROUVER: toute l'année, surgelé, dans les poissonneries.

Calmars frits

1 kg (2 ¹/₄ lb)	Petits calmars
quantité suffisante	Sel et poivre
quantité suffisante	Huile d'arachide pour friteuse
quantité suffisante	Farine
80 g (1 ¹/₃ tasse)	Persil
4	Quartiers de citron

- Bien nettoyer les calmars (voir recette Encornets farcis au jambon, dans ce chapitre).
- Couper en morceaux ou rondelles le corps ou manteau, puis réserver têtes et tentacules.

- Dans une casserole sans matières grasses, faire rendre aux calmars une partie de leur eau en les cuisant rapidement. Les égoutter, puis saler et poivrer sur du papier essuie-tout.
- Faire chauffer en friteuse l'huile d'arachide.
- Fariner les morceaux de calmar et cuire rapidement dans l'huile chaude 3 à 4 min, en remuant fréquemment. Dès que les morceaux et tentacules sont bien dorés, égoutter. Plonger dans l'huile le persil et égoutter.
- Déposer les calmars frits dans les assiettes, parsemer du persil frit et servir avec les quartiers de citron.
- On peut éventuellement servir une mayonnaise au citron avec les calmars.

Préparation: 20 min **Cuisson:** 7 à 10 min
Rendement: 4 portions **Prix de revient:** $$

Calmars farcis, sauce à l'encre de mollusques

36	Calmars
225 g (1/2 lb)	Chair de homard
2	Petits blancs d'œufs
quantité suffisante	Sel et poivre
150 ml (env. 2/3 tasse)	Crème à 35 %
300 ml (1 1/4 tasse)	Fumet de poisson
quantité suffisante	Crosses de fougère cuites (facultatif)

- Au robot de cuisine, mélanger les tentacules des calmars et la chair de homard. Ajouter les blancs d'œufs, tout en mélangeant, puis saler et poivrer. Incorporer graduellement la crème et réserver cette farce au réfrigérateur.
- Bien nettoyer les calmars et garnir 24 calmars avec la farce; les fermer et maintenir chacun d'eux avec une aiguille ou avec un cure-dent. Passer les autres calmars au robot de cuisine et réserver le mélange obtenu dans une casserole.
- Faire cuire les calmars farcis dans le fumet de poisson, au four, à 120°C (250°F) afin qu'ils n'éclatent pas; les égoutter. Faire chauffer les calmars réduits en purée pour obtenir une sauce à l'encre de calmars*. Déposer les calmars farcis dans des assiettes chaudes ou un plat de service. Napper de sauce à l'encre. Servir ces calmars très chauds.
- Si désiré, accompagner de crosses de fougère cuites.

* On peut aussi utiliser de l'encre de calmars.

Préparation: 1 h   **Cuisson:** 10 à 25 min
Rendement: 6 portions   **Prix de revient:** $$

ENCORNET NORDIQUE

Illex illecebrosus/Boreal squid, short-finned squid et *squid*
Appellation erronée: *squid* et chiperon

Où et quand le trouver: toute l'année, surgelé, dans les poissonneries.

Traitement et commercialisation: entier et corps sans tête.

Cuisson: poché, frit, sauté ou en sauce.

Appréciation: les amateurs le trouvent excellent.

Caractéristiques: corps allongé. La tête compte dix tentacules, dont deux sont beaucoup plus longs que les autres. Les nageoires en forme de triangle font le tiers de la longueur du corps.

Provenance: Pacifique.

Remarques: la famille des *Ommastréphidés* à petits yeux comprend l'encornet nordique ou calmar commun à nageoires courtes *(Illex illecebrosus)* de 30 cm à 5 m (1 à 16 ½ pi).

$$

Encornets farcis au jambon

8	Encornets de grosseur moyenne
300 g (10 oz)	Jambon pressé
1	Blanc d'œuf
quantité suffisante	Sel et poivre
200 ml (7 oz)	Crème à 35 %
30 g (2 ½ c. à soupe)	Beurre
60 g (½ tasse)	Échalotes hachées
150 ml (env. ⅔ tasse)	Vin blanc
100 ml (3 ½ oz)	Fumet de poisson
200 ml (7 oz)	Bisque ou sauce de crustacés (voir Bisque de homard, dans recettes de base)
240 g (1 ½ tasse)	Riz blanc cuit

• Détacher les parties de la tête des encornets, extraire l'os appelé «plume». Sectionner les tentacules au ras des yeux et enlever le bec en appuyant entre deux doigts autour de la bouche située au centre des tentacules. Récupérer très délicatement la poche d'encre et la réserver. Bien laver les corps et les tentacules. Les sécher parfaitement dans du papier absorbant.

• Émincer la moitié du jambon en fines lamelles et réserver.

• Avec un robot culinaire, hacher le reste du jambon et les tentacules des encornets, ajouter le blanc d'œuf, saler et poivrer, puis ajouter progressivement la crème. Passer la farce au tamis et réserver au réfrigérateur pendant 30 min.

• À l'aide d'une poche à pâtisserie, farcir les corps des encornets (pas trop plein) et fermer l'ouverture avec quelques cure-dents en bois entrecroisés.

• Bien beurrer le fond d'un plat allant au four et parsemer d'échalotes hachées. Y disposer les encornets tête à queue, verser le vin blanc et le fumet de poisson. Recouvrir d'un papier d'aluminium et cuire au four à 150°C (300°F), environ 25 à 30 min. Si le four est trop chaud, les encornets éclateront.

- Après la cuisson, verser dans une casserole le jus de cuisson et réduire des $9/10$. Ajouter la bisque ou la sauce de crustacés. Laisser mijoter quelques minutes et passer au chi-

nois étamine ou passoire à mailles fines. Garder au chaud.

- Déposer en haut de l'assiette le riz chaud. Ranger harmonieusement les encornets chauds. Parsemer de jambon en lamelles et napper de sauce. Décorer au goût.

Préparation: 40 min	**Cuisson:** 30 à 35 min
Rendement: 4 portions	**Prix de revient:** $$$

Photo page suivante →

Curry d'encornets

1 kg (2 ¼ lb)	Encornets
500 ml (2 tasses)	Fond blanc de volaille (voir recettes de base)
quantité suffisante	Sel et poivre
quantité suffisante	Huile de tournesol
2	Oignons hachés finement
2	Gousses d'ail hachées
6	Grosses tomates émondées, épépinées et en dés
60 g (1 c. à soupe)	Poudre de curry
10 g (1 c. à soupe)	Sucre en poudre
quantité suffisante	Fécule de maïs
398 ml (14 oz)	Champignons volvaires en conserve
200 g (1 ⅓ tasse)	Riz blanc cuit
100 g (½ tasse)	Noix de coco râpée

- Bien nettoyer les encornets (voir recette Encornets au jambon, dans ce chapitre).
- Couper en morceaux le corps ou manteau des encornets. Pocher ces morceaux dans le fond de volaille et bien assaisonner. Égoutter et réserver.
- Faire revenir dans l'huile de tournesol les oignons hachés et l'ail haché jusqu'à ce qu'ils prennent une belle coloration, puis ajouter les tomates en dés et laisser mijoter quelques minutes. Incorporer ensuite la poudre de curry et le sucre. Mouiller avec le fond de volaille. Lier avec la fécule de maïs jusqu'à consistance voulue et réserver.
- À l'aide d'un wok ou d'une grande poêle, faire revenir les morceaux d'encornets 3 ou 4 min, saler et poivrer. Enlever le gras de cuisson, puis ajouter la sauce. Mélanger délicatement, puis ajouter les champignons volvaires. Laisser mijoter quelques minutes et servir très chaud avec le riz mélangé à la noix de coco râpée.

Préparation: 20 à 30 min	**Cuisson:** 4 à 8 min
Rendement: 4 portions	**Prix de revient:** $$$

OURSIN VERT

Strongylocentrotus droebachiensis/Green sea urchin, sea egg et *sea urchin*
Appellation erronée: châtaigne de mer

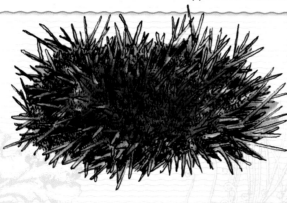

Où ET QUAND LE TROUVER: arrivage très irrégulier dans les poissonneries.

TRAITEMENT ET COMMERCIALISATION: entier et vivant, gonades congelées.

CUISSON: en crème, en soufflé ou avec des œufs brouillés.

APPRÉCIATION: c'est un délice, mais on aime ou on n'aime pas. Il peut être consommé cru.

REMARQUES: le nom grec de l'oursin signifie hérisson. Il y a plusieurs espèces d'oursins: les gros et ronds aux piquants très serrés mais courts, communs dans l'Atlantique; les aplatis aux piquants longs et acérés, d'un brun verdâtre ou violet. Un oursin bien plein doit contenir 12 % de son poids de gonade, la partie la plus noble.

CARACTÉRISTIQUES: invertébré brun verdâtre ou violet, coquille aplatie et aux piquants longs et pointus. Taille de 6 à 8 cm (2 1/4 à 3 po). Les piquants atteignent 2 cm (3/4 po).

PROVENANCE: Atlantique.

$$

Crème d'oursin vert

30 g (4 c. à soupe)	Échalotes hachées
80 g (1/2 tasse)	Beurre doux
12	Oursins verts
350 ml (1 1/2 tasse)	Vin blanc
250 ml (1 tasse)	Eau
1	Branche de thym
2	Œufs
400 ml (14 oz)	Crème à 35 %
quantité suffisante	Sel et poivre
2	Tranches de pain en cubes
4	Branches de cerfeuil
2	Branches de persil

Préparation: 30 min		**Cuisson:** 15 min	
Rendement: 4 portions		**Prix de revient:** $$$	

• Faire étuver les échalotes dans 30 g (2 1/2 c. à soupe) de beurre pendant 5 min. Ouvrir les oursins et récupérer l'élément liquide en le passant à l'étamine. Réserver les gonades. Ajouter aux échalotes le vin blanc, le liquide des oursins, l'eau et le thym. Laisser cuire pendant 5 min et retirer le thym de la casserole.

• Délayer les jaunes d'œufs dans la crème. Verser ce mélange dans la casserole en mince filet, en remuant constamment. Rectifier l'assaisonnement. Ajouter la moitié des gonades d'oursin et laisser cuire au point de frémissement pendant 3 min. Faire sauter les cubes de pain dans 50 g (4 1/2 c. à soupe) de beurre; les répartir dans des bols ou des assiettes creuses.

• Répartir le reste des gonades d'oursin dans les bols et y verser la crème d'oursin. Décorer avec des branches de cerfeuil et de persil.

Œufs brouillés aux oursins verts

12	Oursins verts bien vivants
12	Œufs
quantité suffisante	Sel et poivre
quantité suffisante	Noix muscade
60 ml (¼ tasse)	Crème à 35 %
120 g (¾ tasse)	Beurre doux

Préparation: 10 min   **Cuisson:** 3 min
Rendement: 4 portions   **Prix de revient:** $$

- Ouvrir les oursins et récupérer les gonades.
- Battre les œufs, saler, poivrer, râper un peu de muscade et ajouter la crème.
- Chauffer le beurre dans un cul-de-poule au bain-marie. Verser les œufs battus ainsi que les gonades d'oursin, mélanger avec une cuillère en bois jusqu'à cuisson désirée.
- Servir immédiatement en ramequins ou dans les coquilles.

PIEUVRE (POULPE)

Octopus sp./Octopus

Où et quand la trouver: toute l'année, surgelée, dans les poissonneries.

Traitement et commercialisation: généralement entière.

Cuisson: à la vapeur, frite, en sauce ou grillée.

Appréciation: les amateurs les apprécient beaucoup.

Remarques: il y a environ une douzaine d'espèces de pieuvres dans les eaux canadiennes et américaines. La pieuvre commune de l'Atlantique peut atteindre 20 kg (44 lb). L'*Octopus vulgaris* peut facilement dépasser 1 m (3 ¼ pi), contrairement à l'*Eledone commune* ou *Eledone cirrosa*, 40 cm (16 po) et à l'*Eledone moschata*, 35 cm (14 po).

Caractéristiques: corps ressemblant à un sac. La tête compte huit tentacules égaux, comportant deux rangées de ventouses.

Provenance: Atlantique.

$$

Poulpe au fenouil et au vin rosé

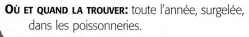

1,5 kg (3 ¼ lb)	Poulpe
1	Oignon haché finement
70 ml (env. ⅓ tasse)	Huile d'olive
40 ml (3 c. à soupe)	Ricard ou Pernod
250 ml (1 tasse)	Vin rosé
200 g (2 tasses)	Fenouil haché
6	Tomates émondées, épépinées et en dés
quantité suffisante	Sel et poivre

- Après avoir vidé et lavé le poulpe, découper la poche ainsi que les tentacules en petites rondelles de 2 à 3 cm (¾ à 1 ¼ po) de largeur.
- Dans une casserole, faire fondre l'oignon dans l'huile d'olive, ajouter le poulpe, flamber avec le Ricard ou le Pernod, mouiller avec le vin, puis laisser mijoter à couvert 20 min. Ajouter ensuite le fenouil et les tomates en dés. Saler, poivrer et bien mélanger.
- Laisser cuire au minimum 1 h (selon la grosseur des poulpes). Vérifier la cuisson avec la pointe d'un couteau. Si, au cours de la cuisson, il manquait de liquide, ajouter du fumet de poisson ou de l'eau.

Accompagnement: Purée de pommes de terre.
Note: Si le poulpe a deux rangées de ventouses, il s'agit alors d'un *Octopus vulgaris* ou d'un *Octopus macropus*. Il faut, avant son utilisation, le «battre» très vigoureusement avec un maillet pour attendrir les chairs.

Préparation: 20 min	**Cuisson:** 1 h à 1 h 20
Rendement: 4 portions	**Prix de revient:** $$$

Savarins de poulpe, garni de crevettes

800 g (1 ¾ lb)	Poulpe
100 g (env. 3 oz)	Filets de plie
4	Blancs d'œufs
400 ml (14 oz)	Crème à 35 %
quantité suffisante	Sel, poivre et poivre de Cayenne
quantité suffisante	Beurre
16	Crevettes moyennes
500 ml (2 tasses)	Court-bouillon
300 ml (1 ¼ tasse)	Vin blanc
200 ml (7 oz)	Coulis de homard (voir recettes de base)
1	Citron (jus)
20 g (⅓ tasse)	Persil haché
quantité suffisante	Pommes de terre vapeur (facultatif)

- Faire dégorger le poulpe à l'eau fraîche, bien le nettoyer pour enlever le maximum d'encre. Passer le poulpe au robot de cuisine avec les filets de plie. Ajouter les blancs d'œufs en battant doucement, puis ajouter la crème. Saler, poivrer, ajouter le poivre de Cayenne et passer au tamis.
- Beurrer les moules à savarin et les remplir de cet appareil. Faire cuire au bain-marie, au four à 70°C (160°F) pendant 10 à 15 min.
- Faire cuire les crevettes dans le court-bouillon additionné de vin blanc. Faire chauffer le coulis de homard; le monter avec 175 g (1 tasse) de beurre et lui ajouter le jus de citron et le persil haché. Verser cette sauce au fond des assiettes. Démouler les savarins de poulpe et dresser un savarin au centre de chaque assiette. Accrocher des crevettes de chaque côté du savarin. Servir très chaud.
- Si désiré, déposer au centre du savarin des pommes de terre cuites à la vapeur.

Préparation: 1 h	**Cuisson:** 20 min
Rendement: 8 portions	**Prix de revient:** $$$

Photo page 327

SEICHE

Sepia officinalis/Cuttlefish

Appellation erronée: margat et morgate

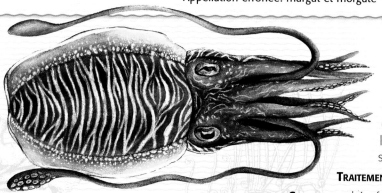

PROVENANCE: Atlantique.

OÙ ET QUAND LA TROUVER: toute l'année, surgelée, dans les poissonneries.

TRAITEMENT ET COMMERCIALISATION: entière.

CUISSON: pochée, frite, sautée, en sauce ou farcie.

APPRÉCIATION: pour les amateurs.

CARACTÉRISTIQUES: mollusque céphalopode à corps ovale. Nageoire sur presque toute la longueur du corps. La tête compte dix tentacules, dont deux beaucoup plus longs, tous pourvus de ventouses. Coquille interne appelée «os de seiche» ou «plume».

REMARQUES: la seiche, l'encornet et le calmar possèdent une poche à encre qui sert en cuisine à faire des sauces à l'encre et à colorer des pâtes.

$$

Seiches à la tomate et au jus de papaye

200 ml (7 oz)	Jus de papaye
32	Petites seiches (le corps seulement)
2	Oignons rouges, hachés
60 ml (1/4 tasse)	Huile d'olive
4	Tomates émondées, épépinées et en dés
1/2	Gousse d'ail hachée
24	Olives noires sans noyau
quantité suffisante	Sel et poivre
20 g (1/3 tasse)	Persil
8	Feuilles de basilic

- Faire tremper dans la moitié du jus de papaye les corps de seiche pendant 3 ou 4 min, car le jus de papaye attendrit les chairs.
- Faire fondre les oignons rouges hachés dans l'huile d'olive, puis ajouter les tomates, l'ail haché et les olives noires. Mouiller avec le reste du jus de papaye, saler, poivrer et cuire une dizaine de minutes. Ajouter ensuite le jus de papaye avec les seiches.
- Cuire doucement en vérifiant la cuisson à l'aide de la pointe d'un couteau.
- Finir en parsemant de persil et de basilic haché.

Accompagnement: Petits dés de pommes de terre cuits à l'eau.

Préparation: 20 min	**Cuisson:** 8 à 15 min
Rendement: 4 portions	**Prix de revient:** $$$

Seiches en papillon, sauce homardine

400 g (14 oz)	Petites seiches (le corps seulement)
120 ml (¹/₂ tasse)	Vin blanc sec
80 g (¹/₂ tasse)	Échalotes hachées
40 g (¹/₂ tasse)	Coriandre fraîche, hachée
60 ml (¹/₄ tasse)	Ricard
60 ml (¹/₄ tasse)	Huile d'olive
quantité suffisante	Sel et poivre
6	Tomates émondées, épépinées et en dés
180 ml (³/₄ tasse)	Sauce homardine (voir recettes de base)
160 g (env. 1 tasse)	Lentilles du Puy cuites

• Déposer les seiches dans un bol, ajouter le vin blanc, les échalotes, la coriandre et le Ricard. Laisser macérer 1 h. Après ce temps, bien égoutter les seiches. Chauffer l'huile d'olive, sauter vivement les seiches, saler, poivrer et conserver au chaud. Faire réduire le jus de macération des ⁹/₁₀. Ajouter les dés de tomate, la sauce homardine et laisser mijoter 7 à 8 min. Rectifier l'assaisonnement juste avant de servir. Ajouter les lentilles et les seiches. Laisser mijoter 2 min et servir en assiette creuse.

Préparation: 25 min	**Cuisson:** 8 à 10 min
Rendement: 4 portions	**Prix de revient:** $$$

LAITUE DE MER, ARAMÉ, NORI ET LES AUTRES

Les algues

Au Japon, des algues alimentaires ont été retrouvées dans des ruines funéraires et dans de la tourbe datant de 10 000 ans.

Si les algues sont un des mets les plus appréciés en Asie, leur emploi est beaucoup plus limité en Occident. Que ce soit en Amérique du Sud, en Amérique du Nord ou en Europe, les algues ont leur histoire.

Encore au début du siècle, en Irlande, des enfants vendaient dans des cornets de papier des algues séchées que l'on mangeait comme des frites. Les Indiens qui traversaient la cordillère des Andes portaient autour du cou une petite bourse de cuir contenant des algues qui leur apportaient de l'énergie dans leurs efforts.

En France, on fabrique un gâteau aux algues gélifiantes. Au Canada, nous consommons sans le savoir des algues chaque jour sous forme d'agar-agar. Nous commençons seulement à accompagner des mets de nos algues, dont nous sommes si riches.

Laitue de mer
Laitue rouge
Rhodyménie palmé
Hijiki
Laminaire à long stipe
Laminaire digitée
Aramé
Mousse d'Irlande
Nori

LAITUE DE MER

Ulva Lactuca/Sea lettuce
Appellation erronée: laitue verte

CARACTÉRISTIQUES: les frondes ont une taille de 10 à 60 cm (4 à 24 po). Bords pointus, ovales ou arrondis, avec des déchirures et des trous.

HABITAT: toute l'année sur les rochers et les bancs de vase.

OÙ ET QUAND LA TROUVER: toute l'année, dans les magasins spécialisés.

COMMERCIALISATION ET DISTRIBUTION: séchée, en paquets de 50 à 100 g (2 à 3 oz).

$$

MANIÈRES DE CUIRE LES ALGUES FRAÎCHES

BLANCHIR: faire bouillir doucement les algues que l'on veut travailler, pour en augmenter le goût ou les verdir (wakamé, goémon et toutes les algues brunes).

CUIRE À LA VAPEUR: c'est une technique qui s'applique avec bonheur tantôt aux algues minces, car elles conservent alors leur belle couleur, tantôt à des algues plus épaisses, pour les précuire.

FRIRE: rapidement passées en grande friture, la porphyre mais aussi le fouet de sorcier sont délicieux. Ils peuvent ainsi être préparés à l'avance pour décorer les assiettes. Les algues ont en général de très belles formes et de belles couleurs lorsqu'elles sont frites.

GRILLER: les algues en plaques de fabrication japonaise sont parfois passées à la flamme ou sur une plaque électrique pour les griller. Elles peuvent servir de condiments.

Vivaneaux sautés, garnis de laitue de mer

30 g (¹/₃ tasse)	Laitue de mer, séchée
120 ml (¹/₂ tasse)	Vin blanc
60 g (6 c. à soupe)	Échalotes hachées
170 g (1 tasse)	Beurre
160 g (³/₄ tasse)	Riz blanc cru
250 ml (1 tasse)	Jus de moule ou de mye
quantité suffisante	Sel et poivre
15 g (4 c. à thé)	Gingembre frais, haché
4 X 200 à 250 g (7 à 9 oz)	Vivaneaux
70 ml (env. ¹/₃ tasse)	Huile d'arachide

Préparation: 30 min **Cuisson:** 30 min
Rendement: 4 portions **Prix de revient:** $$$

• Réhydrater la laitue de mer dans le vin blanc. Faire fondre les échalotes hachées dans 50 g (4 ¹/₂ c. à soupe) de beurre, ajouter le riz, le faire éclater légèrement, c'est-à-dire le chauffer, puis ajouter le jus de moule ou de mye, la moitié des algues (laitue de mer réhydratée), poivrer, couvrir et cuire au four à 200°C (400°F) (ne pas saler tout de suite), pendant 20 à 25 min.

• Faire cuire doucement le reste de laitue de mer avec le vin blanc et le gingembre haché. Au dernier moment, on liera l'ensemble avec 70 g (6 c. à soupe) de beurre.

• Bien assaisonner les poissons avec l'huile d'arachide et le reste du beurre. Cuire les vivaneaux à la poêle. Arroser fréquemment du corps gras au cours de la cuisson avec une cuillère.

Service: Mouler le riz dans un moule à dariole. Verser le fond de laitue de mer sur le bord de l'assiette, déposer les vivaneaux, puis démouler le riz aux algues en haut de l'assiette.

LAITUE ROUGE

Porphura laciniata

Appellation erronée: laitue de mer rouge

CARACTÉRISTIQUES: fronde qui ressemble à une feuille plate. L'hiver, le thalle est découpé en étroites lanières, courbées sur les bords, et l'été, ces lanières deviennent plus larges et font de larges expansions irrégulières en forme de feuille. Couleur: brun-rouge. Taille: 5 à 20 cm (2 à 8 po).

HABITAT: étage littoral, même niveau que le *Fucus spiralis*.

OÙ ET QUAND LA TROUVER: toute l'année, dans les magasins spécialisés, séchée.

COMMERCIALISATION ET DISTRIBUTION: séchée, en paquets de 50 à 100 g (2 à 3 oz).

REMARQUES: c'est une variété de *Porphyra tenera*, algue du Japon qui sert à la fabrication de l'algue nori.

$$

SALICORNES OU HARICOTS DE MER

Les salicornes poussent en terrain salé, ce ne sont pas des algues, mais elles sont très utilisées en cuisine. Certains botanistes en reconnaissent deux espèces au Canada. Celle de l'Atlantique (*Salicornia Europaea*) et celle du centre et de l'ouest (*Salicornia Rubra*), qui s'installe à l'intérieur des terres sur des sols très salés (mines de sel). Récoltées de mai à septembre, ces «haricots de mer» éclatent en bouche, ils possèdent une saveur fraîche et salée. Aucune plante ne contient autant de vitamine C.

AUTRES PLANTES COMESTIBLES DU BORD DE LA MER:

LE PLANTAIN MARITIME: (*Plantago Maritima* — Linné) famille du plantain, les jeunes feuilles se mangent en salade.

LA SABLINE FAUX PEPLUX: (*Arenaria Peploides*) famille de l'œillet, les jeunes pousses se mangent crues ou après avoir été blanchies.

LA GLAUCE MARITIME: (*Glaux Maritima*), famille de la primevère, un peu amère, la glauce maritime se mange plutôt en marinade.

L'ARROCHE HASTÉE: famille du chou gras, les jeunes feuilles se mangent en salade, les feuilles moins tendres se cuisent comme des épinards.

Aspic d'huîtres à la gelée d'algues, crème d'avocat

24	Huîtres en écaille
200 g (7 oz)	Feuilles d'épinard
15 g (1 1/2 c. à soupe)	Agar-agar, séché (gélatine)
500 ml (2 tasses)	Fumet de poisson
20 g (4 c. à soupe)	Échalotes émincées
85 g (2/3 tasse)	Carottes en rondelles
1/2	Paquet de ciboulette
3	Blancs d'œufs
6 portions	Crème d'avocat (voir recette suivante)
quantité suffisante	Cerfeuil
150 g (3/4 tasse)	Tomates en dés

- Enlever les huîtres de leurs coquilles en prenant soin de récupérer le jus. Faire pocher les huîtres dans leur jus pendant 10 secondes; les réserver. Faire blanchir les épinards et envelopper chaque huître dans une feuille d'épinard.

- Disposer 3 huîtres dans chaque petit moule (ramequin) et les réserver au réfrigérateur. Faire fondre l'agar-agar dans le fumet de poisson, à feu doux.

- Au mélangeur, mélanger les échalotes avec les carottes, la ciboulette, les huîtres qui restent, le jus d'huître et les blancs d'œufs. Mélanger cet appareil avec la gelée de poisson aux algues. Laisser frémir le tout pendant 20 min. Clarifier. Passer à l'étamine ou passoire à mailles fines et refroidir. Remplir les ramequins de cet appareil et laisser prendre au réfrigérateur.

- Verser une portion de crème d'avocat (30 ml ou 1 oz) au fond de chaque assiette. Démouler un aspic sur chaque assiette.
- Garnir de pluches de cerfeuil et de quelques dés de tomates fraîches.

Préparation: 50 min   **Cuisson:** 10 min
Rendement: 6 portions   **Prix de revient:** $$$

Crème d'avocat

2	Avocats mûrs
20 ml (4 c. à thé)	Cognac
100 ml (3 1/2 oz)	Crème à 35 %
1	Pamplemousse (jus)
quantité suffisante	Sel et poivre

- Battre l'avocat au mélangeur avec le cognac, la crème, le jus de pamplemousse, le sel et le poivre. Passer au chinois ou passoire à mailles fines.

Préparation: 5 min
Rendement: 4 portions   **Prix de revient:** $$$

RHODYMÉNIE PALMÉ

Palmaria palmata/Dulce et *dulse*

CARACTÉRISTIQUES: lame aplatie d'environ 40 cm (16 po) de longueur, de couleur rouge. De taille moyenne (0,50 m ou 20 po), très découpé et souvent à 2 reprises, en lobes de 5 à 10 cm (2 à 4 po). De forme allongée et arrondie vers le haut.

HABITAT: rochers de l'horizon inférieur de l'étage littoral et en dessous.

OÙ ET QUAND LE TROUVER: toute l'année, dans les magasins spécialisés.

COMMERCIALISATION ET DISTRIBUTION: séché, rarement frais.

REMARQUES: cette algue vivace se rencontre en Europe, en Islande et au Canada. Aliment traditionnel en Islande, elle parfume les tourtes aux fruits de mer. Nom usuel: dulse.

$$

Ragoût de crevettes aux algues main de mer palmée

500 g (env. 1 lb)	Tomates fraîches
60 g (2 oz)	Poivron rouge
100 g (3/4 tasse)	Petites carottes nouvelles en olivette
quantité suffisante	Sel et poivre
1/2	Noix de coco ou jus de noix de coco
12 g (2 1/2 c. à soupe)	Algues rhodyménie palmé, séchées (main de mer palmée)
30 g (3 c. à soupe)	Arachides grillées
15 g (4 c. à thé)	Racine de gingembre, en morceaux
800 g (1 3/4 lb)	Crevettes de roche décortiquées
30 g (3 c. à soupe)	Oignon haché
30 ml (2 c. à soupe)	Huile
2	Branches de coriandre
1	Citron (jus)
80 g (3/4 tasse)	Branches de céleri en olivette

- Émonder les tomates et le poivron rouge, puis les épépiner et les couper en dés. Faire cuire les carottes et le céleri en olivette à l'eau bouillante salée; les garder croquantes. Assaisonner ces légumes.
- Récupérer le jus de la noix de coco et l'ajouter aux algues. Éplucher les arachides et le gingembre et les hacher finement. Faire sauter crevettes et oignon à l'huile pendant 1 à 2 min. Saler et poivrer. Ajouter les arachides, le gingembre et la coriandre en feuilles.
- Retirer les crevettes de la poêle et les réserver. Ajouter dans la poêle les dés de tomate et de poivron et laisser cuire pendant 1 à 2 min. Ajouter le jus de noix de coco et les algues afin de lier la sauce. Ajouter le jus de citron, puis saler et poivrer.
- Réchauffer les crevettes et les légumes dans la sauce juste avant de servir. Servir ce ragoût dans des assiettes creuses.

Préparation: 45 min	**Cuisson:** 4 à 8 min
Rendement: 4 portions	**Prix de revient:** $$$$

Photo page 342

Queues d'écrevisse aux algues et au cidre

1,4 à 1,8 kg (3 à 4 lb)	Écrevisses vivantes
2 litres (8 tasses)	Court-bouillon (voir recettes de base)
20 g (¼ tasse)	Algues rhodyménie palmé, séchées (ou algues au choix)
700 ml (2 ¾ tasses)	Cidre
160 g (env. 1 tasse)	Beurre
85 g (½ tasse)	Carotte en julienne
40 g (⅓ tasse)	Céleri en julienne
100 g (1 tasse)	Blancs de poireau en julienne
quantité suffisante	Sel et poivre
20 g (2 c. à soupe)	Échalote en brunoise
40 ml (3 c. à soupe)	Calvados
150 ml (env. ⅔ tasse)	Crème à 35 %
200 ml (7 oz)	Coulis d'écrevisse (voir recettes de base)
1	Citron (jus)

- Châtrer les écrevisses, les faire cuire au court-bouillon pendant 1 à 1 ½ min, selon leur grosseur, puis les laisser refroidir. Enlever les queues et les décortiquer, puis les réserver. Piler le reste des carcasses et les réserver pour la préparation du coulis. Réanimer les algues dans le cidre.

- Faire suer dans 50 g (4 ½ c. à soupe) de beurre les carottes, le céleri et le blanc de poireau. Saler et poivrer cette julienne, puis la réserver.
- Faire revenir les queues d'écrevisse et l'échalote dans 50 g (4 ½ c. à soupe) de beurre. Flamber au calvados. Ajouter le cidre et les algues, laisser cuire pendant 1 min, puis retirer les écrevisses pour qu'elles ne durcissent pas.
- Faire réduire le jus de cuisson afin qu'il perde son acidité. Ajouter la crème et laisser réduire de moitié. Incorporer le coulis d'écrevisse et monter avec le reste du beurre. Réserver cette sauce Nantua* au chaud.
- Au moment de servir, réchauffer les légumes en julienne. Réchauffer les queues d'écrevisse dans la sauce Nantua, à feu doux, sans ébullition. Rectifier l'assaisonnement. Ajouter le jus de citron.
- Dresser les légumes en couronne dans les assiettes. Disposer l'appareil aux écrevisses au centre des assiettes.

* Les apprêts et sauces portant l'appellation «Nantua» comportent toujours des queues d'écrevisse, des écrevisses entières, une purée, une mousse ou un coulis d'écrevisse.

Préparation: 14 min	**Cuisson:** 20 min
Rendement: 4 portions	**Prix de revient:** $$$$

HIJIKI

Hizikia fusiforme — cystophyllum fusiformyo/isiki

CARACTÉRISTIQUES: croît dans les mers chaudes comme de petits arbres. L'hijiki ressemble à des brins d'herbe noirs et durs. Cette algue est très populaire au Japon, où on la consomme tous les jours.

OÙ ET QUAND LA TROUVER: dans les magasins spécialisés, toute l'année.

COMMERCIALISATION ET DISTRIBUTION: séchée, en paquets de 50 à 200 g (2 à 7 oz).

REMARQUES: l'hijiki fait baisser le taux de cholestérol.

$$

LES ALGUES, COMPLÉMENT ALIMENTAIRE TRÈS RECHERCHÉ CAPABLE DE CONTRE-BALANCER LE DÉSÉQUILIBRE DE NOTRE ALIMENTATION

Pauvres en lipides (graisses) les algues contiennent plus de vitamines, d'acides pantothénique et folique, et de niacine que les légumes et les fruits frais. Leurs acides gras insaturés se rapprochent de ceux des lipides des poissons. Les glucides qu'elles contiennent sont excellents pour la santé et les glucides non assimilables facilitent le transit intestinal et empêchent la rétention du cholestérol alimentaire. Les algues sont riches en iode, en calcium, en fer, en magnésium, en cobalt et en vitamine B12.

Coquillages de Gaspésie cuits au court-bouillon aux algues hijiki, sauce hollandaise

200 g (7 oz)	Coques sans leurs coquilles
200 g (7 oz)	Mactre de Stimpson sans leurs coquilles
200 g (7 oz)	Pétoncles sans leurs coquilles
200 g (7 oz)	Moules bleues sans leurs coquilles
1,5 litre (6 tasses)	Court-bouillon (voir recettes de base)
200 ml (7 oz)	Vin blanc sec
15 g (3 c. à soupe)	Algues hijiki, séchées
quantité suffisante	Sel et poivre
160 ml (env. 2/3 tasse)	Sauce hollandaise (voir recettes de base)

- Il est important et fondamental que les coquilles soient enlevées à cru. Si vous avez de la difficulté à ouvrir les coquillages, les mettre séparément dans une casserole avec très peu d'eau, puis chauffer juste pour qu'ils s'ouvrent. Récupérer la chair des coquillages et conserver au réfrigérateur.
- Chauffer le court-bouillon avec le vin blanc et les algues hijiki. Bien assaisonner. Laisser cuire 5 à 6 min.
- Préparer la sauce hollandaise chaude et en servir un petit bol par convive.
- Pocher les coquillages par catégorie, car les uns sont plus longs à cuire que les autres. Lorsqu'ils sont tous bien pochés, les réunir ensemble et, au moment de servir, déposer en assiette creuse avec jus et algues.

Accompagnement: Pommes de terre cuites à l'eau.

Préparation: 1 h	**Cuisson:** 8 à 10 min
Rendement: 4 portions	**Prix de revient:** $$$

Photo page suivante →

344

LAMINAIRE À LONG STIPE (ALGUES BRUNES)

Laminaria longicruris/Blade kelp

Appellation erronée: Grande Flame

CARACTÉRISTIQUES: tige creuse, à peu près de la même longueur que la lame, lame ondulée et centre plus épais, longueur pouvant atteindre plus de 10 m (33 pi).

HABITAT: fixée aux rochers et aux structures de bois, juste sous le niveau des marées basses, elle est constamment submergée.

OÙ ET QUAND LA TROUVER: toute l'année (kombu), séchée, en provenance du Japon.

TRAITEMENT ET COMMERCIALISATION: séchée, en paquets de 50 à 200 g (2 à 7 oz), dans les magasins spécialisés.

REMARQUES: la laminaire à long stipe ne pousse que dans le nord est de l'Amérique du Nord, elle remonte l'estuaire du Saint-Laurent. C'est avec cette algue qu'on fabrique le kombu. Au Japon, le kombu est fabriqué avec la *Laminaria japonica*.

$$

LES ALGUES GÉLIFIANTES

Les algues rouges sont génératrices de carraghénane et d'agar-agar.

LE CARRAGHEEN (*Chondrus crispus*)

Le carragheen est constitué de deux algues semblables. Elles contiennent des substances à la fois gélifiantes et épaississantes. Actuellement, le carragheen est utilisé à des fins industrielles et pharmaceutiques: il clarifie bière et vin. Il est aussi employé dans la confection des crèmes glacées industrielles, des sorbets, des fruits au sirop, des fromages et des soupes instantanées.

L'AGAR-AGAR (*Gracilaria verrucosa*)

L'agar-agar est constitué d'une quinzaine d'algues rouges. Il absorbe l'eau, se ramollit, gonfle à 85°C (170°F). Il devient liquide et visqueux. Il prend en gelée entre 25 et 30°C (77 et 86°F). L'agar-agar est utilisé pour stabiliser les confitures et les gelées enrobant les viandes en conserve. Notre fameux Jell-O est essentiellement composé d'agar-agar.

Moules des Îles-de-la-Madeleine en coquilles, crème de kombu

1 kg (2 1/4 lb)	Moules en coquilles
120 ml (1/2 tasse)	Vin blanc
60 g (6 c. à soupe)	Échalotes hachées
30 g (1/3 tasse)	Algues kombu, séchées
200 ml (7 oz)	Crème à 35 %
quantité suffisante	Sel et poivre
160 g (1 tasse)	Riz blanc cuit

- Bien laver les moules, puis les déposer dans une grande casserole avec vin blanc et échalotes hachées. Couvrir et cuire jusqu'à ce qu'elles s'ouvrent.
- Arrêter la cuisson en trempant la casserole dans l'eau froide.
- Récupérer le jus de cuisson, ajouter le kombu séché et laisser «infuser» quelques minutes. Réduire le jus de cuisson des 2/3 et ajouter la crème. Assaisonner et réserver au chaud.
- Enlever une des deux parties des coquilles des moules et ranger dans un plat allant au four.
- Chauffer le riz.

Service: Déposer le riz au centre de l'assiette, avec les moules ou coquilles autour. Napper celles-ci de la sauce crème au kombu.

Photo page suivante →

Préparation: 30 min	**Cuisson:** 10 à 15 min
Rendement: 4 portions	**Prix de revient:** $$$

LAMINAIRE DIGITÉE (ALGUES BRUNES)

Laminaria digitata/Horse tail et *kelp*

Appellation erronée: fouet de sorcier

CARACTÉRISTIQUES: lame divisée, marge non ondulée, coloration brun foncé. Adhère aux rochers par des filaments qui se ramifient autour d'une cavité centrale conique. Peut atteindre 2 m (6 ½ pi) de long.

HABITAT: tout l'Atlantique, des deux côtés.

OÙ ET QUAND LA TROUVER: toute l'année, dans les magasins spécialisés.

COMMERCIALISATION ET DISTRIBUTION: séchée, en paquets de 50 à 100 g (2 à 7 oz).

$$

LES ALGUES DANS L'INDUSTRIE

Par combustion de plantes (salicorne et soude), on découvrit que les algues marines produisaient de la soude. Jusqu'en 1791, cette soude s'appelait «soude de varech». Ce produit était utilisé dans les industries du verre, du savon et de la teinture. Puis médecins et photographes réclamaient l'iode de la soude de varech pour leur travail. Où trouve-t-on encore des dérivés des algues? Dans le linoléum, l'encre d'imprimerie, les peintures, les produits pour imperméabiliser le bois, les cosmétiques, etc.

Aiguillat commun sauté, algues kombu, sauce soya

70 g (2 ½ oz)	Algues kombu, réhydratées
1	Oignon rouge, haché
½	Gousse d'ail hachée
160 g (¾ tasse)	Courgette en dés
4	Tomates émondées et épépinées, en dés
quantité suffisante	Sel et poivre
60 g (⅓ tasse)	Beurre doux
60 g (¼ tasse)	Huile d'arachide
quantité suffisante	Farine
12 X 50 g (env. 2 oz)	Tronçons d'aiguillat commun
160 g (1 ⅓ tasse)	Riz sauvage cuit
100 ml (3 ½ oz)	Sauce soya

- Couper en très fines lamelles les algues kombu. Faire fondre l'oignon haché, l'ail haché, puis ajouter courgettes et tomates en dés. Saler, poivrer et cuire doucement. À mi-cuisson, ajouter les algues kombu et laisser mijoter. Réserver.
- Chauffer le beurre doux et l'huile d'arachide. Fariner les tronçons d'aiguillat, saler, poivrer et cuire l'aiguillat à la meunière.
- Mélanger le riz avec le mélange de tomates-courgettes et déposer au milieu de l'assiette. Disposer autour les tronçons d'aiguillat et napper de sauce soya.

Préparation: 20 min	**Cuisson:** 10 min
Rendement: 4 portions	**Prix de revient:** $$

Photo page suivante →

ARAMÉ

Eisenia Bicyclis

Appellation erronée: *dried seaneed*

Caractéristiques: plante aux frondes de 30 cm (12 po) de longueur et de 4 cm (1 ½ po) de largeur. Plus épaisse que d'autres algues, on la cuit plusieurs heures avant de la faire sécher.

Habitat: le long de la côte centrale du Pacifique, au Japon.

Où et quand la trouver: toute l'année, séchée, dans les magasins spécialisés.

Commercialisation et distribution: séchée, en paquets de 50 à 200 g (2 à 7 oz).

Remarques: il y a 1000 ans, cette algue était déposée comme offrande au célèbre sanctuaire d'Ise. Maintenant, elle est encore récoltée chaque année au début du printemps, à marée basse.

$$

LES ALGUES QUE NOUS MANGEONS SANS LE SAVOIR

Les algues constituent certainement la plus «grande cachette» culinaire. Nous avons tous mangé des algues et, qui plus est, nous en consommons quotidiennement.

Citons des préparations alimentaires dans lesquelles on utilise les algues sous forme déguisée. Les crèmes, les flans, les crèmes glacées, les boissons lactées — fermentées ou non —, les charcuteries industrielles, les plats cuisinés, les pâtes de fruits, les mayonnaises et les vinaigrettes.

• Ce qui porte la mention «léger» contient souvent des additifs autorisés d'extraits d'algues.

Médaillons de baudroie, sauce à l'orange safranée, accompagnés d'algues aramé et de champignons etake

4 g (1 c. à thé)	Pistils de safran
70 ml (env. ⅓ tasse)	Noilly Prat blanc
3	Oranges (jus)
100 ml (3 ½ oz)	Velouté de poisson (voir recettes de base)
quantité suffisante	Sel et poivre
150 g (env. ¾ tasse)	Beurre
80 g (2 ¾ oz)	Algues aramé, réhydratées
80 g (2 ¾ oz)	Champignons etake
quantité suffisante	Farine
12 X 60 g (2 oz)	Médaillons de baudroie
60 ml (¼ tasse)	Huile d'olive

• Faire réhydrater les pistils de safran dans le Noilly Prat et le jus d'orange.

• Chauffer le velouté de poisson et y ajouter les pistils de safran et le Noilly Prat. Rectifier l'assaisonnement et faire cuire à moitié, de 5 à 6 min. Passer au chinois étamine ou passoire à mailles fines, monter avec 70 g (6 c. à soupe) de beurre et réserver au chaud.

• Faire sauter avec 50 g de beurre (4 ½ c. à soupe) les algues et les champignons qui serviront de légumes. Saler, poivrer et réserver.

• Fariner les médaillons de baudroie et, avec le reste du beurre et l'huile, cuire à la meunière. Saler, poivrer et laisser reposer.

Service: Dresser en couronne les médaillons de baudroie. Déposer les champignons et les algues à côté, puis napper de sauce. On peut ajouter du riz cuit aux algues.

Photo page suivante →

Préparation: 15 min	**Cuisson:** 15 min
Rendement: 4 portions	**Prix de revient:** $$$

MOUSSE D'IRLANDE (ALGUES ROUGES)

Chondrus crispus/Irish moss

Appellations erronées: carragheen, mousse perlée, lichen blanc et goémon blanc ou frisé

CARACTÉRISTIQUES: algue qui ressemble à une touffe d'environ 10 à 15 cm (4 à 6 po), lames étroites et aplaties, coloration variant du rouge vin au vert jaunâtre.

PROVENANCE: Atlantique Nord.

OÙ ET QUAND LA TROUVER: toute l'année, dans les magasins spécialisés.

TRAITEMENT ET DISTRIBUTION: séchée, rarement fraîche, en paquets de 50 à 200 g (2 à 7 oz).

REMARQUES: se mange en gelée, bouillie dans le lait ou dans de l'huile citronnée, ou encore enrobée de sucre.

$$

Homard à la vapeur d'algues, beurre fondu au citron

1 litre (4 tasses)	Court-bouillon (voir recettes de base)
200 ml (7 oz)	Vin blanc
4	Citrons (jus)
1/2	Feuille de laurier
1/2	Branche de thym
quantité suffisante	Sel et poivre
25 g (1/3 tasse)	Algues kombu, séchées
300 g (10 oz)	Algues mousse d'Irlande, fraîches
25 g (1/3 tasse)	Algues hijiki, séchées
4 X 560 g (1 1/4 lb)	Homards
200 g (env. 1 1/4 tasse)	Beurre doux

- Pour exécuter cette recette, il est impératif de posséder une casserole à trois étages, dont deux troués:
  1) l'étage du bas pour le court-bouillon;
  2) le deuxième troué pour les algues;
  3) le troisième troué pour les homards.

- Faire chauffer le court-bouillon, ajouter le vin blanc, le jus du premier citron, le laurier, le thym, puis saler et poivrer. Au deuxième étage, disposer toutes les algues, couvrir et laisser cuire 10 min.

- L'opération suivante est fort importante, car on ne peut cuire tous les homards ensemble, ils risqueraient de se vider. Les déposer un par un au dernier étage et les faire bouillir 1 à 2 min chacun, tour à tour, pour qu'ils meurent.

- Une fois cette opération terminée, déposer les quatre homards ensemble et cuire à pleine vapeur pendant 12 à 20 min.

- Couper en deux et servir immédiatement avec le beurre fondu auquel on aura ajouté le jus des 3 autres citrons.

Accompagnement: Chayotes cuites au beurre.

Préparation: 30 min	**Cuisson:** 20 min
Rendement: 4 portions	**Prix de revient:** $$$$

Endives au saumon fumé, sauce aux algues

40 g (¹/2 tasse)	Mousse d'Irlande, séchée
600 ml (2 ¹/2 tasses)	Lait
750 g (env. 1 ¹/2 lb)	Endives
100 g (²/3 tasse)	Beurre
2	Citrons (jus)
au goût	Sel et poivre
quantité suffisante	Beurre manié ou roux blanc (voir recettes de base)
325 g (env. ³/4 lb)	Saumon fumé

- Réanimer les algues dans le lait. Évider la base des endives en enlevant un petit cône d'environ 2,5 cm (1 po) à l'aide d'un couteau, pour ôter l'amertume. Ranger les endives dans un sautoir préalablement beurré. Ajouter le jus d'un citron afin que les endives soient à demi-recouvertes de jus. Saler et poivrer, puis couvrir et faire cuire à feu doux. Réserver les endives cuites.

- Passer le lait au chinois ou passoire à mailles fines. Récupérer les algues et les hacher finement. Lier le lait avec du beurre manié ou un roux blanc. Saler et poivrer. Presser les endives pour enlever le maximum de jus de cuisson. Envelopper chaque endive dans une tranche de saumon fumé, très fine.

- Disposer chaque endive dans un plat à gratin beurré. Ajouter les algues hachées à la sauce, puis le jus du deuxième citron, au moment de l'utiliser. Napper les endives de cette sauce et réchauffer au four à 180°C (350°F).

Préparation: 45 min	**Cuisson:** 30 min
Rendement: 4 portions	**Prix de revient:** $$$$

NORI (ALGUES VERTES)

Porphyra lineari ou *tenera*

CARACTÉRISTIQUES: ces algues ont un peu l'apparence d'herbe flottante. On les cultive en eau profonde sur des cadres de bois, le long des côtes de baies tranquilles. Une fois qu'on les a récoltés, on les fait sécher sur des claies de bambou et on les presse en feuilles minces.

OÙ ET QUAND LA TROUVER: toute l'année, dans les magasins spécialisés.

COMMERCIALISATION ET DISTRIBUTION: séchée, en paquets de 50 à 200 g (2 à 7 oz).

REMARQUES: c'est l'algue la plus riche en protéines.

$$

Noix de pétoncle avec algues nori et fettucine

240 g (1/2 lb)	Pâtes fettucine
60 ml (1/4 tasse)	Huile d'olive
8	Tomates émondées, épépinées et en dés
80 g (env. 1/2 tasse)	Carottes cuites
50 ml (3 c. à soupe)	Cognac
150 ml (env. 2/3 tasse)	Pineau des Charentes
2	Avocats mûrs, coupés en dés
80 g (2 3/4 oz)	Algues nori, réhydratées
quantité suffisante	Sel et poivre
quantité suffisante	Farine
650 g (1 1/2 lb)	Noix de pétoncle assez grosses
120 g (3/4 tasse)	Beurre
160 ml (env. 2/3 tasse)	Fond brun de veau (voir recettes de base)

- À l'eau salée, cuire les fettucine et les rafraîchir.
- Dans l'huile d'olive, faire fondre les tomates en dés avec les dés de carottes cuites. Flamber au cognac, ajouter le pineau des Charentes, puis ajouter les dés d'avocat et les algues nori réhydratées. Mélanger doucement les fettucine et garder au chaud, tout en ayant rectifié l'assaisonnement.
- Fariner les noix de pétoncle et les cuire doucement au beurre, à la meunière, saler poivrer et réserver.

Service: Dans un cercle, déposer les fettucine, disposer les noix de pétoncle autour ou sur les pâtés et arroser de fond brun de veau chaud.

Préparation: 20 min	**Cuisson:** 15 min
Rendement: 4 portions	**Prix de revient:** $$$$

Photo page suivante →

Laminaire à long stipe.

Laminaire digitée.

Rhodyménie palmé.

Laminaire saccharine.

Fucus vésiculeux.

Mousse d'Irlande.

Note: Ces algues sont celles que l'on trouve le plus souvent sur nos côtes de l'Atlantique.

Le mariage des vins et des poissons

Dans un mariage classique de vins et de mets, le caractère des mets et celui des vins servis doivent se rapprocher le plus possible.

Le mariage des vins et des poissons n'échappe pas à ce principe. Et, selon la règle bien connue, pour que le mariage soit heureux, le poisson ne doit pas écraser le vin et le vin, ne pas écraser le poisson.

Dans chaque tableau, on trouve une classification des variétés de poissons, selon leur type de chair (plus ou moins grasse, ou encore plus ou moins sèche), selon la cuisson et selon la sauce. Ces tableaux se veulent des guides. Dans le mariage de vins et de mets, le goût de chacun, la circonstance et son intuition sont des éléments clés dans le choix du vin. Le seul but recherché est en fait d'en tirer le plus grand plaisir.

Règles de base

Pour les vins, comme pour les mets, nous avons nos préférences. Tant mieux, car nous serions tous sur des axes de dégustation qui deviendraient monotones.

Cependant, des règles de base s'imposent en ce qui concerne le mariage des vins avec les poissons, mollusques et crustacés.

Il faut d'abord définir la teneur en gras de ceux-ci, savoir la méthode de cuisson adoptée et, si le plat est en sauce, de quel type de sauce il s'agit — douce, piquante, à base de fruits, de légumes acides ou accompagnée d'algues à forte saveur. Il faut aussi tenir compte du prix des vins.

Il est évident qu'on ne choisira pas le même vin pour une occasion de fête ou pour un repas de tous les jours. Les mêmes règles s'attachent au choix des poissons, mollusques et crustacés.

Le choix des vins que l'on trouve dans les tableaux suivants a été fait par M. Jean-Marc Barraud, professeur de sommellerie à l'Institut de tourisme et d'hôtellerie du Québec.

Vins accompagnant les poissons à chair maigre au goût moins prononcé

Turbot de sable, sole, famille des plies et cardeaux, flétan, raie, morue, goberge, aiglefin, brosme, merluche, merlan, tile, loquette, capelan, éperlan, baudroie, espadon, doré, perchaude, lotte, laquaiche, crapet, achigan, mérou, poulamon et bien d'autres.

Poisson grillé	Poisson frit ou meunière	Poché	Poisson en sauce douce	Poisson en sauce épicée	Sauce au vin rouge
Fumé blanc (Californie)	Coteaux de Franconie	Rully	Auxey-Duresses	Clairette du Languedoc	Bardolino
Crozes-Hermitage	Gaillac (sec)	Pouilly-Fuissé	Chablis 1er cru	Côtes de Provence blanc	Valpolicella
Tokay Pinot gris	Reuilly	Graves	Coulée-de-Serrant	Vergelesses	Bandol
Riesling	Roussette de Savoie	Riesling	Côteaux du Layon	Riesling	Volnay
Beaujolais *	Neuchâtel		Lacryma Christi	Bouzy rouge	Côtes du Jura
Chiroubles *	Sancerre		Pomino	Dôle	

* Vin rouge

Note: Sauf pour les plats qui comportent des sauces au vin rouge, les vins suggérés sont des vins blancs.

Vins accompagnant les poissons à chair semi-grasse au goût caractérisé

Esturgeon, brochet, vivaneau, loup de l'Atlantique, prionote du nord, dorade, saint-pierre, rouget-barbet, sébaste, congre, aiguillat, tanche-tautogue, perche blanche, bar, tous les salmonidés et bien d'autres.

Poisson grillé	Poisson frit ou meunière	Braisé	Poisson en sauce douce	Poisson en sauce épicée	Sauce au vin rouge
Côtes de Provence	Côte du Luberon	Tavel	Pinot blanc	Côtes du Rhône-Villages	Graves
Pouilly fumé	Patrimonio	Tokay Pinot gris	Tokai del friuli	Hermitage	Pinot noir (Alsace)
Buzet	Bordeaux blanc sec	Riesling	Pomino	Cassis	Volnay
Graves	Lugana		Barsac	Graves	Margaux
Montravel	Lacryma Christi		Sauternes	Clairette du Languedoc	Buzet
			Gewurztraminer	Côte de Provence	

Note: Sauf pour les plats qui comportent des sauces au vin rouge, les vins suggérés sont des vins blancs.

Vins accompagnant les poissons à chair grasse au goût prononcé

Thon, albacore, bonite, germon, maquereau, sardine, anchois, anguille, alose, tassergal, acoupa royal, hareng, gaspareau, spare, carangue, barbotte, barbue de rivière, carpe et bien d'autres.

Poisson grillé	Poisson frit ou meunière	Braisé	Poisson en sauce douce	Poisson en sauce épicée	Sauce au vin rouge
Sancerre	Fendant du Valais	Savennières	Lirac rosé	Condrieu	Côtes de Bourg
Anjou sec	Montlouis	Côte du Jura	Côtes-du-Rhône blanc	Tokay Pinot gris	Bandol
Riesling	Reuilly	Arbois	Saint-Véran	Gewurztraminer	Faugères
Pouilly-Fuissé	Seyssel	Saint-Aubin	Vouvray sec	Puligny-Montrachet	Saint-Julien
Orpailleur (Québec)	Gaillac (sec)		Auxey-Duresses		Pinot noir (Alsace)
Chardonnay	Niersteiner (sec)				
	Vins de la Rheinhessen (sec)				

Note: Sauf pour les plats qui comportent des sauces au vin rouge, les vins suggérés sont des vins blancs.

Vins accompagnant les crustacés de mer et de rivière

Crabe commun, crabe dormeur, crabe des neiges, crevettes blanche, crevette de roche, crevette grise, crevette nordique, crevette verte, homard, langouste, langoustine, écrevisse, pétoncle et bien d'autres.

Crustacés grillés	Crustacés pochés avec beurre	Crustacés au four	Crustacés frits	Crustacés avec sauce du crustacé	Crustacés en sauce épicée
Côtes-du-Rhône	Vouvray	Tavel	Albana di Romagna	Puligny-Montrachet	Riesling vendanges tardives
Mâcon-Villages	Riesling	Bandol	Lugana	Chassagne-Montrachet	Vouvray
Monthélie	Pouilly fumé	Côtes de Provence	Soave	Corton	Château-Chalon
Pomino	Pouilly-sur-Loire	Châteauneuf-du-Pape (blanc)	Chardonnay de Napa ou de Sonoma	Tokay Pinot gris	Fendant
Orvieto	Lugana	Condrieu		Corvo blanco	Tokay Pinot gris
Sylvaner	Meursault			Falerno bianco	
				Cassis	
				Chardonnay de Napa ou de Sonoma	

Note: Sauf pour les plats qui comportent des sauces au vin rouge, les vins suggérés sont des vins blancs.

Vins accompagnant les coquillages et les invertébrés

Bigorneau, buccin, coque, couteau, huître, mactre d'Amérique, moule, mye, ormeau, palourde américaine, pétoncle, quahog nordique, calmar, encornet, oursin, pieuvre, seiche et bien d'autres.

Coquillages crus	Coquillages cuits nature	Coquillages cuits avec jus	Coquillages frits	Coquillages cuits en sauce douce	Coquillages cuits en sauce épicée
Muscadet	Graves	Muscadet	Sancerre	Gewurztraminer	Mercurey
Sauvignon	Entre-deux-mers	Rully	Côtes de Provence	Pomino	Chablis
Sancerre	Bandol			Orvieto	Rioja
Riesling					
Moselle					

Note: Sauf pour les plats qui comportent des sauces au vin rouge, les vins suggérés sont des vins blancs.

Conclusion

À LA LECTURE DU PRÉSENT OUVRAGE, les noms de laquaiche aux yeux d'or, tanche-tautogue ou prionote du nord vous sont devenus familiers. Vous avez découvert des nouveautés culinaires aux consonances exotiques, mais qui sont bel et bien présentes sur le marché. Apprêtés dans une sauce délicate, cuits avec soin, servis avec imagination, ces poissons pourront bientôt faire partie de vos menus préférés et rivaliser, sur vos tables, avec le saumon de l'Atlantique, le homard ou la plie. Le miracle culinaire s'est encore une fois produit, un peu de chaleur nécessaire à la cuisson, un coup de fouet à la sauce, quelques touches de couleur pour le coup d'œil et le résultat est là, prêt à savourer.

Nous espérons que le contenu de ce livre a enrichi vos connaissances et qu'il a su vous donner le goût de cuisiner. C'était notre premier objectif et nous y avons consacré toute notre imagination, toute notre foi et tout notre savoir. Ce sera notre modeste contribution à la cuisine québécoise.

Lexique

Ache	*Voir* livèche.
Anadrome	Poisson de mer qui remonte les fleuves pour pondre. Il vit donc en eau salée et se reproduit en eau douce.
Aneth odorant	C'est une plante aromatique dont l'odeur rappelle celle du fenouil sauvage. Les graines d'aneth sont employées comme condiment.
Appareil	Mélange d'éléments divers destinés à une préparation.
Asclépiade	Les jeunes pousses se préparent comme des asperges.
Aspic	Mode de dressage de préparations cuites et refroidies, prises dans une gelée moulée.
Avocat	L'avocat appartient à la famille des *Lauracées*, qui comprend surtout des plantes aromatiques (laurier, cannelier et camphrier). Son nom aztèque *ahuacatl* signifie «beurre venant du bois». L'avocat se marie bien avec plusieurs crustacés.
Bain-marie	Procédé destiné soit à garder au chaud une sauce, un potage ou un appareil, soit à faire fondre des éléments sans risquer de les faire brûler, soit à faire cuire très doucement des mets. Son principe consiste à placer le récipient contenant la préparation dans un autre récipient contenant de l'eau en ébullition. Le terme désigne aussi l'ustensile de cuisson utilisé.
Barbarée	La saveur de cette plante rappelle le cresson. Elle peut remplacer l'oseille.
Bardane	Les racines de bardane ressemblent au panais ou au salsifis.
Barder	Opération qui consiste à envelopper un poisson avec des bardes, c'est-à-dire de minces tranches de lard gras, pour le protéger et l'imbiber de gras.
Beurre manié	Mélange de beurre et de farine que l'on utilise pour lier certaines préparations, telles que des sauces, des coulis et des ragoûts.
Beurrer	Enduire un élément de beurre ou incorporer du beurre dans une préparation.
Blanchir	Opération qui consiste à faire bouillir des produits dans une certaine quantité de liquide, et pendant une période donnée, pour leur enlever certaines impuretés ou pour les attendrir.

Bouillabaisse	Plat de poissons bouillis et aromatisés contenant entre autres du safran et de l'ail, et comportant des poissons de la Méditerranée (rascasses, vives, langoustes, congres, girelles, saint-pierre, baudroies et merlans).
Bouquet garni	Élément aromatique composé de céleri, de branches de thym, de queues de persil et de feuilles de laurier, le tout ficelé ensemble.
Bourrache	Les feuilles de bourrache crues peuvent bien s'accommoder avec plusieurs crustacés et mollusques.
Braisage	Mode de cuisson de divers aliments, à couvert et avec mouillement.
Brunoise	Ce terme désigne à la fois une façon de tailler les légumes en petits dés d'environ 3 mm (1/8 po) de côté et le résultat de cette opération, c'est-à-dire un mélange de légumes divers taillés en dés.
Buisson	Mode de dressage en pyramide, s'appliquant à divers éléments, dont les écrevisses et le homard.
Carottes sauvages	Ces carottes sont blanches et se mangent crues et râpées.
Carthame	Plante dont on utilise les graines pour faire de l'huile. Il arrive que les pétales de ses fleurs remplacent le safran, d'où le nom de safran bâtard.
Casser les fibres d'un filet	Afin de casser les fibres pour qu'un filet ne rétrécisse pas, envelopper le filet dans du papier d'aluminium, puis le taper doucement à plat, avec la lame d'un couteau.
Cassolette	Plat de poissons ou de crustacés, lié au velouté de poisson et servi dans un récipient à oreillettes nommé cassolette.
Champignons chinois	Shiitake, oreille-de-Judas, champignon volvaire, pleurote et enoki sont tous des champignons qui s'accordent avec tous les poissons, mollusques et crustacés.
Chapelure blanche	Cette chapelure se fait avec du pain blanc auquel on enlève la croûte et que l'on passe au robot culinaire.
Châtrer	Ce terme s'applique surtout aux écrevisses. C'est enlever l'intestin en tirant le milieu de la partie arrière de la queue.
Chaud, enlever la peau à	Opération qui consiste à enlever la peau d'un poisson cuit pendant qu'il est chaud.
Chayote ou christophine	Ce légume de la famille des *Cucurbitacées* (courges) est originaire du Mexique. Il s'accorde bien avec tous les poissons, mollusques et crustacés, entre autres à cause de son odeur très faible.

Chiffonnade	Julienne de laitue, d'oseille ou d'autres feuilles de verdure qui peut être fondue au beurre.
Citronnelle	Nom de diverses plantes qui contiennent une huile essentielle à odeur citronnée (armoise, citronnelle, mélisse et verveine odorante).
Clarifier	Opération qui consiste à rendre claires des substances troubles comme des bouillons et des boissons; on emploie aussi le terme pour le sucre, le beurre et les œufs. Pour obtenir un velouté de poisson sans aucune impureté, il est conseillé de clarifier le fumet de poisson.
Contiser	Opération qui consiste à faire des incisions sur un poisson (rond) cru et à y introduire des lamelles de gras, de truffe, etc.
Coriandre	Les graines et les feuilles sont très utilisées pour la cuisine des poissons, mollusques et crustacés.
Cresson officinal	Lorsqu'il est très frais, il peut facilement remplacer le cresson.
Crosse de fougère	Ce légume, que l'on cueille au printemps, est souvent appelé tête de violon, car sa forme ressemble à la tête d'un violon. Parmi les nombreuses variétés de ce légume, on ne peut en manger que quelques-unes, dont la fougère-à-l'autruche.
Daikon	*Voir* radis oriental.
Darne	Tranche épaisse, taillée principalement dans un gros poisson rond, destinée à une personne.
Décortiquer	Opération qui consiste à séparer un fruit ou une graine de son enveloppe; à dépouiller un crustacé de sa carapace, un mollusque de sa coquille.
Déglacer	C'est dissoudre, avec un peu de liquide, les sucs qui se sont caramélisés au fond du plat de cuisson.
Dégorger	Faire tremper plus ou moins longtemps un article à l'eau froide pour le débarrasser de ses impuretés.
Dépouiller	Opération qui consiste à enlever, à l'aide d'une cuiller ou d'une écumoire, les impuretés qui remontent à la surface d'un liquide (fond de sauce) lors d'une ébullition lente.
Donner un bouillon	C'est l'action de plonger un aliment dans un liquide lorsque ce liquide arrive au point d'ébullition.

Ébarber	À l'aide de ciseaux ou d'un couteau, enlever les barbes ou les nageoires latérales des poissons, ainsi que les muscles et les barbes (cartilages servant de nageoires) des huîtres et des moules.
Échalote	Il existe deux sortes d'échalotes: l'échalote verte, fraîche et l'échalote dite française, séchée. Dans la majorité des recettes, nous utilisons l'échalote sèche, au goût beaucoup plus fin que l'oignon.
Écorcher un poisson	Opération qui consiste à enlever la peau du poisson en l'accrochant par la tête et en tirant sur la peau.
Émonder	C'est retirer la peau des fruits ou des légumes — par exemple des amandes ou des tomates — après les avoir plongés dans l'eau bouillante.
Émulsionner	Battre vivement au fouet à main ou au fouet électrique.
Épépiner	Opération qui consiste à enlever les pépins d'un fruit ou d'un légume.
Escaloper	C'est couper en tranches minces et en biais.
Estragon	Cette variété d'armoise parfumée est originaire de Russie. À cause de son parfum, il faut l'utiliser avec subtilité.
Étuver ou fondre	Cette opération est le contraire de faire suer. On cuit un aliment à feu doux, dans très peu de liquide et de gras, à couvert. On fait surtout étuver ou fondre certains légumes. Les légumes gardent alors leurs sucs et prennent le goût du beurre.
Fenouil sauvage	Le fenouil comprend plusieurs variétés sauvages aux fruits plus ou moins doux, poivrés ou amers et une variété cultivée, dont on mange le bulbe.
Fileter	Opération qui consiste à lever les filets d'un poisson, c'est-à-dire les prélever à l'aide d'un couteau spécial.
Fondre	*Voir* Étuver.
Frémir	Un liquide frémit tout juste avant d'atteindre le point d'ébullition.
Fricassée	Ragoût fait à partir de différents éléments, dont des crustacés, préalablement saisis au beurre.
Glacer	C'est soumettre à une chaleur vive des poissons ou des crustacés enduits d'un «appareil à glaçage» contenant de la sauce hollandaise, du velouté de poisson et de la crème fouettée, afin d'obtenir à la surface une coloration dorée.
Gonades d'oursin	Partie jaune ou orangée à l'intérieur de l'oursin.

Gratiner	C'est cuire ou finir de cuire au four ou à la salamandre un mets parsemé de chapelure ou de fromage râpé. Pour la plupart des poissons, il n'est pas conseillé de procéder à cette opération avec du fromage, car le goût du fromage l'emporte habituellement sur celui du poisson.
Julienne	On désigne sous ce nom une substance quelconque (viande ou légumes) détaillée en fines lanières.
Laitance	Substance blanche et tendre se trouvant à l'intérieur des poissons.
Landlocké, saumon	Ce saumon d'eau douce est aussi connu sous le nom de ouananiche. Il est généralement plus petit que le saumon anadrome.
Lavande	Lorsqu'on l'utilise avec parcimonie, la lavande relève la saveur de certains poissons.
Légumes verts chinois	Le bok-choy, le baby bok-choy, le bok-choy sum, le yow choy sum et le gai lon sont tous membres d'une même famille, les *Crucifères*. Chacun de ces légumes a un goût particulier. Ils s'accordent bien avec les poissons, mollusques et crustacés.
Lier	Opération visant à rendre plus consistant un liquide ou une sauce en y ajoutant différents ingrédients, tels que des œufs, de la farine, de la fécule ou du beurre.
Livèche et ache	L'ache, c'est le céleri sauvage qui est cultivé dans les jardins à partir du 16e siècle. Il fournit plusieurs variétés de légumes consommés, entre autres ceux que l'on connaît sous les noms de céleri en branche et céleri-rave.
Macérer	Opération qui consiste à faire tremper divers articles pendant un certain temps dans un liquide aromatique.
Mangue	La mangue est cultivée en Asie depuis près de 6000 ans. Son goût particulier ne peut s'adapter qu'à certains poissons.
Matelote	Étuvée de poissons, principalement de poissons d'eau douce, préparée au vin rouge ou au vin blanc, avec des lardons, des petits oignons, des champignons, etc.
Meurette	Matelote de poissons de rivière, mais aussi d'œufs, de veau ou de poulet.
Mirepoix	Légumes coupés grossièrement pour la préparation d'une sauce ou d'un composé (carotte, céleri, oignon et poireau).
Monter au beurre	C'est parsemer une sauce de noisettes de beurre froid et les incorporer en fouettant jusqu'à l'obtention d'un mélange homogène.

Mouclade	Se dit d'une préparation de moules, semblable à l'apprêt dit «à la poulette», mais comportant de plus une liaison de jaune d'œuf et de beurre.
Mouiller	C'est ajouter de l'eau, du bouillon, du fumet de poisson ou de la base de homard à différents éléments pendant leur cuisson.
Mouiller à hauteur	Opération qui consiste à ajouter un liquide de cuisson afin que ce liquide soit à la hauteur de ce qu'on doit cuire.
Mouler	Action de déposer un mélange ou un aliment à l'intérieur d'un moule.
Moutarde noire	Les graines de moutarde broyées, mélangées avec du verjus ou du moût de raisin, servent à faire de la moutarde. On peut aussi utiliser les graines de moutarde noire cuites pour assaisonner les poissons.
Nage, cuisson à la	Cuisson d'un poisson ou d'un crustacé dans un court-bouillon.
Napper	C'est verser une sauce ou une crème sur un mets ou sur une assiette de service de façon à en recouvrir la surface.
Orpin pourpre	Les feuilles de l'orpin pourpre sont croustillantes comme celles du chou vert et se consomment crues ou cuites.
Ortie	«Quand l'ortie est jeune, la feuille est un excellent légume», a écrit Victor Hugo. Les feuilles de l'ortie sont couvertes de poil.
Oseille	Les feuilles d'oseille cultivée sont acides, mais s'accordent très bien avec les poissons.
Paner	C'est passer un élément dans la mie de pain, avant de le faire frire, sauter ou griller.
Papaye	Originaire du sud du Mexique, cru, cuit ou en jus, ce fruit rehausse avantageusement plusieurs poissons et mollusques. De plus, le jus de papaye attendrit les chairs.
Parer	C'est supprimer les parties non utilisables d'une viande, d'une volaille, d'un poisson ou d'un légume au moment de sa préparation, afin d'en améliorer la présentation.
Parures	On désigne sous ce nom, toutes les parties (nerfs, peaux et autres) que l'on supprime des pièces de boucherie ou des poissons avant de les cuire. Les parures sont utilisées pour préparer des fonds qui servent à la confection des sauces.
Pimprenelle	Plante herbacée à fleurs généralement rouges qui sert parfois à l'assaisonnement.

Plaquebière ou chicouté	Ce petit fruit est rouge comme une framboise au début, puis il devient jaune, ambré et translucide. C'est un produit typique de la Côte-Nord.
Plaquer	C'est l'action de déposer un aliment dans une plaque avec ou sans rebord.
Pluches de cerfeuil	Partie délicate du cerfeuil qui sert à assaisonner les plats.
Pocher	C'est cuire des aliments dans un liquide entre 90 °C et 95 °C (env. 200 °F), à découvert et sans laisser bouillir.
Pochouse	Il s'agit d'un plat très semblable à la matelote, comportant de la perche, de l'anguille, du brochet, de la truite, de la carpe et de la baudroie.
Pointe, une	Très petite quantité d'une épice, par exemple. On peut dire une pointe de poivre de Cayenne.
Populage	On consomme cette plante fréquemment. On ajoute ses feuilles aux salades ou on les utilise cuites comme légumes verts. Ses fleurs en boutons, confites au vinaigre, remplacent les câpres.
Poulette, à la	Se dit de différents mets comportant du poisson, des moules, des grenouilles ou autres, accompagnés d'une sauce à base de réduction de jus de moule ou de grenouille et de crème à 35 %, aromatisée avec du persil, des échalotes, etc.
Quenouille	Les Amérindiens employaient les rhizomes séchés et pulvérisés de la quenouille comme farine. L'intérieur de la tige est appelé cœur de quenouille et l'épi mâle est consommé comme un épi de maïs.
Radis oriental ou daikon	Cette plante possède un goût moins fort que celui du rutabaga ou du navet. Il peut, si l'on fait preuve de discernement, s'accorder avec certains poissons.
Rafraîchir	C'est mettre un ingrédient ou un mets dans l'eau ou le passer sous l'eau froide courante pour le refroidir rapidement.
Raidir	C'est contracter les chairs d'un aliment à chaleur intense, sans coloration.
Rapini	Légume croquant, proche parent du brocoli. Il est moins parfumé que le brocoli, donc il ne masque pas la saveur des poissons.
Réduire	C'est faire bouillir une sauce ou un fond pour provoquer une évaporation et rendre ainsi la préparation plus corsée et plus colorée.
Réglisse	Au goût particulier, mais d'une grande finesse, cette plante utilisée avec parcimonie se marie très bien avec plusieurs poissons et crustacés.

Réserver	Une fois la cuisson des poissons terminée, les garder au chaud sur un plat ou une assiette où l'on a déposé une serviette en papier s'il y a excédent de gras.
Risotto	Riz pilaf, garni d'un appareil aux fruits de mer ou comportant une autre garniture au choix.
Salicorne	Cette plante contient beaucoup d'iode et a un goût salé très agréable. On l'appelle aussi haricot de la mer.
Sangler	*Voir* Méthode de conservation des poissons frais, p. 15.
Sauter	C'est faire cuire à feu vif dans un corps gras et en remuant la casserole ou la sauteuse de façon à faire «sauter» les articles, pour les empêcher de coller.
Sec, à	C'est extraire totalement l'humidité d'un aliment ou réduire un liquide à 99 %.
Singer	Opération qui consiste à poudrer de farine des aliments afin d'obtenir, après le mouillement, la liaison de la sauce.
Suer	Dans un corps gras, c'est faire cuire un légume à chaleur assez forte, pour lui faire perdre une partie de son eau de végétation et concentrer ses sucs.
Tête de violon	*Voir* Crosse de fougère.
Thé du Labrador	Petit arbuste qui a élu domicile dans les tourbières. Les jeunes feuilles sont excellentes infusées pour faire une base de sauce.
Timbale	Croustade servie en entrée chaude, faite d'une croûte feuilletée, garnie d'un appareil à base de crustacés, de poissons ou d'un autre élément.
Tourner	Quand on parle de légumes tournés, il s'agit de légumes auxquels on a donné certaines formes à l'aide d'un couteau.
Tronçons	Morceaux prélevés sur les gros poissons plats, destinés à une ou plusieurs personnes.
Vesiga	Moelle épinière de l'esturgeon, utilisée entre autres pour la préparation du koulibiac de saumon.

Blanc   Se dit du filet des poissons fins comme le flétan.

Catigot   Matelote de poissons (anguille et carpe), comportant des tomates, des oignons et du lard.

Daube   Cuisson à l'étouffée avec un fond et des aromates, applicable, entre autres, au thon.

Miroton   Préparation de viande et, par extension, de poisson, mijotée.

Paupiette   Fine tranche de viande ou de poisson, farcie au centre, puis roulée et cuite.

Ragoût   Préparation à base de viande ou de poisson, cuite à court mouillement dans un liquide lié, généralement avec des petits légumes.

Salmis   Mets à base de crustacés, et principalement d'écrevisses, cuit «à la bordelaise», mais comportant du vin rouge au lieu de vin blanc.

Suprême   Terme désignant le blanc de volaille ou le filet de gibier et, par extension, la partie la plus charnue des filets de poisson fins.

Tourtière   Terme désignant un moule rond et, par extension, le mets cuit dans ce moule. On retrouve une recette de «tourtière d'huîtres» dans un ouvrage de 1651: il s'agit d'une composition à base d'huîtres, comportant des fonds d'artichaut, des asperges et des morilles.

Index des poissons

* Ce poisson n'est pas cité dans le présent ouvrage bien qu'il ait son utilité en cuisine.

Index des recettes

Table des matières

Imprimé au Canada